MARGUERITE DE PROVENCE

Une reine au temps
des cathédrales

Ouvrages du même auteur
sur le XIIIe siècle

Saint Louis et son siècle, Tallandier, Paris, 1983 (couronné par
l'Académie-française).
L'économie du royaume de France au siècle de Saint Louis, P.U.L.,
Lille, 1984.
Des mirages méditerranéens aux réalités atlantiques, P.U.F., Paris,
1976.
La baja edad media, Madrid, 1976.

GÉRARD SIVÉRY

MARGUERITE
DE PROVENCE

*Une reine au temps
des cathédrales*

FAYARD

Avant-propos

Louis IX à peine mort, les biographes vont s'attacher à son souvenir, et commencer une série ininterrompue d'histoires de sa vie. Avec une constance égale, ils laissent dans la pénombre son épouse Marguerite de Provence. Seul Edouard Boutaric, au siècle dernier, lui consacrera un article. Parmi nos reines de France, elle est l'une des plus mal connues. La mémoire collective n'en a gardé qu'un pâle souvenir. L'histoire ne l'évoque guère qu'à propos de sa belle-mère, Blanche de Castille — elle ne serait que la tendre victime de celle-ci — et de son époux — dont la célébrité l'aurait reléguée dans l'oubli.

Une telle disparité de traitement historique envers les partenaires de ce grand couple royal ne manque pas de susciter quelques interrogations. La première est la suivante : la documentation relative à Marguerite de Provence serait-elle trop mince pour qu'on lui consacre un livre tout entier ? Le dossier transmis par les archives semble prouver le contraire. Il n'est que de mentionner ici les « reportages » de Joinville pendant la croisade de 1248 à 1254, l'étonnante et riche correspondance de Marguerite avec la famille royale anglaise et son beau-frère Alphonse de Poitiers, ainsi que les documents relatifs à sa dot, au mariage de ses enfants et à quelques-uns de ses passages sur le devant de la scène politique.

N'aurait-on pas laissé son souvenir en jachère parce que l'on ne tenait pas à exhumer de « vieux papiers de famille » de crainte d'y découvrir de mauvais secrets ? L'enquête menée sur Saint Louis et son siècle a montré qu'il n'en était rien.

Dans l'histoire traditionnelle, il est de bon ton d'offrir de Marguerite de Provence une image stéréotypée, celle d'une femme coquette, uniquement préoccupée de ses toilettes, timide et effacée devant sa belle-mère dont elle ne se défend qu'à l'aide de ruses. L'image de son action politique est encore plus tranchée. On ne veut voir en elle qu'une reine capricieuse, bornée, tellement prisonnière de son désir de s'entendre avec l'Angleterre et de son opposition à Charles d'Anjou qu'elle passerait une partie de sa vie à se quereller avec son époux. En bref, l'opinion qu'avaient d'elle Blanche de Castille et les conseillers de la royauté, qui continuaient à craindre l'Angleterre et répugnaient aux expéditions outre-Rhône, domine toujours.

L'examen des sources relatives à cette reine de France si malmenée s'imposait donc. Bien entendu, certains documents ne sont pas à son avantage. Cette biographie ne va pas les cacher car elle ne prétend pas être un panégyrique. Une longue fréquentation des écrits du XIIIe siècle montre que l'histoire traditionnelle ne s'est pas contentée de transmettre la vision de la mère de Saint Louis et des représentants les plus affirmés du vieux clan capétien fidèle à la politique de Philippe Auguste. Elle a aussi ignoré ou examiné de manière très superficielle un certain nombre de textes. Sans arrêt, des questions se posent. Par deux fois, des mesures très graves ont été prises contre elle. Aurait-on agi ainsi envers une reine écervelée et sans puissance ?

Il est grand temps d'ouvrir le dossier de Marguerite de Provence sans procéder à une sélection préalable des pièces. Nul n'avait encore pris la peine d'étudier attentivement tous les documents la concernant. Une autre Marguerite se présente à nos yeux, plus complexe et plus forte qu'on l'a trop souvent dit. Efforçons-nous de découvrir sa véritable personnalité. Personne ne lui dénie au moins une originalité : elle fut l'épouse d'un saint, ce qui n'est pas fréquent. Avec son bon sens, son équilibre, son esprit quelque peu moqueur, elle a réussi à vivre cette aventure hors du commun, qu'un nombre restreint d'épouses ont connue.

Reine de France, elle reste attachée à sa famille provençale. Ses parents, Raimond Bérenger, comte de Provence, et Béatrice de Savoie, se sont donné tant de mal pour que leurs filles deviennent des reines. L'un des plus grands génies littéraires, Dante, n'a pas craint de s'émerveiller du destin de ces quatre sœurs, Marguerite, Eléonore, Sanchie et Béatrice qui « ont séduit » quatre rois.

Deux écueils sont cependant à éviter. Il ne faudrait pas s'imaginer que ce « clan » des reines fut toujours uni. On découvre certes les solidarités lignagères et familiales. Mais, comme dans toute famille, certains attachements durables ne doivent pas laisser dans l'ombre des oppositions et des haines. Il ne faudrait pas davantage penser que ces reines ont réglementé l'histoire diplomatique de l'Occident. France, Angleterre, Sicile, Empire existaient sans elles. Il n'en reste pas moins que les quatre sœurs étaient proches des milieux dirigeants de l'époque.

En plusieurs occasions, on ne peut comprendre Marguerite de Provence si l'on oublie ses sœurs : Eléonore, Sanchie et Béatrice. La beauté et l'éblouissant destin des filles de Raimond Bérenger ont fasciné leurs contemporains. Pourquoi ne nous étonneraient-ils pas encore ? Depuis près de huit siècles, la reine Marguerite attend sa biographie. Qu'elle ait exercé d'autorité officielle un mois seulement, du 7 avril au 6 mai 1250, quand Louis IX, prisonnier en Egypte, lui avait donné délégation sur l'expédition « d'outre-mer » (la croisade), n'est pas une excuse pour surseoir davantage. Maintenir plus longtemps dans l'oubli cette reine qu'avaient chanté Dante et, selon toute vraisemblance, Guillaume de Lorris dans son Roman de la Rose *serait inique à plusieurs titres. Essayons de réparer l'injuste négligence dont elle fut si longtemps victime. Redonnons-lui vie l'espace d'un livre.*

CHAPITRE PREMIER

MARGUERITE, FILLE DE PROVENCE

La naissance de Marguerite de Provence

Marguerite était la fille aînée de Raimond Bérenger V, comte de Provence de 1209 à 1245, et de Béatrice de Savoie, née de Thomas Ier, comte de Savoie et marquis en Italie, qui possédait de grands biens en Piémont. La date exacte de sa naissance n'est pas connue, et celle du mariage de ses parents ne l'est pas davantage. Les documents conservés permettent de le situer entre le 5 juin 1219 et le début du mois de septembre 1220. Le 5 juin 1219, en effet, Thomas Ier, comte de Savoie, s'engageait à donner une dot de 2 000 marcs d'argent, payable pour la première moitié le 2 février 1220 et pour l'autre à la Noël de la même année, à sa fille aînée Béatrice qui épousait le comte de Provence[1]. Or, dès le 2 septembre 1220, les habitants de Brignoles cèdent le consulat de leur ville à Raimond Bérenger et à son épouse que le scribe surnomme « dame lombarde »[2]. Leur union avait donc été contractée avant cette date et, selon toute probabilité, plutôt en 1219 qu'en 1220, puisque, de manière assez habituelle, l'engagement dotal précédait de peu le mariage. En outre, les deux jeunes époux auraient eu à déplorer la perte de deux fils, des jumeaux sans nul doute, avant la naissance de Marguerite. Dans ces conditions, la venue au monde de cette princesse peut être placée au printemps de 1221, et la fille aînée du comte de Provence aurait bien eu treize ans lors de son union avec Louis IX, comme le signale la tradition.

Les documents ne précisent pas davantage le lieu de sa naissance. On sait seulement que Béatrice de Savoie résidait une partie de l'année à Brignoles. Dès 1221, elle avait reçu en douaire cette seigneurie et, par la suite, se déclarait parfois « lombarde, dame de Brignoles ». En 1237, son bayle ou administrateur est un juif appelé Bonnafous. En outre, les textes indiquent que le comte de Provence s'installait avec sa cour à Brignoles au printemps et à l'automne de manière assez régulière. Il y résidait en mars 1221 comme le prouvent les actes de sa chancellerie. Les séjours qu'y faisaient le comte et ses conseillers permettaient de mieux surveiller la partie orientale de ses possessions. Brignoles présentait aussi l'avantage de rapprocher la comtesse Béatrice de son pays natal. Au début du mariage, la famille comtale logeait dans l'ancien château des comtes de Provence, en face de l'église Saint-Sauveur. Marguerite serait donc née dans ce château. Il faut attendre 1223 pour qu'une nouvelle construction, le « Palais », devienne la résidence de la famille comtale quand elle séjourne à Brignoles[3].

Les ancêtres

Marguerite de Provence était fille de haut lignage. Par son père, qui avait atteint sa majorité en 1219, elle descendait des diverses maisons de Provence et de celle de Toulouse. Raimond Bérenger V réunissait en lui les diverses branches issues des comtes de Provence, celles de Barcelone, Toulouse et Forcalquier. Son grand-père, Alphonse Ier, comte de Provence et roi d'Aragon, était le fils de Raimond Bérenger II de Provence, comte de Barcelone, qui avait épousé en 1150 Pétronille, reine d'Aragon depuis 1137, en succédant à son père, Ramire II « le moine ». Le comte de Barcelone, Raimond Bérenger Ier, devenu comte de Provence par son mariage avec Douce, arrière-petite-fille de Guillaume le Libérateur, descendait de Rombaut qui était le frère de ce Guillaume et tenait avec lui le comté de Provence indivis. Mais Almodis, fille de Rombaut, avait quitté son mari, Pons, comte de Toulouse, pour s'unir avec le père de Raimond Bérenger Ier. Son adultère avait provoqué un très grand scandale, car « elle avait abandonné sa maison et ses enfants ».

Forts de leur légitimité sans faille, les descendants de Raimond de Saint-Gilles, fils de Pons de Toulouse et d'Almodis, à la fois comtes de Toulouse et comtes indivis de Provence, désiraient dominer le Midi et réclamèrent vite toute la Provence. Après une première phase de luttes, Raimond Bérenger Ier de Provence partagea l'ancien comté indivis de Provence en 1125 avec Alphonse Jourdain, fils de Raimond de Saint-Gilles. Désormais, les comtes de Toulouse possédaient les pays au nord de la Durance et, en plus, Beaucaire et Argence. Les comtes de Provence de la maison catalane conservaient le vaste territoire compris entre le Rhône, la Durance, les Alpes et la mer, tandis qu'Avignon restait indivis. Ensuite Alphonse II, grand-père de Marguerite, obtint le comté de Forcalquier grâce à son mariage avec Gersende de Sabran, qui descendait d'Alix de Provence, fille de Guillaume le Libérateur. Raimond Bérenger V possédait ainsi la plus grande partie de l'ancien comté de Provence avec, en gros, les Alpes du Sud et la région comprise entre la Durance et la Méditerranée. Ainsi se dessinait une gigantesque domination catalane dans le Midi.

Premier comte du lignage catalan à résider en Provence de façon quasi permanente, Raimond Bérenger V s'y déplaçait beaucoup et, le plus souvent, sa famille et sa cour l'accompagnaient. Le « nomadisme » — de château en château il est vrai — était habituel aux princes de ce temps. Il leur permettait de mieux contrôler leurs territoires, de se faire connaître des habitants et d'éviter aux vivres produits dans leurs seigneuries de trop voyager. Et, ce qui n'est pas négligeable dans ce magnifique cadre provençal, de jouir des avantages successifs de la plaine, de la montagne et de la Côte. Le comte, sa famille, ses conseillers et ses serviteurs passent l'hiver dans la plaine rhodanienne et dans ses abords, l'été dans les Alpes, l'automne dans les régions de collines et sur la Côte. Tel est le schéma général qui souffre peu de contretemps[4].

Ainsi, en septembre 1220, la cour comtale réside à Brignoles et dans sa contrée. La voici à Aix au cours de l'hiver avant de monter à Brignoles en mars 1221 et à Digne en juin, mais elle redescend vite dans les Alpes maritimes et l'on note même un court séjour dans la région d'Arles en août. De septembre à Noël 1221, le château de Tarascon accueille le plus souvent le comte et sa suite qui se trouvent à Aix en janvier 1222 et à Noves, près d'Arles, en février. Dès mars, le comte s'installe à Digne où il confirme au prévôt de l'église Notre-Dame les libertés et la juridiction du bourg. Ce n'est là qu'un déplacement impromptu car la cour comtale séjourne à Brignoles au mois d'avril. De septembre à novembre, le haut pays niçois l'héberge à Grasse ; toutefois, une charte de franchises accordée à Seyne-les-Alpes semble signaler un nouveau et bref voyage dans la région de Digne pendant l'automne. La cour comtale réside ensuite quelque temps à Vence et revient hiverner en plaine rhodanienne. L'année suivante connaît une perturbation du rythme. Dès février 1223, le comte est à Manosque, dans le comté de Forcalquier. Il redescend ensuite sur la Côte, à Marseille et à Hyères, en mai, avant de repartir vers la montagne. Il séjourne à Digne et passe par Le Lauzet, près de Barcelonnette, au mois d'août. Aix le reçoit en décembre. En 1224 et 1225, les déplacements redeviennent réguliers. En janvier 1224, le comte se rend à Marseille, s'en retourne à Aix en février, passe par Antibes en avril, se retrouve à Manosque en juin et à Draguignan en août avant de séjourner à Hyères et à Brignoles en octobre et de séjourner en novembre à Aix, où sa présence est encore attestée en janvier 1225. En mars, il quitte la plaine pour Fréjus et pour Fayence. En mai, il est à Brignoles et en juin dans la région de Forcalquier avant de redescendre vers la Côte et la plaine[5].

Ces déplacements ont bercé l'enfance de Marguerite. Ils la font transiter de la vallée du Rhône à la montagne du comté de Forcalquier en passant par la Côte et les zones de moyenne altitude. Ces voyages qui s'adaptent à l'ordinaire aux saisons lui font connaître cette Provence élargie à la plus grande partie des Alpes du Sud. Ils servent surtout à affirmer le pouvoir comtal mais, grâce à eux, Marguerite découvre les nuances de ces merveilleux paysages qui, malgré leur grande variété, sont cependant tous marqués par une source profonde d'unité, cette lumière extrême et inégalable. Marguerite est bien fille de Provence. Elle aime avec passion son pays d'origine. Pendant tout le parcours de sa vie, elle ne cessera de regretter cet héritage qui semblait devoir lui revenir en tant que fille aînée et que les vicissitudes attribuèrent à sa plus jeune sœur.

Sa lignée paternelle la rattachait à la Provence, à l'Aragon, aux maisons de Barcelone et de Toulouse. Sa mère lui ouvrait d'autres horizons. Elle descendait des comtes de Maurienne devenus comtes de Savoie en 1108. Son père, Thomas, comte de Savoie, né en 1177 d'Humbert « le Saint » et de Gertrude, fille de Thiéry d'Alsace, comte de Flandre, avait épousé Béatrice, fille du comte de Génevois et de Marguerite de Faucigny. Le comte de Savoie tenait alors les passages vers les régions si actives de l'Italie du Nord ainsi qu'une partie de la Lombardie, avec Asti et ses hommes d'affaires réputés. Quand les scribes surnomment Béatrice de Savoie « la Lombarde », il n'y a là rien d'injurieux. Ne se proclame-t-elle pas un jour elle-même « dame lombarde »[6] ? Pourquoi n'éprouverait-elle pas de la fierté à se voir considérée comme compatriote des sujets de son père, aptes au négoce de l'argent, qui irriguent de leurs capitaux et de leurs activités l'axe vital de l'économie médiévale, celui qui relie le nord-ouest de l'Europe au bassin oriental de la Méditerranée ? Riche, elle l'est. En premier lieu par sa dot qui s'élevait à 2 000 marcs d'argent. Elle le devient davantage ensuite grâce à ses héritages. Plusieurs fois au cours de sa vie, Raimond Bérenger fait appel à sa fortune[7].

Il serait cependant fallacieux d'expliquer la vie et la personnalité de Marguerite par son hérédité. Certes, après son veuvage, elle apparaît comme une femme âpre au gain, qui défend sans relâche ses terres et ses intérêts, et administre ses biens avec le souci d'une saine gestion. En bref, elle est la digne fille de cette maison de Savoie ancrée dans une contrée si propice aux affaires. Mais elle est loin d'être la seule veuve abusive de ce siècle et, sur ce point au moins, ne fait que suivre l'exemple de sa Blanche de Castille, rude belle-mère. Par son attachement à sa lignée maternelle, elle est aussi de son temps. Sa mère a eu quatorze frères et sœurs. Devenue reine de France, Marguerite n'abandonne pas ses oncles et ses cousins que leur nombre et leur folle ambition appauvrissent[8].

L'éducation de Marguerite

Vive, spirituelle, enjouée, elle donne également de nombreuses preuves de caractère dans les épreuves qu'elle ne manque pas de rencontrer au cours de sa longue vie. Sa destinée de mère et de reine, ainsi que les épreuves et la fréquentation d'un homme tel que Louis IX ont achevé de la former. On ne saurait cependant oublier la formation qu'elle avait reçue dans sa jeunesse, et qui l'avait préparée à ces tâches.

Ses parents prétendaient bien lui offrir comme époux un grand personnage et ne l'élevaient point pour en faire une nonne. Croyants sincères cependant, fidèles à la religion catholique, l'opportunité n'était pas seule à les guider quand ils choisirent le camp du pape et du roi de France contre les cathares et leur protecteur, le comte de Toulouse. Conscients de leur responsabilité et des devoirs inhérents à leurs charges, ils donnèrent à leur quatre filles une éducation digne du rang qu'ils recherchaient pour elles. Béatrice de Savoie leur transmit les « consignes » destinées aux épouses des tenants du pouvoir et, parmi ces instructions, venait en première ligne la nécessité de sacrifier certains désirs personnels au profit du bien public. Marguerite n'oubliera pas de tels enseignements et saura les rappeler à son mari en temps opportun.

Nous connaissons bien peu de choses sur la manière dont elle fut instruite. Mais il ne fait pas de doute qu'elle était femme instruite et cultivée. Sa correspondance, aubaine rare pour une dame de qualité du XIIIᵉ siècle, en témoigne. Il existe en effet des missives, tant en latin qu'en français, expédiées par Marguerite à son beau-frère Alphonse de Poitiers, à son fils, le roi de France Philippe III le Hardi, et à la famille royale d'Angleterre. Elles sont tardives : la première dont nous avons connaissance est datée de 1263. Ces lettres projettent une vive lumière sur plusieurs aspects de la politique extérieure et apportent des preuves indiscutables du solide enseignement offert à Marguerite. Elles témoignent d'une grande culture, d'une disposition réelle à la narration et d'une incontestable vigueur de caractère.

A leur propos, deux érudits du XIXᵉ siècle, Edouard Boutaric et Victor Le Clercq, avaient engagé une querelle. Le premier reprochait au second d'avoir découvert des locutions provençales dans la partie de la correspondance écrite en français ainsi qu'un style marqué par de grandes qualités de clarté et de précision. Boutaric les refusait en bloc et remarquait que les grands laissaient à leurs scribes le soin de rédiger leurs missives après en avoir précisé les éléments essentiels. Pourtant, il reconnaissait qu'ils les vérifiaient avec soin. En outre, ces lettres de Marguerite différaient fort de tant d'autres gardées dans les Archives royales. L'intérêt presque exclusif qu'elle porte aux affaires anglaises ou provençales n'est pas seul en cause. Elle se distingue aussi par sa prolixité toute méridionale alors que tant de documents épistolaires de la *Curia* royale sont des modèles de concision. Souvent aussi, la défense des droits de Marguerite revêt une forme juridique indéniable. Des clercs connaissaient les intérêts de la reine aussi bien qu'elle, mais auraient-ils tant insisté sur les détails relatifs à sa dot ou à ses autres droits si une impérieuse dictée ne les avait incités à procéder de la sorte ? Celle qui est devenue reine de France apparaît comme une femme cultivée, âpre à défendre ses droits : elle avance avec netteté ses arguments et apparaît très au courant de la vie politique de son époque.

Tâchons de découvrir quelques secrets de l'enfance de Marguerite de Provence dans ses lettres. De récentes recherches, menées grâce aux méthodes informatiques sur les testaments du lignage royal de France pour le XIIIᵉ siècle, montrent que ces documents que l'on estimait stéréotypés étaient en fait très personnels et reflétaient bien des aspects de la vie de leurs auteurs. La comparaison entre les lettres de Marguerite et celles de sa sœur Eléonore est, sous cet aspect, riche d'enseignements.

Dans les années 1263-1264, les deux sœurs s'écrivent beaucoup car Eléonore, devenue reine d'Angleterre, s'efforce d'obtenir l'alliance d'Alphonse de Poitiers, comte de Toulouse, frère de Louis IX, et demande à son aînée d'intervenir. La forme extérieure des lettres des deux reines est identique. Un préambule avec le nom, les titres de l'auteur et ceux du destinataire précède le corps de la lettre qui expose son objet, avec, le plus souvent, un rappel des circonstances et des motifs. Enfin, la formule finale précise le lieu et la date de la missive ainsi qu'un rappel de la demande. La littérature épistolaire a ses règles qui tiennent au genre lui-même (et, à ce titre, indépendantes de l'époque) ainsi qu'à la mode du temps et à celle des chancelleries. Il n'est donc pas étonnant que les titulatures et qualificatifs des préambules des lettres des deux sœurs soient identiques (« par la grâce de Dieu, reine de, illustre, sérénissime, etc.) et l'on y découvre d'ordinaire l'expression « sentiment de sincère affection », mais il arrive qu'Eléonore n'emploie aucun terme affectueux tandis que Marguerite en utilise toujours. Toutefois, c'est dans le corps des missives que l'originalité de l'aînée se repère davantage. Les termes affectueux ne manquent pas dans sa correspondance. Il n'est pas rare que la reine de France fasse appel à des arguments sentimentaux pour obtenir gain de cause auprès d'Alphonse de Poitiers quand elle allègue son affection pour elle ou l'aide qu'il va apporter ainsi à son neveu très cher, « *nepos intimus* », Edouard, fils du roi d'Angleterre, alors qu'Eléonore insiste surtout sur les intérêts communs et, au plus, rappelle l'affection d'Alphonse pour son frère Louis, roi de France. En bref, les lettres d'Eléonore restent très officielles tandis que celles de Marguerite prennent une très nette allure personnelle. Vers 1280, la même remarque vaut pour la correspondance en français des deux sœurs avec Edouard, devenu roi d'Angleterre. Eléonore ne témoigne guère de tendresse envers son fils tandis que Marguerite emploie sans cesse des termes empreints d'affection : « neveu très cher, très aimé, très beau »[9].

Les premières lettres de la reine de France dont on dispose datant de 1263, faut-il faire la fine bouche et soutenir qu'on ne peut rien prouver à partir de cette correspondance et qu'elle ne permet pas de connaître le caractère de Marguerite enfant et jeune fille ? Il serait étonnant qu'elle ait attendu la quarantaine pour devenir une femme pleine de tendresse envers les siens. Depuis longtemps, son amour et son affection étaient grands pour son mari et ses enfants. Mais les jalons manquent quant à son attachement envers sa cadette qu'elle veut tant aider puisque nous le découvrons à l'aide d'une correspondance conservée à partir de 1263 seulement. Devrait-on conclure à l'apparition soudaine et abrupte d'un tel sentiment ? Il nous semble beaucoup plus conforme à l'évolution normale de la plupart des êtres humains de situer l'origine d'une telle affection dans l'enfance.

Marguerite et ses sœurs

Marguerite et Eléonore ont vécu une dizaine d'années ensemble à la cour de Provence. Aînée de deux ans, Marguerite a pris soin de sa cadette et la complicité enfantine, si fréquente entre sœurs assez proches par l'âge, était renforcée dans une cour où vivaient tant d'hommes et de femmes étrangers à la famille. Selon toute vraisemblance, la protection assurée envers la cadette se mue en une tendresse teintée d'admiration. De tempérament plus autoritaire, Eléonore n'était-elle pas aussi plus douée sur le plan intellectuel ? Nous avons gardé l'un de ses poèmes dédié à celui qui allait devenir son beau-frère, Richard de Cornouailles.

Rien de tel en ce qui concerne Marguerite. Nous savons cependant que l'épouse de Louis IX fut une fervente admiratrice des poètes-chanteurs qui agrémentaient la vie princière. Pourquoi n'aurait-elle pas écouté très tôt avec attention cette petite sœur qu'elle protégeait et qu'elle continuera à soutenir à l'âge adulte ?

Une autre constatation vient confirmer cette appréciation. Les quatre filles de Raimond Bérenger ne forment pas un clan sans faille tout au long de leur vie. Dante, au XIVe siècle, connut le doux exil provençal après avoir été banni de Florence. Il entendit parler de la beauté et de la destinée de ces quatre princesses qui avaient séduit quatre rois. Mais cette identité de parcours cache de rudes différences. Les deux aînées s'unissaient à deux grands rois d'Occident tandis que les plus jeunes, Sanchie et Béatrice, épousent des cadets, dévorés d'ambition et chercheurs d'aventure. Alors que Marguerite et Eléonore sont reines depuis plus d'un demi-siècle, les deux dernières meurent, l'une quatre ans, l'autre un an après avoir reçu une couronne royale. Plusieurs années séparent Marguerite et Eléonore, nées respectivement en 1221 et 1223, de Sanchie, née approximativement en 1228 et de Béatrice qui voit le jour en 1231-1232. Les deux sœurs aînées, élevées ensemble, connaissent à peine leurs cadettes, surtout Béatrice dont Marguerite ne garde que le souvenir d'un bébé. A l'âge adulte, le bloc des aînées se reforme contre la plus jeune, Béatrice, que son père choisit comme héritière du comté de Provence et contre son époux, Charles d'Anjou, qu'elles poursuivent de leur haine commune. Ce sont là des anticipations. Pourtant, elles sont justifiées par une constatation qui plonge de lointaines racines dans l'enfance : la vie ratifie les divergences des origines, dans le cas présent du moins.

La captation d'héritage, par la plus jeune sœur, de cette Provence que ses aînées regrettent, devient la principale cause de division. Les aînées s'estiment lésées et réclament à longueur d'année leur part d'héritage. D'autres motifs d'opposition se repèrent aussi : la constitution de nouveaux rameaux et arbres selon l'image biblique, l'adhésion aux intérêts des pays dont elles deviennent reines. Que certaines des fissures soient liées à l'enfance ne doit pas étonner. Elles n'interdisent d'ailleurs pas un resserrement des liens quand les épreuves accablent l'une des branches. Mais le bloc que forment les deux « grandes » sœurs est précoce. Dans ce jeu, subtil et en même temps très puissant, des relations enfantines, la cadette proche par l'âge, que l'on protège, que l'on admire peut-être trop, développe ainsi à l'excès une tendance autoritaire qui peut devenir dangereuse pour peu que les circonstances s'y prêtent. En revanche, Marguerite, plus tendre, plus affectueuse, ne manifesterait-elle pas, dès son plus jeune âge, une trop grande attention à Eléonore et à la satisfaction de ses désirs ? On ne saurait comprendre Marguerite de Provence dans ses rapports avec ses sœurs et sans cette plongée dans l'enfance.

Marguerite et la cour provençale

Son instruction est-elle le fait de religieuses ou de précepteurs ? C'est un fait ignoré. Mais nous sommes moins démunis à propos du milieu dans lequel elle a passé son enfance. La distinction entre la vie familiale et la vie officielle des princes ne s'ébauchait que lentement. Très jeune, un enfant participait à la vie de cour au plein sens du mot, dans cet ensemble où le maître du pouvoir et sa famille, ses conseillers, clercs, administrateurs, hommes de finances et scribes, ses troubadours et ses ménestrels, ses serviteurs enfin, se côtoyaient à longueur de journée et se déplaçaient en caravane de château en château. Dans cette cour de Provence, pays d'Empire, certes, mais si proche de la France, qui entrevoyait de multiples possibilités d'alliances ou de rivalités avec ces deux « Grands » de l'époque, comme avec les cousins toulousains, catalans ou aragonais, la vie a frotté Marguerite, dès son plus jeune âge, à l'un des plus considérables jeux diplomatiques du siècle. Intelligente, vive, curieuse, elle n'avait qu'à regarder et à écouter les siens et leur entourage pour s'initier au choix des alliés, aux visées politiques et aux fructueux profits que l'on pouvait tirer d'un changement d'orientation. Pourquoi Marguerite n'aurait-elle pas retenu certaines des leçons de son père et de ce remarquable politique qu'était Roméo, conseiller préféré du comte ? Très jeune, elle a pris goût à l'intrigue.

La jeune princesse eut aussi le bonheur de vivre dans une cour raffinée. C'était alors le milieu le plus propice à la poésie courtoise. La langue littéraire provençale était déjà formée. Plus évoluée que les divers dialectes des pays d'Oc, elle fut illustrée dès le XIIe siècle par la poésie lyrique des troubadours qui, venue de l'ouest des parlers d'Oc où elle avait pris naissance, s'était peu à peu implantée en Provence et y avait fait souche de l'un de ses plus puissants rameaux. Citons Raimond de Vaqueyras, ce fils d'un pauvre chevalier devenu jongleur ou Folquet (Foulques) de Marseille, fils d'un marchand génois, poète attitré des cours méridionales avant d'être évêque de Toulouse.

Au XIIIe siècle, la Provence, qu'épargne la « croisade » contre les Albigeois, accueille de nombreux troubadours que Raimond Bérenger V protège. Sordel, poète d'origine italienne, trouve refuge chez le comte tandis que Paulet de Marseille préfère souvent celle de Barral des Baux. Toutefois, la majeure partie des troubadours provençaux se compose surtout de barons et de chevaliers tels que Guy de Châtillon et Boniface de Castellane. On passe aisément de la guerre à la poésie la plus délicate. Certes, la plupart de ces poètes se contentent d'être des imitateurs. Cependant, plusieurs de leurs « sirventes » sont d'excellente facture. Dans la cour de Raimond Bérenger et de Béatrice de Savoie, ces troubadours de grande ou de petite naissance perpétuent la belle tradition de la poésie courtoise : cette poésie chantée, accompagnée d'instruments, célèbre cet amour subtil qui glorifie la femme pour elle-même, et c'est en soi une nouveauté. Au-delà des passions vulgaires, ce sentiment qui se voulait de qualité exceptionnelle n'est certes pas toujours platonique ; néanmoins, dans son idéal, il traduisait l'influence chrétienne qui voyait la femme comme une individualité. A l'instar de tant d'autres dames des milieux aristocratiques, Marguerite de Provence en a subi l'influence et n'admettra jamais qu'on lui réserve une situation humiliante [10]. Devenue reine de France, elle aussi réunira autour d'elle des poètes et une cour d'amour courtois.

Marguerite et les affaires provençales

Heureux parents que Raimond Bérenger et Béatrice de Savoie avec leurs quatre filles, les plus jolies princesses d'Europe [11]. Ils veulent les bien marier et comblent leurs désirs les plus profonds en les faisant reines. Encore fallait-il bien choisir l'époux, surtout pour l'aînée, car Raimond Bérenger et son comté couraient le risque d'être emportés dans le tourbillon qui perturbait le Midi et modifiait en profondeur le rapport des forces. Un protecteur de très grande envergure devenait nécessaire.

Ce choix concernait au premier chef Marguerite et allait engager sa vie de manière irréversible. Elle apparaît tout d'abord comme un pion sur le grand échiquier politique et diplomatique entre la France et l'Empire, entre Toulouse et Provence, entre la papauté et les puissances de ce siècle. « Pauvre petite princesse, ballottée au gré des intérêts des puissants », serions-nous tenté de dire si nous ignorions qu'elle allait rencontrer un jeune prince, aussi beau au physique qu'au moral, avec lequel elle formerait l'un des couples les plus extraordinaires de l'histoire. Marguerite avait aussi appris que sa destinée était de servir sa nouvelle patrie. Tel était son devoir auquel elle ne pouvait se soustraire et avec lequel elle ne pouvait transiger.

Cette nécessité n'exclut pas qu'elle essaie de comprendre la situation de sa Provence. Attentive et intuitive, elle perçoit l'essentiel des discussions et « conseils » que tenaient les adultes, et saura montrer qu'elle en a retenu les leçons. A sa suite, voyons l'imbroglio dont voulait sortir Raimond Bérenger, en particulier grâce à sa fille aînée. Dans sa jeunesse, celui-ci avait connu bien des difficultés et une grande aventure. A la mort d'Alphonse II, en 1209, Pierre II, roi d'Aragon, tuteur du jeune Raimond Bérenger, l'avait emmené en Aragon et avait délégué ses pouvoirs en Provence à son propre frère, Sanche, comte de Roussillon. Ainsi se manifestait de manière éclatante l'ébauche d'un véritable empire catalan et Pierre II, qui prit à ses côtés comme otage, sinon comme prisonnier, le comte légitime Raimond Bérenger, son neveu, estima que le moment était venu d'accomplir le vieux rêve de son lignage. Voyant avec déplaisir l'influence royale française pénétrer dans le Midi grâce à l'armée des barons du Domaine du roi de France Philippe Auguste qui étaient venus en 1209 combattre l'hérésie cathare en Albigeois et ses confins, le roi d'Aragon vola au secours de Raimond VI, comte de Toulouse. Mais Simon de Montfort, chef des barons français, l'emporta à Muret, le 12 septembre 1213, contre la coalition du comte de Toulouse et de Pierre II qui fut tué au cours de la bataille. Des partisans de Gersende, veuve d'Alphonse II, et de Nunō, fils de Sanche, eurent alors la tentation d'évincer le jeune Raimond Bérenger retenu pendant plusieurs années dans le château de Mozon, en Aragon. En 1216, quelques seigneurs provençaux allèrent l'y chercher. Cette spectaculaire évasion acheva de séparer le comté de Provence du royaume d'Aragon et du comté de Barcelone.

Ce qui n'empêche pas d'autres complications de s'amonceler sur la Provence. Des villes libres (Arles, Nice, Grasse, etc.) avec leurs consulats disposaient d'une totale autonomie et Marseille, grand port méditerranéen en plein essor, reconnaissait même la suzeraineté du comte de Toulouse et concluait des traités commerciaux avec Raimond Bérenger ! Guillaume des Baux, prince d'Orange, autre descendant de Guillaume le Libérateur, avait profité de la défaite de Muret pour s'emparer du Comtat Venaissin ; mais, dès

1215, le concile de Latran reconnaît au comte de Toulouse ses territoires provençaux en compensation du comté de Toulouse cédé à Simon de Montfort. Raimond Bérenger et Raimond de Toulouse agissent ensuite de concert afin de reprendre le château de Beaucaire que tenait une garnison française. Le comte de Toulouse ne se contente pas de ce succès et rentre dans Toulouse soulevée contre l'armée de Simon de Montfort qui est tué le 25 juin 1218. Avignon se révolte à son tour contre Raimond des Baux qui meurt égorgé.

Louis VIII, le successeur de Philippe Auguste, renonce au subterfuge d'une conquête par ses barons, décide d'intervenir directement et, en 1226, prend la tête d'une expédition. La seule difficulté qu'il rencontre est le siège d'Avignon qui retient l'armée royale près de trois mois. Affamée par le blocus, la ville se rend le 12 septembre 1226, doit démolir ses murailles, aider à la construction d'un château de l'autre côté du Rhône et donner au roi de France Beaucaire que le comte de Toulouse avait dû céder aux Avignonnais. Raimond Bérenger, fidèle à Rome, appuie l'action de Louis VIII contre les hérétiques et contre Raimond de Toulouse dont il avait été un moment l'allié lors de la reprise de Beaucaire. En 1220, il avait fait reconnaître ses droits sur le comté de Forcalquier au détriment de Guillaume de Sabran, neveu du dernier comte autonome. Il engage alors une longue lutte contre les consulats afin d'affirmer son autorité sur les villes. En 1227, il se fait concéder les consulats de Grasse et de Tarascon. En 1229, Nice se soumet à son tour et accepte un viguier comtal.

Cette reprise en main du comté de Provence est cependant loin d'être achevée. Au traité de Paris du 12 avril 1229, Raimond VII de Toulouse perd ses domaines impériaux de la rive droite du Rhône que l'on confie au légat du pape dans l'attente d'un règlement définitif. Pour l'heure, les troupes du roi de France l'occupent. Mais Raimond VII relève vite la tête et soutient les consulats que menace le comte de Provence. Il se venge ainsi de la volte-face de ce dernier et de son alliance avec le roi de France qui avait été quelque temps leur adversaire commun. Marseille reconnaît le comte de Toulouse qui, en 1232, dévaste les contrées d'Arles et de Tarascon.

Raimond Bérenger a un besoin impérieux d'appui. Comme les chefs du clan catalan-aragonais ne le soutiennent plus, il recherche de puissants protecteurs. L'empereur Frédéric II de Hohenstaufen et les tenants du roi de France Louis IX s'offrent comme soutien. Raimond Bérenger dispose d'un argument de poids pour trouver des secours. Il n'a pas de fils et le problème de sa succession se posera inévitablement un jour. Selon toute vraisemblance, l'époux de l'une de ses filles héritera de ses biens. L'empereur Frédéric II, qui n'est pas marié, ne cache pas son impatience et refuse d'attendre l'ouverture de la succession pour agir. Il prétend implanter au plus tôt sa domination dans le fief provençal. Il projette de faire d'Arles et d'Avignon des villes rattachées directement à l'Empire. La réponse à cette entreprise ne tarde pas : Raimond Bérenger suit les conseils pressants de la papauté et accepte les propositions de mariage entre le jeune roi de France Louis IX et sa fille aînée [12].

C'est ainsi que Marguerite de Provence est entraînée dans le tourbillon des affaires provençales. Agée de treize ans, elle est pieuse, jolie et d'une éducation accomplie, selon le témoignage de deux chroniqueurs du XIIIe siècle, Guillaume de Nangis et Philippe Mousket, lequel écrit : « La fille du comte de Provence était de telle naissance qu'il n'y avait de femme plus gentille... disaient ceux qui la connaissaient, ni plus belle ni plus courtoise demoiselle... » Elle se prépare à quitter bientôt sa Provence tendrement aimée. Dans les déplacements saisonniers de la cour comtale, combien de paysages n'a-t-elle pas contemplés, sous l'éclatante lumière : les rochers arides du Lubéron, des collines et des Alpilles, les grandes plaines de la vallée du Rhône, le massif boisé des Maures, la côte méditerranéenne, les vallées et les hauteurs des Alpes dont elle a apprécié la fraîcheur lors des étés provençaux. Elle porte avec elle l'héritage de la très grande civilisation méditerranéenne.

Toute sa vie, Marguerite reste liée à sa Provence. Elle ne la reverra cependant qu'à deux occasions.

En 1248, lorsqu'elle accompagne Louis IX dans son premier voyage outre-mer, elle suit la vallée du Rhône et ne fait que de brèves incursions dans le comté de Provence. Au retour, en 1254, elle prend sa revanche. A Hyères, où la flotte royale fait escale, elle obtient de son époux qu'il mette fin à la longue navigation. En alléguant les fatigues du voyage maritime pour ne pas naviguer jusqu'à Aigues-Mortes.

Devenue reine de France, elle restera fidèle à sa terre natale, et méritera d'être connue dans l'histoire comme Marguerite de Provence [13].

CHAPITRE II

LE MARIAGE

Marguerite et Louis. Les premières négociations

Par un heureux coup du destin, Marguerite devient l'épouse très aimée de ce jeune roi que les stratèges politiques et religieux lui destinent. Ces arrangements nuptiaux, organisés dans l'intention de consolider les annexions au Domaine royal grâce à l'alliance du comte de Provence, auraient pu ne former qu'un couple officiel de plus. Ce fut tout le contraire. Certains même, surtout parmi les conseillers du jeune roi, ne purent que regretter ensuite cet éblouissant accord charnel et spirituel des jeunes époux. Blanche de Castille, qui avait finalement désiré cette union, ne tarda pas à comprendre que cette jeune Provençale l'éloignait chaque jour davantage de son fils.

Marguerite est une adolescente. Elle a si souvent entendu ses aînés discourir des jeux subtils de l'amour courtois qu'elle pressent dans le mariage qu'on lui prépare le couronnement d'un rêve. Sans crainte de se tromper, on peut aussi affirmer que le jeune prince charmant attendu, ou, plus exactement, ce jeune chevalier qui a de surcroît le mérite d'être roi, annonce à ses yeux d'autres voyages et de nouvelles fêtes dont elle sera désormais le personnage central. Selon l'usage, les dames de sa suite la préparaient à ses fonctions. Elles lui apprenaient les coutumes de la cour à laquelle on la destinait. Elle se familiarisait aussi avec les institutions, l'histoire et les grands personnages de la France.

En ce qui concerne le roi de France, la situation était différente. Il devenait urgent de marier ce jeune homme de dix-neuf ans, né à Poissy, sans doute le 25 avril 1214. Certes il se devait d'assurer la lignée royale. A ce propos, Guillaume de Nangis affirme que Saint Louis n'avait décidé de se marier que pour avoir des enfants. En bon janséniste, Le Nain de Tillemont reprend quelques siècles plus tard cette affirmation. Historien sérieux, il examine cependant avec soin une accusation lancée contre Louis IX et sa mère. Il signale qu'un religieux, sous la foi d'un faux rapport, reprocha à Blanche de Castille d'avoir voulu cacher que son fils « aurait connu » une femme avant le mariage. On n'accuse pas le roi d'avoir entretenu une concubine car les mauvaises langues, nombreuses dans une cour royale, n'auraient pas manqué d'en colporter le bruit. En bref, il semble qu'on lui ait fait grief d'une liaison passagère, d'une initiation par une femme de son entourage ou même d'une visite dans une « maison » spécialisée. En fait, on l'accuse d'avoir fait une expérience de jeune homme. Nous ne disposons plus du document qui consignait la déposition de l'accusateur. Le Nain de Tillemont, qui l'avait consulté, rappelle que Blanche de Castille avait traité par le mépris ce qu'elle considérait comme une calomnie et qu'elle avait refusé d'y répondre. Pourtant, les soupçons demeurèrent tenaces, même après la mort du roi. On vit alors Charles d'Anjou, son frère cadet, et Jean de Soissy qui avait servi le roi, affirmer sous serment que Louis IX n'avait rien à se reprocher à ce sujet. Qu'un tel soupçon ait pu naître suffit déjà à prouver que l'entourage du roi le considéra comme un jeune homme ardent et vigoureux [14].

Tels sont ces deux personnages que la grande politique fait se rencontrer. Voyons en détail les pourparlers préparatoires. Selon une fâcheuse habitude, beaucoup d'historiens attribuèrent le projet de ce mariage à Blanche de Castille comme ils lui attribuèrent la conduite de la politique française durant la minorité de Louis IX. En fait, la reine mère se contentait de suivre les avis des dirigeants du royaume, composés en grande partie d'anciens conseillers de Philippe Auguste. Reconnaissons cependant que cette femme « qui avait courage d'homme en cœur de femme » avait fait preuve d'intelligence politique et de fermeté en soutenant leur action contre les grands [15].

Bien que cette union rendît malaisée la recherche par l'Angleterre d'appuis outre-Rhône, l'initiative ne vint pas des conseillers de la Couronne et encore moins de Blanche de Castille. Le pouvoir royal veut surtout préserver les terres qui restent au comte de Toulouse dont l'héritière, Jeanne, est promise à Alphonse de Poitiers, frère de Louis IX. La royauté capétienne demeurait indifférente à la guerre que Raimond de Toulouse et Marseille menaient de concert contre le comte de Provence en 1232. Quelques années auparavant, les Français avaient même juré de maintenir les droits de l'empereur sur Avignon. Quand les pourparlers en vue du mariage commencent, le pouvoir royal entend bien protéger le comte de Toulouse. Il maintient cette attitude en mars 1234, lors des entretiens décisifs. Le roi de France demande aux clergés régulier et séculier de rendre à Raimond de Toulouse les terres dont l'Eglise s'était emparée au temps de la croisade contre les Albigeois. Blanche de Castille n'a donc pas renversé la politique royale d'un coup de baguette magique. Cette position ne subit d'ailleurs pas de grand changement à l'occasion du mariage. Comment en aurait-il pu être autrement l'année précédente [16] ?

En réalité le pape Grégoire IX, qui se méfiait des volte-face successives de Raimond VII, avait pris l'initiative. Plus que la France et plus encore que la Provence un moment hésitante, il souhaitait cette alliance matrimoniale entre Marguerite et le roi Louis afin de maintenir dans les voies de la sagesse le comte de Toulouse et de protéger Raimond Bérenger, son fidèle allié. Le pape donne une précieuse indication dans la lettre du 2 janvier 1234 qu'il remet aux ambassadeurs du roi de France. Il accorde la dispense au cinquième degré pour le mariage projeté car Louis et Marguerite avaient comme ancêtre commun Raimond Bérenger Ier, arrière-arrière-grand-père de Blanche de Castille et de Raimond Béranger V. Grégoire IX précise que le mariage doit être conclu car, écrit-il, « il n'y a rien de meilleur pour conserver cette terre pour laquelle tant de sang a été versé ». De quelle terre s'agit-il ? Il ne l'indique pas. Plutôt que le Comtat Venaissin, le pape, selon toute vraisemblance, envisage les sénéchaussées royales du Bas-Languedoc conquises sur le comte de Toulouse et ses alliés. Grégoire IX n'a pas confiance en Raimond VII et juge que le meilleur moyen de juguler l'hérésie est de sceller, entre Louis IX et Raimond Bérenger V, une alliance qui serait encore renforcée par l'union matrimoniale prévue[17].

Le pape veut à tout prix que les pourparlers aboutissent. Il ne lésine pas sur les moyens et consent un énorme sacrifice envers le roi de France à qui il confie pratiquement le destin de l'Eglise de son royaume. Ce 2 janvier 1234, il accorde un immense privilège : on ne peut désormais mettre la chapelle royale en interdit. Il enlève ainsi aux prélats de France la possibilité d'appuyer leurs revendications, souvent temporelles il est vrai, par des armes spirituelles. Désormais, Louis IX n'est plus bridé comme l'avait été son grand-père Philippe Auguste pour reprendre aux évêques et aux abbés des grands monastères les tâches régaliennes qui leur avaient été accordées autrefois ou qu'ils avaient usurpées. En toute quiétude, le roi peut à l'avenir rappeler aux hommes d'Eglise que leurs fonctions concernent les affaires spirituelles. En outre Grégoire IX, qui subordonne tout à la réalisation du mariage, exhorte le roi de France à renouveler les trêves avec le roi d'Angleterre.

Il utilise une méthode différente avec Raimond Bérenger, qui marque quelques réticences envers l'alliance avec la France et hésite entre l'arbitrage de Louis IX et celui de l'empereur. Le pape fait alors peur au comte de Provence : il donne l'impression d'infléchir sa politique et menace de prendre le comte de Toulouse sous sa protection. Au début de 1234, il recommande Raimond VII à son légat, Jean de Bernin, archevêque de Vienne, et aux autres prélats. Le comte de Toulouse ne s'était-il pas enfin décidé en 1233 à proclamer des statuts contre les hérétiques ? Grégoire IX l'avait alors exhorté à sévir contre les Albigeois. Par crainte de voir le pape imiter le roi de France et placer sous sa protection le comte de Toulouse, le comte de Provence se décide enfin, le 13 février 1234, à demander l'arbitrage de Louis IX. Raimond Béranger et Béatrice de Savoie annoncent qu'ils se soumettent à la décision du roi de France et de sa mère quant à leurs différends avec le comte de Toulouse, mais à la condition que le mariage projeté se fasse. Sur cet accord sont apposés le sceau de cire brune du comte et celui de Marguerite. Il est stipulé que le comte et la comtesse sont tenus d'accepter la décision sous peine d'une amende de 5 000 marcs d'argent[18].

Le 25 mars 1234, Raimond VII de Toulouse accepte à son tour l'arbitrage de Louis IX qui lui est favorable et lui reconnaît la possession du marquisat de Provence, c'est-à-dire du Comtat Venaissin. Ainsi le roi de France continue-t-il à soutenir l'adversaire de son futur beau-père. Faut-il parler de double jeu ? Il serait exagéré de l'affirmer. L'intérêt de la France n'était-il pas de maintenir intacts les derniers territoires de Raimond VII qui devaient revenir à la Couronne puisque son futur gendre, Alphonse de Poitiers, ne pouvait avoir d'enfants ? L'alliance provençale présente donc, pour le moment, l'intérêt d'une sécurité plus grande et n'entraîne pas une révision radicale de la politique des dirigeants du royaume. Mieux encore, quelques mois plus tard, le pouvoir capétien favorise la récupération du Comtat Venaissin par le comte de Toulouse. Le pape n'ayant donné qu'une réponse évasive à la décision arbitrale de Louis IX et ne rendant pas ce territoire, le roi de France retire ses troupes d'Avignon. En septembre 1234, Raimond VII se tourne vers l'empereur Frédéric II qui lui accorde la restitution du Comtat Venaissin. Les soldats français ne protègent plus cette terre et le comte de Toulouse en reprend possession sans difficulté[19].

En arrière-plan du mariage entre Louis et Marguerite se trament donc des intrigues complexes. Tandis que le pape soutient le comte de Provence, la France préfère celui de Toulouse. Raimond Bérenger pose le mariage de sa fille comme condition préalable à une acceptation de l'arbitrage royal qu'il pressent défavorable pour lui. Il exige une alliance matrimoniale destinée à le garantir contre l'empereur, qu'il abandonne de ce fait. De son côté, le pouvoir royal consent à cette union, mais sans infléchir sa politique favorable au comte de Toulouse. Il n'est cependant pas indifférent au projet car Guillaume de Puylaurens mentionne que, dès 1233, le roi de France avait ordonné à Gilles de Flagy, envoyé en Languedoc, de faire un détour par la Provence afin d'y rencontrer le comte Bérenger et sa fille[20].

En effet, le royaume de France a intérêt à ce rapprochement avec le comte de Provence, même s'il ne faut y voir qu'une ébauche d'une politique plus lointaine et plus vaste. Le pouvoir royal tient compte de ce que ce mariage offre au roi le privilège de ne plus encourir la condamnation des évêques de France et un secours éventuel contre le comte de Toulouse. Celui-ci, battu, ne peut plus reprendre de sitôt les armes avec des possessions amoindries. Mais personne n'est dupe et l'on devine que Raimond de Toulouse ronge son frein, ne songe qu'à se remarier et à avoir d'autres enfants pour leur laisser au moins une partie de ses terres. Il est bon pour la royauté de disposer d'un allié sûr, bien posté, pour surveiller cet encombrant personnage. Enfin, et surtout, ce mariage permet au roi de France d'affirmer son influence en Provence et de s'implanter au-delà des limites qu'imposa à son royaume le traité de Verdun en 843. A la fin du règne de Philippe Auguste, de rares conseillers désiraient déjà une France élargie. Dans le projet de description du royaume qu'ils ébauchèrent en 1204, ils n'hésitèrent pas à placer les archevêchés d'Aix et de Lyon dans la dépendance du roi de France alors que ces deux métropoles faisaient partie de l'Empire. Dans la rédaction finale, ils maintinrent Lyon mais ils éliminèrent Aix car ils ne voulaient pas trop mécontenter l'empereur ni vexer la maison catalane. Certains grands commis de la royauté portaient donc déjà leurs regards au-delà du Rhône, mais se rendirent vite compte que le temps n'en était pas encore venu. Le mariage de Marguerite et de Louis apparaît ainsi comme un jalon dans cette politique à longue échéance que préconisent les partisans de la grandeur du royaume capétien. Ils ne peuvent donc rejeter cette princesse qu'on offre à leur maître.

Marguerite est ainsi au centre d'un enchevêtrement de stratégies où chacun recherche et défend ses intérêts. L'Eglise veut le recul décisif de l'hérésie albigeoise et de celui qui la protège, le comte de Toulouse. Raimond Bérenger, qui n'en finit plus d'hésiter dans le choix d'un protecteur, abandonne enfin l'empereur à condition que le jeune roi épouse sa fille. La France, qui, sur le moment préfère que le comte de Toulouse garde ses territoires impériaux, découvre cependant les avantages de cette union [21].

Le contrat de mariage

Le dispositif se met en place et les pourparlers décisifs s'engagent. Le grand négociateur provençal est Romée, fils de Gérard de Villeneuve, un Catalan installé en Provence. Ce Romée, fidèle conseiller de Raimond Bérenger V, trouve sa place dans la *Divine Comédie* de Dante, qui avait été frappé par sa prodigieuse ascension, puis par sa déchéance que ses contemporains exagérèrent quelque peu si l'on en croit Le Nain de Tillemont. Romée avait aidé le comte à réorganiser la Provence et à lui donner de vraies institutions centrales. Après avoir modernisé « l'Etat provençal », il avait lutté contre les consulats. Le comte le récompense et le choisit comme sénéchal, puis le désigne en 1234 comme grand bailli de Provence avant de constituer pour lui en 1245 la grande baillie d'outre-Siagne, à l'est de ses possessions, avec Nice et sa région notamment. Peu de temps après, en cette même année 1245, Romée tombe en disgrâce et, selon la formule de Dante, « mendie sa vie par morceaux » avant de mourir en 1246[22].

Au temps de sa puissance, Romée, qui voulait protéger la Provence, avait plusieurs atouts en main : l'appui de la papauté, la possibilité de choisir entre deux puissants protecteurs — l'empereur et le roi de France — avec le chantage habituel en pareille occasion et, enfin, les quatre filles de Raimond Bérenger. Mais la beauté, la plus noble des naissances et l'éducation la plus raffinée ne suffisent pas toujours à assurer un beau mariage. Romée le comprend fort bien et suggère au comte de Provence de consentir une très forte dot à l'aînée. Il sera ensuite plus aisé de trouver de prestigieux maris pour les cadettes. Il lui paraît aussi préférable de choisir l'aînée comme épouse du roi de France car, selon toutes possibilités, elle est destinée à devenir l'héritière du comté de Provence[23].

Du côté français, les principaux négociateurs du contrat sont deux serviteurs fidèles des rois de France : Gauthier Cornut, archevêque de Sens, issu d'une famille d'administrateurs et d'évêques dévoués aux Capétiens, et Jean de Nesle, l'un des nobles

les plus attachés au roi. Le chroniqueur Mousket avance que l'archevêque de Bourges, Maurice de Sully, dont le lignage avait donné plusieurs évêques favorables à la dynastie capétienne, aurait accompli la première démarche. Aucun document ne le confirme. On sait seulement que Louis IX, en 1233 avait ordonné à Gilles de Flagy, envoyé à Toulouse, de passer à son retour par la cour comtale de Provence. Peut-être le roi voulait-il recueillir d'un homme de confiance de solides renseignements sur la jeune princesse dont la rumeur louait la beauté, la grâce, la piété, l'éducation accomplie, en un mot la perfection[24]. Ensuite, le compte de l'Hôtel royal de 1234 mentionne qu'un certain maître Hubertus a été chargé d'une mission en Provence en 1234 et qu'il a reçu douze livres pour ses frais[25]. Ce compte, qui récapitule les dépenses du mariage et de ses préparatifs, précise pour 1233 l'achat d'un diamant et d'un rubis. Le nom de la destinataire n'est pas indiqué et a même peut-être été effacé. Ces bijoux dont le prix s'élevait à seize livres étaient-ils destinés à la future reine ? On ne saurait l'affirmer avec certitude[26].

Le 30 avril 1234, dans un acte rédigé à Sisteron, Raimond Bérenger — qui s'intitule comte et marquis de Provence — et sa femme Béatrice de Savoie reconnaissent devoir au roi de France 8 000 marcs d'argent payables en cinq ans à la Toussaint. Ils donnent en gages le château de Tarascon et ses revenus. Le même jour, ils promettent de transmettre au jeune roi les lettres de l'empereur qui confirment l'engagement du château de Tarascon. Le sceau de cire blanche du comte de Provence et celui de Marguerite scellent cette déclaration. La jeune princesse qui, dès le mois de février, disposait d'un sceau personnel était devenue un grand personnage. N'était-elle pas la fiancée du roi de France[27] ?

Le 17 mai 1234, le comte de Provence complète la dot et désigne Raimond Audibert, archevêque d'Aix, garant envers le roi de France pour 2 000 marcs supplémentaires qui doivent également être payés en cinq versements annuels. Le comte cède alors en gages les revenus du château d'Aix et toute la baillie d'Aix que détenait Guillaume de Cottignac. Un autre acte du comte de Provence rédigé à Lyon précise que le roi de France s'engage à célébrer le mariage avant l'Ascension de 1234[28].

La dot de la fiancée s'élève ainsi à 10 000 marcs d'argent, une somme considérable qui dépasse de beaucoup les capacités de paiement du comte de Provence. Seuls 2 000 marcs sont versés. Louis IX et son épouse font preuve d'une longue patience avant de réclamer leur dû. En 1238, dans son testament, Raimond Bérenger rappelle ce qu'il leur doit. Le roi et la reine n'oublient pas et attendent le moment propice avant de faire valoir leurs droits. Ne disposent-ils pas ainsi d'un motif légal pour intervenir en Provence[29] ?

Les préparatifs du mariage

Une fois signé cet accord au sujet du contrat, rien n'interdit plus le mariage. Marguerite quitte la Provence. Ses parents, qui l'ont accompagnée jusqu'à Lyon, lui font leurs adieux, sans doute le 17 mai au soir. Dans le cortège qui poursuit sa marche prennent rang les représentants du roi de France, l'archevêque Gauthier Cornut et Jean de Nesle ainsi que l'oncle maternel de sa fiancée, Guillaume, évêque élu de Valence, le ménestrel et six musiciens, trompettes et troubadours du comte de Provence. Le 19 mai, la princesse séjourne à l'abbaye de Tournus où la reçoit l'abbé Bérard[30].

Plus imposant encore, le cortège du roi et de sa suite va à la rencontre de Marguerite et se dirige vers Sens où le mariage sera célébré. Louis IX quitte Paris le 21 mai et réside à Fontainebleau du 21 au 24 mai. Le 25, il est à Pont-sur-Yonne et passe la nuit à l'abbaye de Colombe, près de Sens, ville où il séjourne du 26 au 28 mai[31]. Il est dignement accompagné. Blanche de Castille est au premier rang avec deux frères de Louis IX, Robert et Alphonse, ainsi qu'un neveu de la reine mère, Alphonse de Portugal, élevé avec ses cousins. Ce voyage est un grand événement pour les deux jeunes princes français. Robert, âgé de dix-huit ans, et Alphonse, qui a quatorze ans, reçoivent à cette occasion des vêtements fastueux et des chevaux. Les plus jeunes enfants de Blanche de Castille et de Louis VIII, Isabelle, onze ans, et Charles, qui n'en a que huit, ne sont pas de la fête. Une forte somme d'argent (676 livres) est consacrée aux frais de ces jeunes enfants et quelque numéraire est donné aux bourgeois de Paris à qui ils ont été confiés. Ces dépenses et ces précautions n'étaient pas inutiles en ces temps troublés où une nouvelle révolte grondait dans l'Ouest du royaume.

Dans le cortège prenaient aussi place les dames de la cour et demoiselle Eudeline, de l'entourage de Blanche. Y figuraient également des serviteurs de la monarchie, le chambellan Jean de Beaumont, Ferri Fastre et, surtout, Barthélemy de Roye, le dernier représentant des dirigeants de la fin du règne de Philippe Auguste, qui avait continué à gouverner sous Louis VIII et au début du règne de son fils. Devenu grand chambrier de France, il était ce vieil homme sur lequel s'appuyait Blanche. Avec elle et l'enfant-roi, il dirigea le royaume. Parmi les grands feudataires, le gestionnaire des festivités royales cite la comtesse Jeanne de Flandre et le comte Raimond de Toulouse qui reçoivent des cadeaux. Le roi avait d'ailleurs convoqué pour son mariage la noblesse du Vermandois, du Soissonnais, du Gâtinais, ainsi que les chevaliers du duc de Bourgogne et du comte de Nevers.

Des invités qui venaient de Paris avaient remonté la Seine jusqu'à Melun. Beaucoup d'entre eux quittent alors les bateaux que le roi avait loués et prennent la route. Les frères de Louis IX donnent l'exemple. D'autres poursuivent le voyage sur les bateaux qui les emmènent à Sens. Certaines de ces embarcations servent au transport des emplettes et cadeaux divers achetés sur la caisse de l'Hôtel royal. Mais les literies acquises ont pu rester à Paris. On convoie le reste à Sens afin de le distribuer ou de l'utiliser. Des « robes », qui peuvent désigner des vêtements divers composant un habillement complet (cotte, surcot, manteau agrafé et sans manches...), et des fourrures figurent parmi les emplettes. Les attributions respectent la hiérarchie. Le roi reçoit pour 304 livres parisis de « robes ». Il se constitue une garde-robe digne de son rang tandis que ses frères Robert et Alphonse se contentent d'habits d'une valeur de 104 livres. En outre, seuls le roi et son frère Alphonse ont des « brunettes noires », étoffes fines, recherchées, dont la couleur atteint la qualité d'un noir très prononcé. On attribue au comte de Toulouse des tissus verts de moins grande valeur et les seigneurs « Alphonse le neveu », Eric le Fauconnier, Hugues de Crépy, Ferri Fastre, Jean de Botterville et Jean de Beaumont n'ont que des « robes » de pourpre. Il est vrai que Jean de Beaumont reçoit aussi de l'hermine. On donne des vêtements aux écuyers — tel Gauthier de Ligne — qui doivent être aboudés chevaliers le lendemain du mariage, après le couronnement de la reine. Maître Jean et maître Jacques, spécialistes des comptabilités royales, se rangent parmi les bénéficiaires. Notons que le vermillon est le tissu destiné aux selles et aux chars.

Les dames de la cour reçoivent également de beaux vêtements et des fourrures. Citons dame Agnès et sa sœur, dame Mathilde, l'épouse de Chambly, membre de l'Hôtel du roi et destiné à devenir chambellan puis responsable de la caisse de l'Hôtel. Demoiselle Eudeline se trouve aussi parmi les bénéficiaires. Participent aussi à cette distribution la comtesse de Chartres, dame Marie de Champagne et bien d'autres encore[32].

La « jeune reine », comme l'appelle avec gentillesse le comptable, est loin d'être oubliée. Elle aussi reçoit de l'hermine, mais elle est seule à se voir gratifiée d'une fourrure aussi rare que la zibeline. Mieux encore, à l'exception peut-être de quinze boutons d'or dont on ne précise pas le destinataire et d'un « capel », ou couronne d'or, qui a été adapté pour le roi, elle est la seule à recevoir des pièces d'orfèvrerie. Si le nom de la destinataire du diamant et du rubis achetés l'année précédente est inconnu (ce qui ne permet pas de répertorier avec précision les cadeaux offerts à Marguerite), la liste de 1234 signale plusieurs objets en or. En particulier une coupe, aussitôt remise au bouteiller de France qui la présentera à la reine dans les grands festins. On commande pour elle une couronne qui servira lors du couronnement tandis qu'on se contente de remettre en état celle du roi. Marguerite de Provence reçoit enfin deux cuillères d'or qu'on laisse à sa disposition[33]. D'autres bijoux, dont on ne précise pas la nature, sont donnés à la comtesse Jeanne de Flandre. S'ils avaient été en or, le scribe n'aurait pas manqué de le mentionner[34].

Les dépenses ne s'arrêtent pas là. Il faut préparer des logements à Sens, louer des chambres dans les hôtelleries, indemniser les propriétaires des maisons réquisitionnées en ville, dont l'une est destinée à la comtesse de Flandre. On installe des « pavillons », ou tentes, ainsi qu'une véritable maison de « branches » (en bois), une « feuillée » afin d'abriter le trône royal recouvert de soie. Des musiciens, dont plusieurs appartiennent à la maison de Robert, le frère du roi, se font entendre dans cette demeure d'apparat provisoire qui sert au roi le jour de son mariage. Les échafaudages, élevés devant la cathédrale Saint-Etienne où doit avoir lieu la cérémonie, permettent à la foule qui ne peut pénétrer dans l'édifice de mieux voir le cortège nuptial et d'assister à l'engagement réciproque des futurs époux à l'entrée de l'église.

Pourquoi le mariage et le couronnement de la reine sont-ils célébrés à Sens ? Plusieurs réponses viennent à l'esprit. Sens était bien placé sur la route d'Aix à Paris. En outre, l'évêché de Paris dépendait de l'archevêché de Sens. Mais personne ne s'y trompe. Le motif décisif est la volonté d'exclure Reims, dont l'archevêque, Henri de Dreux, était frère de Pierre Mauclerc, comte de Bretagne, allié des barons ligués contre le comte Thibaud de Champagne que protégeait alors le roi. Enfin, Henri de Dreux avait eu la malencontreuse idée de soutenir son suffragant, l'évêque de Beauvais, qui s'était opposé à Louis IX.

Quel jour vit la rencontre des deux fiancés ? Les comptables royaux, qui donnent tant de détails sur les achats, ne l'indiquent pas. D'autres documents précisent seulement que diverses personnalités se dirigèrent en avant-garde vers le cortège qui venait de Provence. A leur tour, le roi Louis, Blanche de Castille, les princes Robert et Alphonse se portent à la rencontre de Marguerite de Provence. Les deux fiancés, qui ont attendu ce moment avec tant d'impatience, se rencontrent enfin. Comme Louis IX ne séjourne à Sens qu'à partir du 26 mai, veille du mariage, il est probable que c'est ce jour-là qu'il découvre Marguerite et admire la beauté que la rumeur lui attribue.

Il reste une formalité à accomplir : la constitution d'un douaire avec l'attribution de domaines à la future reine. C'est chose faite le 27 mai. Le douaire comprend la ville du Mans avec ses dépendances, le château de Mortagne et celui de Meauves-sur-Huisne, dans le Perche. Le contrat précise que Le Mans et ses annexes sont cédés à Marguerite avec des restrictions identiques à celles qu'avait dû observer la veuve de Richard Cœur de Lion, ancienne détentrice de ces biens : la sauvegarde des droits royaux sur ces fiefs et le maintien des aumônes engagées sur les revenus. La même remarque vaut pour les terres situées dans le Perche qui avaient constitué le douaire de l'ancienne comtesse du Perche dont l'héritier, Guillaume, entré dans les ordres et devenu évêque de Châlons-sur-Marne, était mort en 1226. Le contrat du douaire est daté du 27 mai, jour du mariage. Selon l'usage, on ne lui appose les sceaux et on ne le considère donc définitif qu'après le consentement des époux[35].

La cérémonie nuptiale et le couronnement

Gauthier Cornut, archevêque de Sens, présidait la cérémonie religieuse en présence de personnes de qualité et d'une foule innombrable. Entouraient la famille royale de nombreux prélats (l'archevêque de Tours, les évêques de Paris, Troyes, Orléans, Auxerre, Chartres et Meaux, les abbés de Saint-Denis, de Saint-Jean et de Saint-Rémy de Sens, celui de Saint-Pierre-le-Vif) et beaucoup de vassaux du roi, la comtesse de Flandre et de Hainaut, celle de Nevers et Courtenay, le duc de Bourgogne, les comtes de Toulouse, de la Marche, de Forez, le sire de Bourbon, etc.

Le rituel de Gauthier Cornut, conservé à la bibliothèque de Metz, a disparu au cours d'un incendie en 1944. Mais grâce à l'abbé Laroquais, un spécialiste de l'histoire liturgique, qui l'avait consulté, on sait que ce rituel était très proche d'un autre utilisé à Paris à la même époque.

La cérémonie commence hors de la cathédrale, devant le portail. L'archevêque de Sens, revêtu de ses vêtements épiscopaux, accueille les futurs époux arrivés en deux cortèges distincts. Il prononce leurs noms et proclame le dernier ban dans lequel il demande à l'assistance de l'avertir si quelque empêchement interdit le mariage. Il exhorte les fiancés à vivre une union chrétienne dont le rite commence par une jonction des mains droites de Louis et de Marguerite qui signifie la cession des époux par leur famille. En l'absence du père de la future reine, son oncle Guillaume, évêque élu de Valence, le remplace dans cette remise de la fiancée à son futur mari. Gauthier Cornut unit à nouveau les mains droites de Louis et de Marguerite. Ce geste symbolise cette fois le consentement et la promesse de fidélité. Le prélat procède alors à la remise de l'anneau de Marguerite. Tous les rituels signalent un seul anneau, celui de l'épouse, mais l'on sait que les comptabilités du mariage avaient enregistré la réparation de deux anneaux d'or et que Saint Louis en possédait un, destiné à sceller ses lettres personnelles. Après avoir béni et encensé l'anneau, l'archevêque le présente au roi qui, tout en disant « au nom du Père, du Fils et du Saint-Esprit », le dispose à la première invocation sur le pouce de la main droite de Marguerite, à la seconde sur l'index et à la troisième sur le majeur. Puis il met dans la main de son épouse la charte nuptiale, formule abrégée du contrat du douaire et treize deniers (le « treizain ») qui, selon toute vraisemblance, signifient le droit de la femme à puiser l'argent de ses aumônes dans les ressources communes du couple. Cette première partie de la cérémonie s'achève par les prières du prélat qui bénit et encense les jeunes mariés.

A la suite du clergé, Louis, Marguerite et tout le cortège pénètrent dans la cathédrale où l'archevêque de Sens célèbre la messe solennelle. Le « propre », c'est-à-dire les parties qui changent selon les offices, est celui de la fête de la Sainte-Trinité pour les chants de l'entrée (Introït), de la Préface, etc. Font exception les passages néotestamentaires de l'Epître et de l'Evangile relatifs au mariage, notamment dans la seconde lecture qui rappelle que les deux époux « ne sont plus deux, mais une seule chair ». Le roi et Marguerite de Provence portent le pain et le vin à l'officiant ainsi que de l'argent et deux cierges allumés. Après la consécration et la récitation du Pater, les époux s'approchent de l'autel, s'y prosternent. On étend sur les conjoints un voile tandis que l'officiant les bénit, prie pour eux et demande à l'épouse d'être aimable envers son mari. Avant la communion, Gauthier Cornut donne le baiser de paix au roi qui offre alors à Marguerite le véritable baiser médiéval, sur la bouche. Le prélat prie alors pour qu'une paix inaltérable règne entre les époux et, une fois la messe achevée, leur recommande de ne s'unir charnellement qu'après trois nuits passées ensemble à prier.

A la fin de l'office, le cortège se reforme et sort de la cathédrale. Le peuple accueille l'épouse du roi et l'acclame chaleureusement. Louis IX distribue vingt livres parisis aux pauvres. Procède-t-il alors à la guérison des écrouelles ou le lendemain seulement, après le couronnement de la reine? On ne peut le dire avec certitude.

La fête qui accompagne les épousailles est splendide. Musiciens et chanteurs contribuent à sa réussite. Les comptes de l'Hôtel royal mentionnent la participation de ceux du comte de Provence, de Robert, frère du roi, du comte de Champagne, du comte de Sancerre et, enfin, de ceux de Robert de Courtenay.

Le lendemain, dimanche 28 mai, voit le couronnement de Marguerite. Tous les invités retournent à la cathédrale afin d'y assister. Le sacre et le couronnement de l'épouse royale n'avaient pas l'ampleur de ceux de Louis IX qui avait été sacré et couronné à Reims le 29 novembre 1226. Avant la messe, Marguerite de Provence, vêtue de soie, prend place sur une estrade placée dans la partie gauche du chœur, en face du roi qui est à droite, sur une autre estrade un peu plus élevée. L'archevêque de Sens procède d'abord au sacre de la reine. Il oint sa tête et sa poitrine avec de l'huile bénite, sans utiliser l'huile de la sainte ampoule de Reims réservée au roi, qui l'a reçue aussi sur les épaules et les avant-bras. Le prélat remet ensuite à Marguerite, comme insigne de son pouvoir, un sceptre plus petit que celui du roi. Après avoir prié, l'archevêque place sur la tête de la reine une lourde couronne d'or que les grands du royaume soutiennent. Puis ils la reconduisent à son trône avec les dames de la noblesse. La messe commence alors. A l'Offertoire, le roi et la reine apportent à l'autel le pain, le vin et treize monnaies. L'office terminé, l'archevêque Gauthier leur retire les lourdes couronnes d'apparat et place sur leurs têtes des couronnes plus petites, celle qu'un orfèvre a fabriquée pour Marguerite et celle qui fut adaptée pour le roi[36].

Les festivités reprennent avec l'adoubement des nouveaux chevaliers. Dans le tournoi qui suit, ces derniers rivalisent de prouesses et de maîtrise. Ne sont-ils pas reconnus désormais comme de véritables hommes de guerre?

En prévision de ces journées, on a acheté d'abondantes victuailles. Le pain revient à 98 livres 9 sous 6 deniers parisis, soit environ le prix de 48 000 kg, de quoi nourrir 15 000 personnes pendant trois jours. Le « pain du roi », qui est de meilleure qualité et que l'on réserve au roi, à son entourage et aux invités de haut rang, revient à 20 livres 16 sous. 307 livres sont consacrées à l'achat du vin et l'on peut estimer la distribution à une vingtaine de milliers de litres. Les débours de la cuisine s'élèvent à 667 livres 13 sous 7 deniers. Le régisseur de l'Hôtel royal y comptabilise les achats de viande, d'épices, d'aromates, de beurre et de pâtisserie, mais ne précise pas la part réservée au festin royal et celle qui sert à régaler le peuple. On ignore le menu de la table du roi mais la cire destinée aux chandelles qui éclairent la salle du festin, les places et les rues de la ville revient à 50 livres.

Au total, la dépense s'élève à 2 522 livres 15 sous 7 deniers, soit le revenu annuel d'un gros bailliage. N'a-t-on pas cependant lésiné quelque peu ? D'autres fêtes de la « liturgie » capétienne ont coûté beaucoup plus cher à la royauté. Ainsi, les frais d'adoubement du prince Philippe, en 1267, s'élèvent à 13 758 livres. A-t-on souhaité, toutes proportions gardées évidemment, un « petit » mariage puisque la nouvelle reine apporte si peu ? Certes la dot promise est considérable, mais l'on sait le comte de Provence incapable de la payer. Si le pouvoir royal a accepté un tel contrat, c'est avant tout parce qu'il donnait une assurance supplémentaire contre le comte de Toulouse et un motif d'intervention en Provence si la somme convenue n'était pas versée.

D'autres motifs expliquent aussi que les dépenses ne soient pas plus fortes. Les ressources royales sont encore faibles et la réorganisation des finances régionales n'est pas même achevée. En outre, les soulèvements féodaux des premières années du règne de Louis IX, qui préfigurent les difficultés des minorités royales si fréquentes dans l'histoire capétienne, coûtent cher et l'opinion publique aurait mal admis des dépenses exagérées. Dans ces circonstances, les conseillers de la Couronne s'en tiennent à une voie moyenne. Afin de maintenir la réputation de leur roi, ils n'hésitent pas à verser des indemnités à ceux qui ont souffert de gros désagréments pendant ces jours de fête. La foule était si considérable que la presse a provoqué des incidents. Ainsi, un

« pauvre homme » qui a eu son cheval tué reçoit une compensation.

Ce brillant mariage fait cependant au moins un jaloux : Charles d'Anjou jugera plus tard que le mariage de son frère a revêtu une très grande allure. En 1246, il se plaint amèrement à Blanche de Castille et lui fait remarquer que le festin donné à l'occasion de son union avec Béatrice de Provence « n'a pas brillé d'un éclat pareil à celui des noces du roi son frère [37] ».

Dès le 29 mai, le cortège royal quitte Sens. Le roi tient à ce que son épouse ait un équipage digne de son rang. Il lui offre un char à quatre chevaux et prend tout l'équipement à ses frais. A Fontainebleau, ceux qui, de Provence, sont venus accompagner Marguerite, son oncle l'évêque qui reçoit une gratification de 236 livres en compensation de ses frais, les musiciens, chanteurs et les poètes de Raimond Bérenger, s'en retournent dans leur pays. Le jeune couple est acclamé par la foule tout au long de la route qui mène à Paris. Ils y parviennent le 9 juin, accueillis par la population en liesse [38].

Un regard indiscret sur le jeune couple

Pour les théologiens chrétiens, la cérémonie nuptiale et l'engagement réciproque des époux devant le prêtre ne constituent que la phase préliminaire du mariage qui ne s'achève et ne prend sa pleine signification que dans l'union charnelle de l'homme et de la femme, à la fois ministres et sujets du sacrement. Bien des sottises ont été écrites à propos de cette union de Louis et de Marguerite : une mise au point s'impose. Peu importe le château où le mariage fut consommé. Si l'on s'en tient aux trois jours prescrits après la cérémonie, ce ne peut être que celui de Fontainebleau. En revanche, si l'on tient compte des conditions du lent déplacement pendant lequel la reine se présente à son peuple, il est possible de considérer que l'union se fait à Paris, dans cette chambre verte — celle du roi — qui se trouvait à l'étage occidental du quadrilatère que formait le palais royal de l'île de la Cité. Il faudrait alors compter les trois jours à partir de l'arrivée à Paris. Mais aucun texte ne précise le jour de la consommation du mariage royal[39].

Guillaume de Saint-Pathus, qui, en tant que confesseur de la reine Marguerite, possédait des renseignements de première main, nous apprend que Louis IX passa trois nuits en prières avant de s'unir à Marguerite. Le roi lui aurait appris comment prier à deux la première nuit, et ensuite, ils auraient récité ensemble leurs oraisons. Le confesseur de la reine n'en dit pas davantage. Depuis cet écrit, beaucoup d'historiens n'en finissent pas de s'extasier devant la maîtrise du jeune roi. Il n'était cependant pas le seul marié du XIIIe siècle à procéder ainsi car c'est le conseil que l'Eglise donnait alors[40]. Mais personne, semble-t-il, n'a vraiment tenu compte de l'âge précoce de la jeune épousée. Sans vouloir ternir la mémoire de Saint Louis — qui n'a d'ailleurs entamé sa marche vers la sainteté que vers 1254, donc une vingtaine d'années après son mariage —, nous serions plutôt en droit de nous étonner qu'il n'ait pas attendu plus de trois jours. Marguerite de Provence n'avait alors que treize ans, une frêle adolescente à la vérité. Reconnaissons aussi que le roi avait quelques excuses, ne serait-ce que sa promesse de réaliser sans délai son mariage avec la princesse provençale et que le mariage n'existait pas vraiment tant que l'union ne s'était pas produite.

Le premier enfant du couple ne naît qu'en 1240. Marguerite est alors âgée de dix-neuf ans, Louis entre dans sa vingt-sixième année. La tradition ne signale pas que les jeunes époux aient décidé d'attendre quelques années après leurs noces pour avoir des enfants. En tout cas, cette restriction — ou plus exactement, ce retard voulu — des naissances dans le couple royal, n'a pas duré jusqu'à la vingtième année de la reine. Quelque temps avant qu'elle fût enceinte de Blanche, sa première fille, des membres de l'entourage royal parlaient de la nécessité d'une séparation ou d'une annulation du mariage. Pendant une année ou deux, l'absence d'enfants est donc une rude épreuve pour les jeunes conjoints[41].

Ce regard sur l'intimité du couple royal n'est pas lié à une curiosité malsaine. Louis et Marguerite sont des personnages publics dans une époque où la lignée est décisive. Personnage sacré, le roi transmet son pouvoir et son royaume à ses descendants. Les naissances royales deviennent ainsi des actes essentiels, d'un poids considérable pour le pays. Ce passage à la vie publique de ce que nous considérons comme des éléments de la vie privée rehausse la condition de la reine. Saint Louis le perçoit si nettement qu'il ordonne de n'inhumer dans la nécropole royale de Saint-Denis que les rois et les reines [42]. Sans aller aussi loin que les rois d'Espagne, qui, quelques siècles plus tard, n'inhumeront dans la crypte de l'Escorial que les rois et les mères des rois alors que leurs époux, mort avant leur père, et n'ayant donc pas régné, n'y auront pas droit. Louis IX, qui symbolise la continuité du lignage royal, réserve la place d'honneur à celle qui enfantait, la reine.

CHAPITRE III

LA JEUNE REINE,
LE ROI
ET BLANCHE DE CASTILLE

Marguerite et son royaume

La « jeune reine », comme l'appellent souvent les documents de 1234 à 1239, afin de la mieux distinguer de Blanche de Castille, ne tarde pas à comprendre que sa fonction n'est guère aisée. Elle a certes reçu un excellent accueil de la part de son époux, de la reine mère, des grands et des chevaliers. Mais le rude clan capétien, qu'assaillent encore périodiquement des révoltes féodales, n'accepte la princesse provençale que dans la mesure où elle ne perturbe pas ses plans et se contente d'assurer la survie de la dynastie. On a vu que les conseillers de la Couronne n'entendaient pas subordonner leur soutien au comte de Toulouse à l'alliance provençale qui avait cependant l'avantage de leur offrir la possibilité d'une politique différente.

Pour l'heure, Marguerite apprend à mieux connaître ce vaste, riche et beau royaume qui, selon l'expression de son mari, « possède de nombreuses plaines fertiles ». Avec ses treize à quatorze millions d'habitants, la France est alors le pays le plus peuplé d'Europe, un royaume longtemps désarticulé par des dominations féodales plus ou moins fortes. L'unité d'un tel ensemble, si malaisée à établir, est encore plus difficile à maintenir. S'y côtoient la France du Nord et celle du Midi, la France de la bière et celle du vin, selon la formule imagée de Fra Salimbene, un franciscain qui s'offre le luxe d'un véritable voyage touristique de

Paris à Marseille vers 1247. En fait, les divergences sont très profondes. Le Domaine, que gèrent les agents du roi, se distingue des territoires qu'administrent les vassaux laïcs ou ecclésiastiques et les communes. Si la royauté prétend imposer sa souveraineté, c'est-à-dire recréer un Etat reconnu de tous, les conseillers des Capétiens sont prudents et ne se risquent pas à confier l'entière administration de la France aux serviteurs du roi, mais ils veulent étendre l'autorité de leur maître sur l'ensemble du royaume. Les grands féodaux ne l'entendent pas ainsi et profitent de la jeunesse de Louis IX pour fomenter plusieurs rébellions. Un mois à peine après son mariage, le roi doit même quitter Marguerite afin de rejoindre son armée opposée à son cousin, Pierre de Dreux, dit Mauclerc, comte de Bretagne au nom de son fils, car la trêve conclue entre eux vient à expiration à la fin de ce mois de juin 1234.

Dans le Domaine royal, la restauration de l'Etat était beaucoup mieux engagée. L'implantation des baillis (nommés et rétribués par le roi) dans cette « réserve », qui avait quadruplé depuis le règne de Philippe Auguste, renforçait chaque jour davantage le contrôle royal sur les prévôts fermiers de leur charge, sur les petits et moyens vassaux ainsi que sur les villes. Marguerite, à une échelle certes plus réduite, avait déjà connu une telle entreprise dans sa Provence. Romée conseillait, aidait et soutenait son père dans son œuvre d'organisation administrative et dans l'implantation de son autorité, surtout sur les villes.

Dans son comté natal, elle avait aussi rencontré l'opposition entre les zones attardées dans l'économie traditionnelle, sans grands échanges, et l'économie nouvelle liée au grand négoce et que représentait si bien Marseille, l'un des plus importants ports d'Occident. La France connaît cet antagonisme, mais à l'échelle d'un grand pays. L'économie aux vastes horizons qui touche le commerce entre l'Europe du Nord-Ouest et les régions méditerranéennes ne se repère encore qu'en des secteurs limités : bassin de l'Escaut, Paris, régions du grand passage vers l'Italie (foires de Champagne, sillon rhodanien, côte méditerranéenne) et ports atlantiques. Toutefois, elle avait de plus en plus craquer le cadre qu'avait tracé le traité de Verdun en 843 et que limitaient en gros l'Escaut, La Meuse, la Saône et le Rhône[43].

Louis IX avait bien perçu ce qu'était son royaume. En 1244, alors qu'une maladie le plaçait au seuil de la mort, ne déclarait-il pas : « Moi, qui étais le plus riche et le plus noble des hommes, dont la puissance est sans bornes, les trésors et les armes sans nombre, voilà que je ne puis extorquer à la mort un sursis, à la souffrance un répit d'une seule heure. A quoi servent tous ces biens[44] ? »

Le jeune roi, par son action et par ses paroles — car il aimait beaucoup parler — fit comprendre à sa jeune épouse quelles étaient les richesses de la France, et ses diverses facettes. Il lui confirma aussi l'impérieux devoir de la servir.

Dans l'entourage de celui qui est en train de devenir le plus grand roi d'Occident, les conseillers politiques, les administrateurs, les financiers et les juristes commencent tout juste à supplanter les guerriers. Au cours de son règne, Saint Louis s'efforce de donner davantage de prestige à ses conseillers civils. Mais, dans les premières années de son mariage, il poursuit l'organisation du royaume malgré des révoltes féodales sans cesse renaissantes.

Dans cet Etat capétien en pleine rénovation structurelle, Marguerite vit ses premières années de reine de France. Elle découvre en même temps Paris, « la nouvelle Rome ». Sur les bords de la Seine, dans la jeune université comme dans les établissements d'enseignement et de recherche des ordres mendiants (dominicains et franciscains), en ville et dans le palais royal, se forge une nouvelle civilisation où les hommes, grâce à la redécouverte de la pensée et de la science antique, grâce aussi à l'apport chrétien et à une réflexion ardente, s'initiaient à de nouveaux progrès. La raison, qui était en train d'acquérir ses méthodes de travail, voulait reprendre toutes les données, celles de la foi, du pouvoir et du destin de l'homme. Des intellectuels, Vincent de Beauvais, et, un peu plus tard, Thomas d'Aquin, sont parfois conviés à la table royale et conversent avec Louis IX, ses conseillers et ses clercs. Issue d'une cour provençale qui s'attachait plus à transmettre les traditions qu'à innover, Marguerite contemple ce bouillonnement des activités de l'esprit[45].

Pourtant, cette cour acquise à l'intelligence et à l'innovation gardait encore quelque rudesse. Elégante, raffinée, Marguerite a dû être bien choquée de voir, en 1236, son jeune beau-frère Robert d'Artois ordonner à ses valets de couvrir d'immondices, de vieilles fripes et même de fromage blanc le comte poète Thibaud de Champagne, venu une fois de plus demander pardon au roi de ses rébellions. Louis IX eut d'ailleurs du mal à réprimer un fou rire en voyant entrer dans la salle où il se tenait le pauvre Thibaud tant empuanti. Blanche de Castille n'était point parvenue à adoucir de telles mœurs. Marguerite de Provence aura davantage de succès [46].

Un essor démographique sans précédent pousse en avant cette France qui accueille sa jeune reine. Les intellectuels croient au progrès, les hommes d'affaires et les responsables des villes qui construisent parfois de trop vastes enceintes sont de plus en plus nombreux à imaginer une croissance démographique et économique continue. Voilà l'état de ce royaume dont Marguerite devient reine. Découvrons maintenant le cadre de sa vie quotidienne.

Le palais royal et la vie quotidienne des deux reines

Le roi et sa suite se déplacent beaucoup. Ils résident tour à tour dans les châteaux de Vincennes, Saint-Germain-en-Laye, Compiègne, Corbeil, Fontainebleau, Senlis, Montargis, Melun, sans oublier Pontoise et, font parfois des incursions plus poussées dans le Domaine, par exemple à Ribemont, près de Guise, ou à Péronne. Ils n'en négligent pas pour autant le palais de l'île de la Cité. Paris, dont la population dépasse alors 100 000 habitants, tient de plus en plus le rôle d'une grande capitale politique, administrative et financière. Les baillis et les prévôts viennent y rendre périodiquement leurs comptes devant la *Curia* assemblée dans la grande salle du palais. Cette *Curia,* que les évêques et les grands vassaux ont dominée si longtemps, comprend des techniciens en nombre croissant, sert de cour judiciaire et conseille le roi sur les grandes décisions à prendre. Au palais se discutent aussi les grands traités que prépare une diplomatie active.

Ce palais destiné aux assemblées et aux réceptions royales sert également de cadre de vie au roi, à sa famille et à leur entourage. Il est déjà assez vaste au début du règne, mais, bientôt, la place venant à manquer, on bâtit de nouveaux édifices. Une véritable fièvre de construction saisit le roi et ses contemporains.

Dans l'enceinte fortifiée qui l'entoure et sur laquelle il s'appuie au nord, le long de la Seine, le palais forme un quadrilatère. A l'est se situe l'avant-cour et à l'ouest les jardins, les vergers, les vignes et les rosiers. La partie occidentale du palais renferme les appartements royaux. A l'étage, se succèdent l'oratoire, la salle du « conseil » qui n'est encore que celle où le roi aime discourir et discuter avec ceux qu'il choisit et dont il prend avis, la chambre haute ou chambre du roi et la chambre verte, ou les époux se réunissent pendant leurs séjours à Paris. La chambre de la reine est au rez-de-chaussée ainsi que la chambre aux plaids.

L'aile septentrionale est formée par la vaste salle du roi que Philippe le Bel agrandira ensuite. Sous Saint Louis, elle est déjà de belles proportions et peut accueillir les administrateurs du roi, les assemblées de la *Curia* et les grands banquets royaux. Toutefois, vers la fin du règne, elle sert surtout de salle d'attente aux plaideurs et de salle à manger pour le personnel dont les effectifs grossissent à mesure que naissent et s'étoffent les services des finances et la justice. Le roi prend alors de préférence ses repas dans la chambre aux plaids qui se trouve sous la chambre haute et sert souvent aux sessions de la *Curia*.

Au centre, le jardin clos ou « préau », qui communique avec la chambre aux plaids et une galerie (que l'on appelle aujourd'hui galerie des prisonniers en souvenir des détenus de l'époque révolutionnaire), serait sans doute le préau de la vieille basse cour où était planté le donjon de Louis VI. Dans ce donjon, où fut plus tard située la triste « cour aux femmes » (entendons par là les prisonnières de la Révolution), travaillaient les responsables financiers de l'Hôtel du roi. C'était la chambre de la caisse de l'Hôtel, appelée chambre aux deniers à la fin du XIIIᵉ siècle, où siégeaient les contrôleurs des finances royales dans les dernières années du règne de Saint Louis, ancêtre de la chambre des comptes dont les règlements se précisent au début du XIVᵉ siècle. Jean Guérout qui a minutieusement étudié le palais, souligne qu'on ne connaît plus avec exactitude l'emplacement des communs qui servaient de cadres aux « métiers », ou services domestiques de l'Hôtel (paneterie, cuisine, etc.) et où logeaient les responsables de l'Hôtel, les chapelains, le confesseur et l'aumônier du roi.

A partir de 1245, Saint Louis fait édifier la Sainte-Chapelle à l'emplacement de l'ancienne chapelle Saint-Nicolas qui avait reçu la couronne d'épines lors de son arrivée en France en 1239. Après la consécration de la Sainte-Chapelle, en 1248, il fait ériger un petit édifice qui comprend la sacristie de la chapelle basse au rez-de-chaussée, le trésor des reliquaires et la sacristie de la chapelle haute au second niveau et, au troisième, le trésor des Chartes avec les Archives royales et sa bibliothèque pour laquelle, après 1254, il ordonne la copie de manuscrits. Louis IX est probablement aussi à l'origine de la construction ou de l'agrandissement d'une galerie double : l'étage conduit de ses appartements à la Sainte-Chapelle et le rez-de-chaussée (appelé parfois petite salle, plus souvent galerie des merciers ou galerie marchande) mène à la chapelle basse, celle des serviteurs. Les marchands s'installent dans cette galerie animée d'une vie bruyante et colorée, où les gens de loi attendent leurs clients, où les Parisiens se promènent en devisant.

Dans ce palais ouvert au peuple de Paris, l'agitation est grande. Les grands officiers, les chambellans, les serviteurs de l'Hôtel royal, les chapelains, les conseillers du roi, les clercs et les autres membres de la *Curia* y vivent ou y travaillent. Les grands vassaux et les évêques participent de loin en loin aux grandes assemblées de la *Curia* et Louis IX y reçoit les monarques étrangers avec leur suite et leurs ambassadeurs[47].

Tous les membres de la famille royale y résident. Les Hôtels du roi, de la reine et ceux des « enfants royaux » ne se distinguent pas encore dans les premières années du mariage. Le responsable financier de la maison royale, qui a à l'ordinaire le titre de chambellan et reçoit les subsides nécessaires du Trésor du roi déposé au Temple règle les frais de tous les membres de la famille royale. Dans le compte de l'Hôtel de 1239, une « ligne comptable » enregistre ensemble les achats des reines Blanche et Marguerite, des comtesses Mahaut de Brabant, épouse de Robert d'Artois et

Jeanne de Toulouse mariée à Alphonse de Poitiers et des enfants de Blanche de Castille encore célibataires. Une autre ligne mentionne les acquisitions de fourrures pour les reines et les comtesses. Mais, dès 1233, les comptes de l'Hôtel du roi sont séparés de ceux du gouvernement du royaume, ce qui n'était pas le cas en 1202-1203.

Si les dépenses de la famille royale demeurent confondues, chacun de ses membres dispose cependant de serviteurs particuliers. Dès 1234, Alphonse, frère du roi, âgé de treize ans à peine, possédait déjà une petite suite avec son fauconnier et ses écuyers. Autour de la reine mère vivent plusieurs dames et demoiselles d'honneur, la dame d'Amboise, une dénommée Mincia, demoiselle Eudeline, ainsi qu'un chirurgien qui applique à la reine mère les saignées jugées alors indispensables. En cette année 1234, le comptable signale ses emplettes en des articles distincts des autres et on a vu qu'à l'occasion du mariage elle avait acheté des « robes » pour 150 livres ; elle ne dépassait donc pas la moitié des sommes dépensées pour les vêtements du roi, respectait la hiérarchie et restait à son rang. Le texte ne précise d'ailleurs pas si les achats de tapis, couvertures, housses et courtepointes pour la chambre de la reine sont destinés à Blanche ou à Marguerite. La mère du roi continue à vivre à la cour jusqu'à la naissance des premiers enfants de la jeune reine.

En 1239, les dépenses de Blanche de Castille prises en compte par l'Hôtel royal s'amenuisent alors que celles de Marguerite de Provence augmentent. Son clerc Godefroit et son valet Gérard reçoivent 100 sous et un dédommagement de 4 livres est attribué à un homme de Poissy pour le cheval qu'il a perdu au service de la reine. Le concierge de Saint-Germain-en-Laye en témoigne. L'épouse de Louis IX dispose aussi d'une chapelle personnelle pour laquelle on achète des aubes et des étoles.

L'Hôtel royal est plein de prévenances pour Marguerite. Un orfèvre redore l'une de ses coupes pour 60 sous et répare son vase en or ainsi que deux fermoirs et quatre anneaux du même métal pour 105 sous tandis que sa belle-sœur, la comtesse d'Artois, doit se contenter de la révision d'un seul fermoir d'or. La jeune reine reçoit aussi des tissus de soie et fil d'or pour 14 livres 10 sous et 4 deniers au terme du 2 février, des pelleteries pour 23 livres 8 sous et de la lingerie pour 14 livres à celui de l'Ascension tandis qu'au terme qui s'achève à la Toussaint ses achats de tissus divers s'inscrivent pour 32 livres 7 sous 6 deniers, les pelleteries destinées à ses robes revenant à 45 livres (on craint, l'hiver arrivant, que l'épouse de Louis IX prenne froid). Au total, le compte de l'Hôtel royal de 1239 enregistre une dépense de plus de 140 livres pour son habillement et ses frais somptuaires. C'est loin des 1 081 livres qu'elle dépense en objets de luxe (bijoux, tissus précieux, fourrures, etc.) dans un seul terme (soit un tiers de l'année environ) en 1261, mais ce n'est pas négligeable. Elle se voit offrir un nouveau char et l'on répare deux chariots de transport de son hôtel, le tout pour 19 livres. Si l'on fait montre de tant de prévenances à son égard, c'est parce que Marguerite de Provence est enfin enceinte et l'on prend grand soin de celle qui porte les espoirs du roi et de son royaume. Est-ce le premier signe de déclin de l'influence de Blanche de Castille ? Quand on connaît l'extrême rigueur protocolaire des comptes royaux, on peut se poser cette question dès 1239[48].

La reine mère, dont la plupart des dépenses ne s'enregistrent plus cette année-là dans les comptabilités royales, n'est cependant pas dans la misère. Elle possédait des biens considérables, une dot qui comprenait notamment Issoudun, Graçay et Châteauroux et son douaire qui consistait dans les châtellenies d'Hesdin, de Bapaume et de Lens jusqu'en 1237. Alphonse de Poitiers reçoit alors son apanage, le comté d'Artois que son père Louis VIII lui avait attribué dans son testament et, en échange de ses châtellenies, Blanche obtient Corbeil, Melun, Pontoise, Dourdan, Crépy-en-Valois et La Ferté-Milon. Elle renonce aussi à ses fiefs de Graçay, Issoudun et Châteauroux. En outre, elle possède plusieurs hôtels particuliers, à Paris, ce qui facilitera son départ du palais de la cité.

Le royaume de France comptait une troisième reine, Ingeburge, fille du roi de Danemark, seconde épouse légitime de Philippe Auguste. Ce dernier voulut se défaire de sa princesse scandinave peu après son mariage, et la fit enfermer de longues années dans un couvent. Le pape Innocent III l'en fit libérer et de 1213 à 1223, elle vécut à la cour. A la mort de son mari, elle se retira dans son douaire d'Orléans jusqu'à son décès en 1237.

Comme la « reine d'Orléans », Ingeburge, ne s'imposait pas dans l'entourage de Louis IX, restaient en lice les deux autres reines : Blanche de Castille et Marguerite de Provence. Elles ne tardèrent pas à s'affronter et le souvenir de leur mésentente persiste dans la mémoire collective. La « jalousie » de Blanche lui a même coupé la voie de la canonisation. Les preuves indiscutables de son attitude odieuse envers sa belle-fille ont arrêté toute velléité d'introduction de sa cause en cour de Rome. Entre les deux femmes, la compétition est rude pour l'emporter dans l'affection du roi. Marguerite n'est pas la tendre victime, naïve et sans défense qu'on a pu se représenter. Elle combat avec vigueur et habileté l'emprise de Blanche. Mais, à sa décharge, elle a fait preuve d'une longue patience avant de regimber.

Tentons aussi de comprendre Blanche de Castille. Veuve à trente-huit ans, elle avait aimé avec passion son Louis VIII. Alors qu'il n'était encore que prince héritier, lors de son débarquement en Angleterre en 1216, elle avait formé avec lui un bloc sans faille contre Philippe Auguste et contre le pape. Elle avait même accompagné son époux dans l'excommunication. A l'annonce de son décès en 1226, sa douleur fut atroce et elle voulut même se donner la mort. Son fils et son entourage surent lui faire entendre raison [49].

Elle aurait alors reporté son affection sur le jeune roi. Cette opinion, très répandue, n'est pas entièrement fausse, bien que, à la fin de sa vie, son fils préféré ait été Charles d'Anjou. Elle avait eu le mérite, très tôt, de former Louis aux secrets du pouvoir et de le faire participer aux réunions des conseillers de la Couronne et aux sessions de la *Curia*. La fixation qu'elle fait sur son fils est amplifiée par son attachement à ce pouvoir que son fils détient en droit [50].

La volonté des grands commis de la royauté de s'en tenir avant tout à la politique anti-anglaise se traduit dans leurs stratégies matrimoniales. S'y ajoute le souci évident de s'opposer à l'autonomie toulousaine et au remariage du comte de Toulouse. Ces deux objectifs semblent atteints et, en ce qui concerne le premier, les grands lignages des contrées proches de l'Angleterre ne peuvent contracter mariage avec la famille royale anglaise ou avec ses proches. D'autres unions flatteuses avec des princes de la péninsule Ibérique, parents de Blanche par surcroît, leur sont proposés. Le neveu de Blanche, Alphonse de Portugal, jeune orphelin élevé à la cour de France, épouse en 1239 Mahaut de Boulogne, veuve de Philippe Hurepel, et la fille du comte de Ponthieu s'unit avec Ferdinand III de Castille, fils de Bérangère, sœur de Blanche. En 1237, Thomas de Savoie, oncle de Marguerite, épouse Jeanne, comtesse de Flandre. Veuve de Ferrand de Portugal, Jeanne voulait se remarier et projetait d'épouser le comte de Leicester, fils du puissant Simon de Montfort, chef des barons français de la croisade albigeoise. Dans la crainte de voir la Flandre s'allier à Albion, les conseillers de la Couronne jugèrent moins dangereux d'introduire le lignage savoyard dans l'une des grandes dominations territoriales. Cette solution avait aussi l'avantage de valoir à la France quelque reconnaissance de la part de la Provence [51].

Plus étonnante encore apparaît l'absence d'opposition française au mariage de la sœur cadette de Marguerite, Eléonore, avec Henri III, roi d'Angleterre. N'était-ce pas favoriser l'alliance entre l'Empire et l'Angleterre ?

Le mariage d'Éléonore

Revenons quelque peu en arrière. Depuis la conquête par les Capétiens des fiefs anglais de Normandie, Anjou, Touraine et Poitou et de leurs confins, le roi d'Angleterre était décidé à contrer l'essor des Capétiens et à sauver ainsi ses dernières possessions continentales, l'Aquitaine et la Gascogne. Les deux grands rivaux avaient besoin de l'alliance provençale, Louis IX pour consolider et préserver ses conquêtes méridionales, Henri III pour les prendre en tenailles et limiter l'expansion française dans la vallée rhodanienne et en Languedoc. Le mariage du roi de France avec Marguerite apparaît comme un défi au roi d'Angleterre qui voit pénétrer l'influence française en Provence. Ce comté était en effet l'un des vestiges de ce royaume d'Arles et Vienne du XIe siècle que les empereurs s'efforcèrent parfois de reconstituer ensuite. Mais ce n'était là que vaine nostalgie et l'empereur Henri VI n'hésita pas à confier le vicariat de ce royaume d'Arles à Richard Cœur de Lion à la fin du XIIe siècle. Il récompensait ainsi l'Angleterre et fortifiait à peu de frais son alliance puisque cette région devenait de plus en plus autonome. L'Angleterre considérait donc un peu cette région comme une chasse gardée et elle ne tarda pas à réagir. Dès 1235, le mariage de l'empereur Frédéric II de Hohenstaufen avec Isabelle, sœur d'Henri III, renforce son alliance avec l'Empire. La rumeur courut que Frédéric II avait promis son aide à son beau-frère pour récupérer les terres françaises perdues. Et voilà que, en 1236, Henri III épouse Eléonore.

Pourquoi la France a-t-elle laissé faire ce mariage ? Certainement pas pour faire un cadeau à Marguerite. La raison en est autre : la royauté française ne pouvait se permettre de se dresser contre le projet d'Henri III dans la crainte de le voir s'allier une nouvelle fois avec les barons de l'Ouest, si prompts à se révolter. La menace n'était pas illusoire car, en mai 1230, le roi d'Angleterre avait débarqué en Bretagne avec une armée pour soutenir Pierre Mauclerc, gardien du duché au nom de son fils Jean le Roux, en rébellion contre Louis IX. L'entreprise tourna vite court, Henri III rembarqua avec ses troupes le 20 octobre 1230, conclut avec le roi de France en 1231 une trêve qu'il renouvela en 1234 puis, pour une période de trois ans, en août 1235, précisément au moment des pourparlers en vue du mariage d'Eléonore. Blanche de Castille et ses conseillers ne s'y opposèrent pas car ils ne voulaient pas donner à Henri III un prétexte pour rompre la trêve. Ils permirent ainsi à l'Angleterre de se réintroduire dans ces contrées d'outre-Rhône dont elle estimait avoir été injustement évincée et de rééquilibrer à son profit une situation devenue trop favorable au roi de France.

Romée avait eu raison de prévoir que le beau mariage de la fille aînée de Raimond Bérenger faciliterait celui des cadettes. Vers la mi-juin 1235, Henri III envoie en secret un premier négociateur en Provence, un prieur nommé Richard. A son retour, celui-ci fait part au roi du bon accueil qu'il avait reçu à la cour provençale. Puis il s'en retourne avec deux évêques et frère Robert, maître de la milice du Temple, afin de demander officiellement la main d'Eléonore, jeune princesse de douze ans qui est, dit-on, d'une grande beauté. En octobre, les procurateurs discutent de la dot qui, pas plus que celle de Marguerite, ne sera payée dans les années suivantes. Le comte de Provence reçoit ces ambassadeurs avec de grands honneurs et beaucoup d'égards, leur confie sa fille qu'accompagne son oncle Guillaume, évêque élu de Valence, qui joue le rôle de chaperon. Le cortège, composé de trois cents personnes à cheval et d'une foule « nombreuse » selon le chroniqueur anglais Mathieu Paris, traverse en cinq jours le comté de Champagne où le comte Thibaud prend à sa charge toutes les dépenses. Le roi de France et son épouse Marguerite accordent un sauf-conduit à Eléonore et à sa suite pour leur permettre de traverser sans encombre le Domaine royal, mais Mathieu Paris ne précise pas si les deux princesses provençales se sont rencontrées. La future reine d'Angleterre et la brillante escorte qui l'accompagne embarquent à Wissant et abordent les côtes anglaises à Douvres. Eléonore se dirige vers Cantorbéry où l'attend Henri III. Elle plaît au roi d'Angleterre et l'on procède à la cérémonie nuptiale. Edmond Rich, primat d'Angleterre, en préside le déroulement dans sa cathédrale de Cantorbéry en présence de nombreux évêques et nobles le lundi 14 janvier 1236.

Le dimanche suivant, 20 janvier, fête des saints Fabien et Sébastien, voit le couronnement de la reine dans l'abbatiale de Westminster. Assisté de l'évêque de Londres, l'archevêque de Cantorbéry pose la couronne sur la tête d'Eléonore. L'abbé de Saint-Albans marche à la tête des abbés des monastères anglais réunis mais c'est celui de Westminster qui procède à l'aspersion de l'eau bénite tandis que le trésorier de cette abbaye porte la patène. Le comte de Chester porte devant le roi le glaive de Saint-Edouard, fonction qui lui revenait au titre de comte du palais. Grand maréchal d'Angleterre, le comte de Pembroke tient la verge de commandement et les gardiens des cinq portes soutiennent le dais au-dessus du roi.

Les festivités commencent ensuite. Ornée de soie, de bannières, de tapis et de guirlandes, la ville de Londres avait été magnifiquement décorée après qu'on ait nettoyé les rues des ordures, des couches de boue et de tout ce qui obstruait le passage. Le soir venu, des lampions et des torches l'illuminent. La foule est immense, la ville peut à peine la contenir. Le festin nuptial va laisser un souvenir inoubliable. Les bourgeois de Londres qui, sur leurs agiles coursiers, avaient été au-devant du roi et de son épouse servent d'échansons. Vêtus de soie, enveloppés de manteaux de riches tissus ornés de fils d'or, ils montent des chevaux de prix aux selles et aux mors neufs. Précédés par les trompettes du roi, ils portent trois cent soixante coupes d'or et d'argent. Ce rite fastueux, une innovation, tend à souligner la richesse des hommes d'affaires londoniens et leur volonté de jouer un rôle aussi bien dans le décorum royal que dans la vie politique. N'était-il pas significatif qu'il revenait seulement au comte de Leicester de présenter l'eau au roi et que les fonctions de l'échanson royal se réduisaient à peu de chose ? Les nouveaux échansons ont désormais l'honneur de verser en abondance du vin dans des vases inestimables. Le maréchal d'Angleterre est chargé d'ordonner le festin et de placer les convives à leur rang. Quel était le menu ? Mathieu Paris se contente de citer divers vins, de grandes quantités de venaisons et de poissons variés. Il n'est pas plus bavard au sujet des tours des jongleurs qui distraient les convives.

Eléonore et sa sœur Sanchie, quelques années plus tard, ne sont pas les seules Provençales à épouser un Anglais. Certaines demoiselles d'honneur qui les accompagnent s'unissent à des seigneurs du royaume d'Angleterre. Ce n'est pas l'unique forme de colonisation de la cour d'Henri III par les compatriotes et les parents de la nouvelle reine. Le cher oncle Guillaume, évêque élu de Valence, reste quelques mois auprès d'elle. Moins prudent que son beau-frère Louis IX, le roi d'Angleterre ne le renvoie pas derechef d'où il vient, et c'est le début de l'implantation du clan savoyard-provençal dans l'entourage d'Henri III qui, sur les conseils d'Edmond Rich, primat de l'Eglise d'Angleterre, venait à peine de se débarrasser en 1233 de l'influence de Pierre des Roches, évêque de Winchester, et d'autres « Poitevins » présents dans le Conseil royal, pour leur substituer des Anglais. Voilà que d'autres étrangers arrivent et, selon les bruits qui courent, l'oncle Guillaume prend vite de l'influence sur le faible Henri III. Il lui aurait même conseillé de modifier la « constitution » anglaise dans le sens d'une autorité royale renforcée. Cette dernière avait en effet été affaiblie par la Grande Charte que les barons anglais avaient imposée au père d'Henri III, Jean sans Terre, en 1215 après sa défaite de Bouvines l'année précédente. Ce serait là le point de départ de l'impopularité d'Eléonore. En fait, les sommes considérables que le cher oncle emporte avec lui pour la Savoie et la Provence lors de son départ en février 1237 suffisent déjà à susciter un certain mécontentement. L'opinion publique en rend responsable la jeune reine, qui réconcilie néanmoins son époux avec la famille de Guillaume le Maréchal. En réalité, Eléonore ne fait que suivre la fâcheuse tendance de son mari à dilapider son trésor.

Le mariage d'Eléonore n'offre pas que des avantages à l'Angleterre et à la France. L'influence des deux reines en faveur du rapprochement des deux Couronnes est bien faible dans les premières années de leur règne. Le renouvellement de la trêve de 1238 peut-il même être mis à leur actif? Elles ne sont pas en mesure d'empêcher la reprise des hostilités entre leurs époux en 1242. Après avoir beaucoup hésité, Henri III se décide à rejoindre la ligue que les barons poitevins et le comte de la Marche avaient formée l'année précédente.

Cette nouvelle guerre risque de resserrer les liens du roi d'Angleterre avec l'empereur Frédéric II qui le soutenait dans ses revendications territoriales. Toutefois, l'empereur était entré en lutte avec le pape Grégoire IX et Henri III ne tenait pas à s'opposer à la papauté. Pour leur part, Louis IX et ses conseillers préféraient rester neutres dans cette rivalité entre Rome et l'Empire car ils craignaient une aide plus effective de Frédéric II à Henri III. Tout cela semblait jouer en faveur de la paix.

La mère d'Henri III, Isabelle d'Angoulême, veuve de Jean sans Terre, réduisit ces espoirs à néant. Elle poussait à la guerre son second mari, Hugues de Lusignan, comte de la Marche, qui avait été son fiancé avant son mariage avec le roi d'Angleterre. Orgueilleuse, elle souffrait de devoir prêter hommage à Alphonse de Poitiers, elle qui avait été reine d'Angleterre. A la Noël de 1241, le comte de la Marche lance un défi au frère du roi de France rentré en possession de son apanage poitevin. Louis IX, qui avait convoqué son armée pour avril 1242, envahit les terres de Lusignan. Henri III ne veut pas abandonner celui qui avait épousé sa mère. Avec son frère Richard de Cornouailles, à qui il avait confié la direction de ses terres d'Aquitaine et de Gascogne et donné le titre de comte de Poitou en 1238, il débarque à Royan le 12 mai 1242. Le 21 juillet, les deux armées royales sont face à face sous les murs de Taillebourg dont le seigneur, Geoffroy de Rancogne, ennemi personnel du comte de la Marche, a ouvert les portes à Louis IX. Celui-ci l'emporte et, dès le lendemain 22 juillet, une autre bataille s'engage sous les murs de Saintes. Quand il apprend que le roi de France veut le prendre à revers, Henri III prend la fuite. Il entreprend le blocus de La Rochelle en juillet mais, le 1er août, Hugues de Lusignan se soumet à Louis IX qui exige que la comtesse de la Marche, ancienne reine d'Angleterre, se retire au couvent de Fontevrault. Il ne reste plus à Henri III qu'à regagner l'Angleterre.

Une épidémie de dysenterie décime l'armée française. Le roi en est atteint à son tour. Les conseillers de la Couronne prennent alors des mesures destinées à limiter une trop grande influence de Marguerite de Provence si son mari venait à disparaître. Il faudra revenir sur cette étrange affaire. Retenons pour le moment que le rapprochement que désirent sans nul doute les deux sœurs est encore bien lointain et que, en France comme en Angleterre, on se méfie des deux Provençales. Eléonore parvient à placer des compatriotes qui l'aident à former son clan tandis que Marguerite ne trouve appui que parmi les gens les plus humbles de l'entourage royal.

Henri III, échaudé par son échec et l'insuccès de la révolte tardive du comte de Toulouse à l'automne 1242, fait savoir à l'empereur qu'il renonce à la reconquête de ses anciens fiefs français. Le 12 mars 1243, il obtient du roi de France une trêve de cinq ans. Les difficultés rencontrées par Henri III en France suffisent à elles seules à expliquer ce revirement. Il faut d'autant moins y chercher une influence de son épouse que, en 1253 encore, Eléonore ne peut empêcher son mari (qui, enfin, a fait vœu de partir à la croisade), de profiter de son passage en France pour lancer des raids contre les terres tenues par des vassaux fidèles à Louis IX qui est en Syrie-Palestine. De plus, avant son départ, Henri III n'a désigné son épouse que corégente avec son frère Richard de Cornouailles. La position d'Eléonore n'est pas aisée.

Les « Poitevins » vont garder longtemps une forte influence sur Henri III et le poussent sans relâche à réclamer les fiefs continentaux perdus. Même après la défaite de 1242, ses quatre demi-frères Lusignan, réfugiés en Angleterre, accaparent des fiefs, font désigner leurs parents et leurs fidèles à des postes administratifs et dans des bénéfices ecclésiastiques. Avant de s'imposer, le « parti » provenço-savoyard doit lever l'hypothèque « poitevine » [52].

La rivalité de Blanche de Castille et de Marguerite de Provence

Le renversement des alliances ne se profile qu'avec lenteur à la cour de France comme à la cour d'Angleterre. Les partisans de l'ancienne politique de rivalité entre les deux royaumes sont en majorité. En ce qui concerne la politique intérieure, le jeune roi émet rarement un avis différent de celui des dirigeants du royaume et il est peu suivi.

Blanche de Castille se méfie très tôt de Marguerite de Provence, et la tient pour une jeune dame un peu écervelée et sans grande envergure. Elle craint que la jeune épouse ne fasse perdre son temps au roi, ne le détourne de ses tâches et que certains dans l'entourage royal ne s'appuient sur elle pour constituer un « parti » opposé au sien. Avide de pouvoir, la reine mère découvre vite une rivale en Marguerite, dans l'affection qu'elle voue à son fils comme dans la domination politique qu'elle prétend exercer sur lui. Au contraire, la jeune Marguerite de Provence, tout à son amour pour le roi, tarde à comprendre qu'elle représente un danger pour les gens en place.

La compétition entre les deux reines avait d'autres causes encore. Malgré leur cousinage, leur appartenance à deux lignages ibériques, si souvent antagonistes, ne facilitait pas l'accord. Blanche était de Castille, Marguerite était d'Aragon. Ces liens avec deux fières maisons d'Espagne exaspérèrent le profond antagonisme entre ces deux femmes qui se rencontrent quasiment chaque jour dans une cour surpeuplée [53].

De plus, une rivalité mondaine et littéraire s'installe entre elles. Blanche de Castille était la petite-fille de cette Eléonore d'Aqui-

taine qui favorisa tant la littérature courtoise et contribua beaucoup à son renom. Sa fille Marie, devenue comtesse de Champagne, attira à sa cour de nombreux trouvères, y créa un
mouvement littéraire qui s'y maintint. L'arrière-petit-fils d'Eléonore, le comte Thibaud de Champagne, était l'un des grands
serviteurs de la chanson courtoise à partir de 1220. Selon les règles
de la tradition courtoise, il dut choisir comme « dame » une
personne de haut lignage. Il porta alors ses regards sur sa cousine
Blanche de Castille, alors dans toute la splendeur de ses trente ans.
C'était faire preuve d'une certaine candeur que de choisir une
future reine de France, et d'une certaine audace aussi, lui-même
étant assez laid. Il avait quelques excuses car, dès la fin du règne de
Philippe Auguste, le prince héritier Louis et son épouse, Blanche
de Castille, réunirent autour d'eux un petit cénacle littéraire. En
1213, Louis donna des indemnités à l'un des grands trouvères de
l'époque, Gace Brûlé, qui, selon toute vraisemblance, initia à la
poésie le jeune Thibaud de Champagne élevé à la cour de France.
Le délicat roman *Castia-Gilos*, d'un certain Bernadet, célèbre
l'héroïne Flamenca, fille de la maison comtale de Namur, et narre
le châtiment d'un amant jaloux d'un roi de France. Les contemporains n'avaient nul besoin de ce roman pour être au fait des
événements qui troublèrent le bel amour de Thibaud. Afin de
sauvegarder sa réputation, Blanche de Castille l'éloigna de temps à
autre de la cour et les dirigeants du royaume, soucieux du maintien
de l'autorité royale malmenée par les révoltes du comte de
Champagne, en firent autant. Mais, en d'autres occasions, Blanche
et les hommes au pouvoir n'hésitèrent pas à se servir de Thibaud
pour semer la discorde parmi les chefs des grandes dominations
territoriales coalisés contre le roi.

La jeune reine va à son tour protéger les poètes et devenir l'objet
de leurs chants. Originaire de cette cour de Provence où plusieurs
descendants d'hommes de guerre étaient devenus poètes, elle n'en
découvre qu'un à la cour de France, ce pauvre Thibaud de
Champagne si souvent ridicule, parfois chassé ignominieusement
par celle qu'il continue à célébrer malgré tout. Avec l'entourage
royal, elle ne peut manquer de sourire quand elle entend ce ragot
colporté par le Ménestrel de Reims, une mauvaise langue :

Blanche de Castille, courroucée, se serait mise en chemise devant les conseillers du roi, vers 1230, car elle voulait prouver qu'elle n'était pas enceinte des œuvres de Frangipani, cardinal de Saint-Ange et légat du pape. Marguerite prend place dans une cour qui n'ignore plus « la courtoisie », mais où beaucoup de chevaliers considèrent qu'il sied davantage à la femme d'écouter leurs prouesses guerrières que d'être chantée pour elle-même. Quelques années plus tard, en pleine bataille de Mansourah, en Egypte, au cours de ce triste mois de février 1250, n'entend-on pas un croisé, le comte de Soissons, déclarer à Joinville qu'ils parleront de leurs hauts faits « dans la chambre des dames » ?

Si la cour littéraire qu'a réunie autour d'elle la mère de Saint Louis a donné à la cour de France un certain éclat, Paris n'est pas encore le premier centre littéraire du royaume et des territoires impériaux qui le bordent. On a déjà parlé de la cour de Provence. Dans la France du Nord, celle de la langue d'oïl, Arras, qui s'annonce comme la grande place bancaire de l'Europe du Nord-Ouest, est le plus vif foyer de la poésie et de la production dramatique. Mais là où Blanche de Castille a échoué, Marguerite de Provence réussit. Sous son influence, Paris va de plus en plus s'imposer comme le lieu privilégié de la vie littéraire à la fin du règne de Saint Louis. A vrai dire, il ne ravit que lentement la première place à Arras. Avec un succès plus rapide, la cour royale supplante la cour de Champagne dans les milieux aristocratiques. Cette victoire de la jeune reine, Blanche de Castille n'a pas manqué de la pressentir. La reine mère, qui vieillissait et commençait à regretter sa beauté « castillane » tant célébrée autrefois, ne pouvait voir sans tristesse cette jeune reine si jolie, si vivante, attirer vers elle les poètes de la nouvelle génération et lui ravir leurs louanges. La mère du roi n'a pas seulement deviné l'éclatant succès de sa rivale, elle en a eu de son vivant les premiers échos.

Blanche de Castille a figuré en bonne place dans ce lot de privilégiés qui furent les premiers à découvrir le *Roman de la Rose* de Guillaume de Lorris et qui contribuèrent à son immense succès. Ce chef-d'œuvre de la littérature universelle renouvelle l'amour courtois et lui donne une nouvelle forme, celle de l'allégorie. Pourtant, la dame de ses pensées n'est pas une abstraction même s'il y a transposition ensuite. En outre, la précision de quelques descriptions annonce déjà Jean de Meung qui compose un second *Roman de la Rose* ou, plus exactement, son anti-roman de la rose qu'il écrit entre 1269 et 1278 et qui ne constitue pas à proprement parler la suite du premier. Pour Jean de Meung, le culte de la femme n'est que duperie tandis que Guillaume de Lorris restait fidèle à la tradition de la « fine amor » où celui qui aime ne voit pas l'accomplissement de ses vœux. Guillaume de Lorris n'avait nul besoin que quelqu'un achevât son œuvre. Il avait placé si haut son idée de la femme que voir son continuateur en Jean de Meung, qui la rabaisse à un si triste niveau, en devient presque indécent.

Quelle était la « dame » en qui Guillaume de Lorris découvrait son idéal féminin ? Longtemps, on crut que la rose symbolisait une jeune fille et que l'auteur, qui l'avait vue en rêve, se considérait comme son fiancé. Une meilleure lecture a permis à R. Lejeune de montrer qu'il n'en était rien et que c'eût été contraire à la tradition courtoise où la beauté même de l'amour, et sa difficulté, venaient de l'impossibilité de conclure. La rose symbolise bien une femme mariée et le bouton de rose précise que la dame est une jeune épouse qui n'a pas encore eu d'enfants. La couleur rouge n'a jamais symbolisé la virginité et la rose du roman est bien de couleur vermeille. Quelle était cette femme si belle et si aimée ? Une meilleure approche chronologique a permis d'avancer dans son identification. De plus en plus rares sont les exégètes du *Roman de la Rose* qui pensent que Guillaume de Lorris a composé son œuvre entre 1225 et 1235. La date de 1237 est même avancée. A vrai dire, la période 1235-1239 semble plus adéquate, si l'on tient compte d'un certain nombre d'éléments de l'ouvrage.

Le *Roman de la Rose* de Guillaume de Lorris propose une société plus policée et plus délicate que celle de la première moitié du xiiie siècle. Courtoisie, dans les conseils qu'elle donne à l'auteur pour réussir dans la vie mondaine, lui rappelle la nécessité de servir et d'honorer toutes les femmes et d'imposer silence à ceux qui disent du mal d'elles. Elle lui recommande de :

> « Faire autant que le peut, chose qui plaise
> Aux dames et demoiselles

Pour qu'elles aient de bonnes nouvelles
A dire de toi et à raconter. »

Tous ces avis relèvent de la tradition courtoise. Mais Courtoisie donne aussi à Guillaume de Lorris des conseils d'élégance et d'hygiène. Au moins pour la cour de France ce sont des nouveautés. En premier lieu, elle lui enjoint de confier à un bon tailleur le soin de confectionner son vêtement. Ce tailleur doit être capable de lui couper des « pointes » seyantes et des manches bien jointes, agréables à regarder. Tout compte fait, il importe plus de bien s'habiller que d'exceller au combat et au tournoi. Certes, on rappelle que celui qui est capable de briser les lances doit le faire savoir, mais il ne s'agit que d'un atout supplémentaire dans son jeu. Cela annonce déjà un temps où les bons administrateurs, les comptables et les financiers raviront la première place aux guerriers. Pour réussir, il faut aussi soigner son corps :

« Ne souffre sur toi nulle malpropreté.
Lave tes mains et dents cure.
Si tes ongles ont des points noirs
Ne laisse pas se maintenir
Couds tes manches, tes cheveux peigne. »

La jeune reine venue de Provence n'aurait-elle pas déjà exercé une certaine influence ? Guillaume de Lorris déconseille également de se farder et de s'épiler les sourcils, et l'on sait que le roi, qui conseille à une épouse de bien s'habiller pour faire plaisir à son mari, recommande aux dames, et à plus forte raison aux messieurs, la modération dans l'utilisation de fards et des parfums coûteux.

Guillaume de Lorris connaissait bien la famille régnante qui possédait un château à Lorris. L'a-t-il suivie à Paris ? La question se pose car la description du verger où fleurit le buisson de roses et celle du grand jardin clôturé de tous côtés par de hauts murs fait penser à ces beaux jardins et vergers localisés dans la partie occidentale du palais de l'île de la Cité. Enfin, cette jeune dame est en proie à la méchanceté de Vieillesse, Convoitise, et plus encore de Jalousie qui tient prisonnière le bouton de rose en train de devenir la Rose, reine des fleurs. Ces descriptions n'appellent-elles pas avec force le souvenir de la jeune reine exposée à la méchanceté puis à la jalousie de celle qui est devenue la vieille reine ? Comme le souligne R. Lejeune, il ne faut pas voir dans le *Roman de la Rose* un roman à clefs — ce n'est pas l'usage de l'époque — mais l'allégorie se nourrit de réminiscences. Tout n'est pas dû à l'imagination de l'écrivain. Blanche de Castille n'a-t-elle pas eu la tentation de considérer Marguerite comme une recluse dans le palais de l'île de la Cité, comme dans les autres châteaux du roi qui revêtaient encore en ce XIIIe siècle l'allure de forteresses[54] ?

La jalousie de la reine mère envers l'épouse de son fils est incontestable, on l'a dit. Joinville nous en donne deux témoignages. Il nous montre aussi que Marguerite de Provence ne courbe pas la tête devant sa redoutable belle-mère. La jeune reine accepte le combat et trouve enfin appui auprès de son époux dans la lutte qu'elle engage.

La première indication de la jalousie extrême dont fait preuve Blanche de Castille est l'épisode du château de Pontoise que le roi s'était réservé, bien que la châtellenie fût dans le douaire de sa mère depuis 1237. Dans la résidence royale de Pontoise, Marguerite et Louis avaient bien arrangé leurs affaires. Ils y tenaient parlement, c'est-à-dire qu'ils se donnaient rendez-vous pour bavarder (pudique, Joinville n'en dit pas davantage) dans un escalier à vis qui reliait le bureau du roi à l'appartement de sa femme. Louis IX n'avait donc pas à emprunter les couloirs où pouvaient passer la vieille reine, les conseillers qui lui étaient acquis ni ses espions. Les jeunes époux avaient d'ailleurs pris leurs précautions. Les huissiers qui gardaient la porte du roi la heurtaient de leur bâton dès que la reine mère, l'un de ses serviteurs ou quelqu'un de son parti s'annonçait. Louis IX, qui se trouvait soit dans l'escalier, soit dans l'appartement de Marguerite, avait alors le temps de rejoindre sa salle de travail où Blanche le trouvait sagement occupé aux affaires du royaume[55].

Une telle organisation supposait l'accord d'un certain nombre de personnes en plus des huissiers. Les *mansiones et itera,* qui enregistrent les séjours et déplacements royaux permettent de reconstituer les séjours à Pontoise et de confirmer les dires de

Joinville. Ces documents montrent aussi que le ménage royal n'a choisi, de préférence à toute autre, la demeure de Pontoise, qui leur offrait la possibilité de rendez-vous secrets, qu'à partir de 1241 et pendant les années suivantes. C'est précisément la période où Blanche de Castille est évincée du pouvoir, et où Marguerite met le roi dans l'obligation de choisir entre elle et sa mère.

La fréquence des séjours à Pontoise est trop nette pour qu'on n'en déduise pas une préférence marquée. Il y a tant d'autres résidences royales où la cour ne se rend même plus une fois par an au cours de cette période : Vincennes, Melun, Argenteuil, Saint-Germain-en-Laye par exemple où ils ne séjournent qu'en 1244. Le roi n'oublie cependant pas de se transporter parfois en des parties de son Domaine plus éloignées de Paris puisqu'il se trouve à Orléans en 1241 et à Ribemont, près de Guise, en 1244.

A partir de 1247 en revanche, le couple royal ne va presque plus à Pontoise. Marguerite de Provence l'a emporté sur Blanche de Castille et les deux époux n'éprouvent plus le besoin de se cacher de la reine mère. Ayant pris conscience de ses responsabilités royales, en partie grâce à sa femme, Louis IX peut enfin commencer à mener sa politique personnelle. Ajoutons qu'après le retour de la croisade on ne les voit plus à Pontoise qu'en juin 1258 [56].

Contraindre la cour à se diriger si souvent vers Pontoise n'était déjà pas une mince affaire. Si, d'une manière générale, les déplacements étaient habituels, il n'y avait cependant aucun motif politique, administratif ou financier — autre que celui donné par Joinville — d'y séjourner si souvent avec toute la famille royale, tous les services domestiques de l'Hôtel, les veneurs, les fauconniers, les oiseleurs, sans oublier la plupart des conseillers et des grands administrateurs de la Couronne.

L'épisode de Pontoise, prouvé et si joli, n'explique cependant pas à lui seul le bouleversement qui transforme la vie du couple royal ni à plus forte raison celui que commence à connaître le gouvernement du royaume. Il n'est qu'un élément d'un ensemble beaucoup plus vaste. Comme d'autres affaires, le pouvoir et l'influence sur le roi sont ici en cause. On a raconté à longueur de siècles que Blanche voulait à tout prix empêcher son fils de voir son épouse et de la cajoler pendant le jour. La reine mère était cependant assez intelligente pour présumer que le roi retrouverait sa chère Marguerite pendant la nuit et sans témoins. Afin d'assurer le succès de ses rendez-vous et les cacher à sa mère, on vient de voir que le roi Louis devait disposer d'un nombre assez impressionnant de complicités. Il le peut précisément au cours de ces années pendant lesquelles les chambellans et autres membres de la chambre du roi vivant dans son intimité et originaires du Domaine primitif, c'est-à-dire de l'Ile-de-France et de ses confins picards et orléanais, laissent une place de plus en plus grande à des hommes nouveaux venus de la Touraine, qui fut annexée au Domaine au début du XIIIᵉ siècle. Cette arrivée, qui témoigne du souci de faire participer davantage de contrées au service du roi, est d'autant mieux acceptée des gens en place qu'on confie aux nouveaux venus d'humbles tâches mais pour peu que, parmi eux, des serviteurs intelligents, habiles, réussissent à retenir l'attention de Louis IX et tout leur devient possible. Ils l'aident dans ses tâches royales quotidiennes (en d'autres temps, on parlerait de secrétariat). De brillantes carrières s'ouvrent ainsi à Pierre de Brosse et à son frère, chefs des Tourangeaux de la chambre du roi. Un nouveau « clan » est en train de se former, qui protège le couple royal, et Blanche de Castille ne l'ignore pas.

Au cours de ces années, certains parmi les anciens conseillers royaux considèrent donc Marguerite de Provence comme une menace. On comprend mieux ainsi que Blanche, si attachée à ceux qui l'ont guidée et soutenue aux heures difficiles, ne veut pas que son épouse « distraie » le roi dans la journée.

Le second témoignage que donne Joinville sur la jalousie de la mère de Louis IX, et qui démontre de sa part une férocité incroyable, mérite un examen attentif. L'histoire officielle qu'écrivent les moines de Saint-Denis, pas plus que les biographies hagiographiques, ne nous l'ont transmise. Marguerite venait d'accoucher et le roi se trouvait à ses côtés car elle était en grand danger de mort : « elle avait été blessée de l'enfant qu'elle venait de mettre au monde », ce qui était d'autant plus plausible que la jeune reine était l'une des premières femmes délivrées au forceps ou, du moins, avec un appareil assez semblable qu'avaient mis au point des médecins accoucheurs formés à l'école de médecine de Montpellier. Survient Blanche de Castille qui prend son fils par la main et lui dit : « Venez, car vous n'avez rien à faire ici. »

Quand elle voit que la mère du roi veut l'entraîner en dehors de sa chambre, Marguerite s'écrie : « Hélas ! Vous ne me laisserez donc pas voir mon seigneur que je sois morte ou vive. »

La reine Marguerite s'évanouit alors et on la croit morte. Louis IX revient sur ses pas et retourne près du lit de son épouse que l'on « remet à point » avec de grandes difficultés[57].

Quelques années plus tard, en fin psychologue, Thomas d'Aquin écrit que la passion du pouvoir est la plus redoutable de toutes et que la passion d'amour n'est rien en comparaison. L'inhumanité de Blanche et sa totale absence de charité chrétienne en plusieurs occasions trouveraient ainsi, non une justification, mais, au moins, une interprétation implacable. Tous les moyens sont bons pour abattre ceux qui s'opposent ou constituent une menace et, dans le cas présent, Marguerite de Provence apparaît comme la rivale la plus dangereuse.

CHAPITRE IV

LA VICTOIRE DE LA JEUNE REINE
SUR BLANCHE DE CASTILLE

Le « trésor » de Marguerite de Provence

Pourquoi la jeune reine a-t-elle suscité tant de crainte parmi les principaux conseillers de la royauté qu'avaient formés le dernier représentant de l'équipe de Philippe Auguste, Bartélemy de Roye, décédé en 1237, Nicolas de Hautvillers, un ancien bailli devenu conseiller attitré de la reine mère, et les évêques de l'ancien Domaine, avec, à leur tête, celui de Paris, Guillaume d'Auvergne ? Quels sont les motifs qui, à partir de 1241, permettent à Marguerite de tenir la dragée haute à sa belle-mère ? La réponse est simple : Marguerite a rempli la tâche qu'on lui avait confiée ; elle a donné des enfants au roi, une première fille, Blanche, en 1240, puis une seconde, Isabelle, en 1242 et, surtout, des fils, Louis en 1244 et Philippe, en 1245. Selon l'expression du temps, c'est bien « à la reine Marguerite que l'on doit le trésor du royaume »[58].

Pourtant, l'attente des enfants a semblé longue aux parents et à leur entourage. On commençait à désespérer et, selon Le Nain de Tillemont, le savant auteur de la *Vie de Saint Louis,* on parlait même de « divorce » ou, plus exactement, de demande d'annulation de mariage. Le Nain de Tillemont est seul à rapporter ce fait mais à la différence du ragot sur la jeunesse de Louis IX il ne cite pas une source du XIIIᵉ siècle dont il a eu connaissance et qui a disparu ensuite. Il cite en revanche un recueil de textes historiques publié en 1636 par A. Duchesne, *Historiae Francorum Scriptores.*

Les doutes qu'exprimaient Sainte-Beuve et Renan sur la valeur critique de ces messieurs de Port-Royal concernent-ils aussi l'œuvre de Le Nain de Tillemont ? Bruno Neveux souligne quant à lui le souci de « vérité » de Le Nain. Reconnaissons aussi que Tillemont est l'un des rares biographes de Saint Louis à ne pas se contenter des chroniques : il a dépouillé les archives de la *Curia* et les a exploitées de manière correcte.

Toujours est-il que Marguerite de Provence tarde à avoir des enfants et que l'inquiétude s'installe et grandit durant les six premières années du mariage. La mère et l'épouse du roi se rendent en pèlerinage sur le tombeau de saint Thibaut, moine réputé pour rendre aux femmes leur fécondité et qui, après avoir renoncé à la terre qu'il avait héritée des seigneurs de Montmorency, était entré au monastère. Ce pèlerinage accompli de concert ne doit pas étonner. Il ne faut pas imaginer une guerre continuelle entre les deux reines. Une si longue vie commune ne fut possible qu'à l'aide de phases d'apaisement et de rémission. Marguerite de Provence peut-elle cependant oublier qu'on a souhaité l'écarter ? N'était-ce pas un motif de ressentiment qui s'ajouta aux autres et qu'elle conserva en son cœur [59] ?

La jeune reine comble enfin les vœux du lignage capétien. On espérait un fils, Louis IX le premier. Et voilà qu'une fille naît. Il s'agit selon une certaine vraisemblance de Blanche, bien que le texte ne le précise pas et que, à la limite, l'historiette puisse concerner aussi la naissance du second enfant. Il faut à présent annoncer au père que l'héritier n'est pas au rendez-vous. Guillaume d'Auvergne, évêque de Paris de 1228 à 1249, se dévoue et, pour le consoler, lui annonce l'heureux événement en ces termes :

« La Couronne de France vient de s'enrichir d'un roi et voici comment : si le ciel vous avait donné un fils, il lui eût fallu céder un vaste comté, mais ayant une fille, vous gagnerez un autre royaume en la mariant. »

Le roi sourit. Il est consolé. C'est du moins ce que rapporte un recueil d'anecdotes du XIIIe siècle [60].

Devenue mère, Marguerite de Provence est de moins en moins décidée à supporter les incartades de la vieille reine et ses intrusions intempestives dans l'emploi du temps de son mari. Fière de sa beauté rayonnante avec cet épanouissement que donne la maternité, la naissance de ses premiers fils, véritables trésors du royaume, renforce encore son assurance. Le roi aime davantage cette épouse qui lui offre des héritiers. Grâce à elle, il affirme son autorité et acquiert enfin confiance en lui-même. C'est à ce moment-là qu'il commence à se détacher de sa mère. Ensuite, ce n'est qu'avec la naissance de son fils Louis, en 1244, qu'il lance ses premières initiatives politiques. Louis IX a bien conquis le pouvoir en deux étapes. La première, vers 1242 : l'éloignement de Blanche de la cour ; et le refus net, précis, du roi de tenir compte à l'avenir de ses avis. Il a donné sa préférence à Marguerite mais ne substitue pas une influence féminine à une autre sur le plan politique. Il veut le pouvoir pour lui seul. Reste cependant une seconde étape à parcourir : prendre ses distances vis-à-vis des conseillers du royaume qui s'en tiennent aux objectifs traditionnels. C'est la phase la plus difficile, la plus longue aussi. Elle ne s'ébauche qu'en 1244, l'année où il prend la croix et décide de partir outre-mer contre l'avis de tous.

Quand Saint Louis exprime son désir irrévocable de lancer une croisade, Blanche de Castille crie sa douleur. Le roi, dit-elle, pour la première fois, refuse les recommandations expresses des plus sages conseillers de la royauté bien que l'un d'entre eux, l'évêque de Paris, lui offre la possibilité d'être dispensé de son vœu. En même temps, Blanche exhale sa rancœur. Elle lui fait remarquer qu'avant de ne plus s'incliner devant leurs conseils, il avait déjà refusé de suivre les siens depuis un certain nombre d'années. Elle s'estime mal récompensée de l'avoir préparé à sa tâche puisque, sa formation achevée, il ne tient plus compte de ses avis. Le jeune roi se sait capable de gouverner. Sur ce point, il faut rendre justice à Blanche de Castille. Elle ne l'a pas éloigné de l'exercice de sa fonction royale et, dès sa dixième année, a tenu à ce qu'il assiste aux délibérations. Elle en subit ensuite les conséquences quand son fils en a assez de son influence [61].

La reine mère comprend et ne s'obstine pas indéfiniment. Elle s'éloigne de la cour. Parmi ses hôtels parisiens, celui de Nesle, semble-t-il, a sa préférence. Cette résidence a été cédée autrefois au roi et à sa mère. En 1232, Louis lui en reconnaît la possession exclusive. Toutefois, ses déplacements dans ses seigneuries sont fréquents, si l'on se réfère à ses comptes de 1241-1242. Aux biens plus proches de Paris qu'elle avait obtenus en échange de son douaire artésien en 1237, le roi avait ajouté le Valois en 1240. Ce nouveau douaire ne lui impose pas de trop longs voyages. L'ingratitude de son fils n'est donc pas si grande.

Le fait qu'on l'éloigne est cependant patent. Il en existe une preuve décisive, ce sont les comptabilités royales. Les comptes des bailliages et des prévôtés du terme de l'Ascension 1248 ne mentionnent plus de dépenses pour la reine douairière tandis que celles de la maison de « Marguerite, épouse du roi » s'élèvent à 2 456 livres pour cent six jours, dont 1 744 livres pour les dépenses de la vie quotidienne, 268 livres pour les équipages, 380 pour les aumônes et 43 pour les gages des serviteurs de Poissy. La différence est grande avec l'année 1234 où Blanche tenait une si grande place dans les comptes de l'Hôtel. Le compte général de l'Ascension 1238 n'enregistrait encore qu'une dépense de 1 210 livres pour la jeune reine, ses beaux-frères et belle-sœur encore célibataires dont le comptable la distinguait à peine. Mais, à partir de 1248, Marguerite de Provence se voit gratifiée de larges indemnités. Devenue responsable de ses propres dépenses, elle dispose d'une véritable maison et ses enfants jouissent d'une ligne comptable spéciale avec 292 livres de dépenses[62].

Blanche de Castille, quant à elle, achète dès 1241-1242, sur les revenus de ses domaines, des robes, des fourrures, du linge et des joyaux en or. Elle donne de l'argent aux dames de sa suite et à ses serviteurs. Elle possède un nouveau psautier qui semble d'ailleurs être un cadeau. Le roi l'autorise cependant à dépenser jusqu'à 300 livres d'aumônes. Cette mention lui permet encore de figurer dans les dépenses de l'Etat et cette limitation montre déjà combien son déclin était visible[63].

Ecartée du pouvoir, Blanche de Castille reste pourtant dans la coulisse quoique ses plaintes laissent supposer le contraire. En 1241, elle reçoit le rapport d'un espion, bourgeois de La Rochelle, qui faisait état des préparatifs du comte de la Marche. D'autres provinciaux, sans doute peu au courant de son éviction de la scène politique, continuent à lui adresser des recommandations pour leurs affaires. En fait, elle reste fidèle aux grands desseins traditionnels de la politique préconisée par Philippe Auguste et qu'avaient maintenue contre vents et marées les conseillers de la Couronne. L'opposition à l'Angleterre et la sauvegarde de l'héritage toulousain restaient les priorités absolues[64].

La collusion éventuelle entre l'Angleterre et le comte de Toulouse, qui s'épuise sans relâche à récupérer son autonomie, constitue longtemps une menace non négligeable. Mais les erreurs politiques de Raimond VII provoquent son effondrement, et ainsi s'évanouit le danger de son alliance avec l'Angleterre. Louis IX peut alors entamer la seconde phase de sa prise du pouvoir. Si le rôle de Marguerite de Provence était indiscutable dans la première étape puisqu'elle assurait la survie du lignage et permettait au roi de s'imposer, il n'apparaît guère dans la suivante.

Voici le déroulement des faits. Les grands commis de la royauté défendent les derniers biens qui restent à Raimond de Toulouse, en particulier ce Comtat Venaissin, terre provençale que revendiquait Raimond Bérenger. L'époux de Marguerite ne peut à l'évidence appuyer cette revendication. Pourtant, en 1242, le comte de Toulouse remet tout en question. A vrai dire, Raimond VII hésita longtemps à prendre une nouvelle fois les armes contre le roi de France, malgré les demandes pressantes d'Hugues de Lusignan, comte de la Marche. Il intervint trop tard alors que les autres barons et leur allié, Henri III, étaient déjà vaincus. La défaite du roi d'Angleterre à Taillebourg, le 21 juillet 1242, sonna le glas de la rébellion des féodaux de l'Ouest. Le comte de la Marche se soumit et, pour obtenir le pardon de Louis IX, commanda avec Pierre de Bretagne, qui souhaitait aussi la clémence royale, une armée qui se dirigea vers le Sud afin de lutter contre le comte de Toulouse. Pour sa part, l'armée du roi menaçait déjà le Quercy quand, le 30 novembre 1242, Raimond VII demande une trêve. En janvier 1243, la paix conclue à Lorris reprend en gros les clauses du traité de 1229, mais donne au roi l'hommage direct sur le comté de Foix[65].

Cette fois, les conseillers royaux sont tout à fait convaincus de l'impossibilité de faire confiance à Raimond de Toulouse, a fortiori de le soutenir. On se doit de le maintenir dans une étroite dépendance. La politique pro-provençale gagne donc du terrain et l'on se tourne davantage vers ce comté de Provence où Raimond Bérenger impose mieux son autorité dans les dernières années de sa vie et qu'il achève de remodeler.

Marguerite de Provence est-elle déjà sur le devant de la scène politique à ce moment-là ? Non. Il faut se garder d'affirmer que c'est elle qui a tout machiné. La révolte tardive et inutile du comte de Toulouse fut l'élément déterminant de cette volte-face. L'idée d'une France plus grande, que l'on voyait poindre de temps à autre, outre-Rhône pour le moment et bientôt outre-Meuse et outre-Escaut, fait son chemin. Mais les conseillers de la Couronne, contraints à ne plus maintenir en priorité la défense du *regnum* dans ses anciennes limites, veulent rester maîtres du jeu. Lucides, ils perçoivent avec inquiétude le danger que représentent pour eux la reine Marguerite et ceux qui la soutiennent. Ceux-ci peuvent-ils échapper à la tentation de constituer un véritable clan capable de les chasser du pouvoir ? Ils n'hésitent pas à saisir la première occasion qui se présente pour écarter la menace et prendre les devants.

En 1242, des précautions inouïes sont prises contre la jeune reine. L'entourage se livre sur elle à une pression intolérable, inadmissible sur le plan moral. Décidément, les grands commis capétiens restent fidèles à leur redoutable réputation. Louis IX souffre alors d'une maladie qui met ses jours en danger à la suite des fortes fièvres contractées lors de son expédition militaire dans l'Ouest. Les conseillers de la Couronne forcent alors Marguerite de Provence à jurer, en l'abbatiale de Saint-Germain-des-Prés, de ne pas faire opposition aux dispositions que le roi pourrait prendre dans son testament. Les évêques de Paris et de Senlis, les abbés de Saint-Denis et de Sainte-Victoire, qui soutiennent la politique traditionnelle, lui en donnent acte. A leurs yeux, la reine Marguerite risquait d'adopter une politique différente de celle que le roi aurait recommandée dans son testament. A l'évidence, ils ne peuvent avouer officiellement leur crainte qu'elle ne les chasse de la cour et du pouvoir. Tel est le premier signe indiscutable de l'ascendant de l'épouse de Louis IX [66].

Le mariage de Sanchie et « l'inspection des gendres »
par Béatrice de Savoie, comtesse de Provence

On ne peut cependant mettre à l'actif de Marguerite le mariage de sa sœur Sanchie avec Richard de Cornouailles, frère du roi d'Angleterre. Louis IX accepta d'autant mieux cette union qu'il éloignait ainsi le cadet de la famille royale anglaise de la possibilité d'épouser la plus jeune sœur de Marguerite, Béatrice, devenue héritière du comté de Provence. Cette considération valait quelques risques de voir se tisser des liens encore plus forts avec le lignage Plantagenêt. Ce mariage écartait aussi une alliance matrimoniale entre une princesse impériale et Richard, ce qui aurait pu tenter Henri III puisque sa sœur, l'épouse de l'empereur Frédéric II de Hohenstaufen, était morte en 1241. Quitte à resserrer ses attaches avec les Plantagenêts, le roi de France n'avait pas intérêt à laisser se fortifier une alliance de fait entre l'empereur et Henri III.

Richard, duc de Cornouailles, fils cadet de Jean sans Terre, roi d'Angleterre, et d'Isabelle d'Angoulême, était veuf de la fille de Guillaume le Maréchal, nommée aussi Isabelle, décédée le 16 janvier 1240 à la naissance de son quatrième enfant qui vécut peu de temps comme le premier et le second. Au temps de son mariage avec Sanchie, survivait seul son fils Henri, connu sous le nom d'Henri d'Allemagne. Son union avec la troisième fille du comte de Provence ne se fit pas sans mal car il y avait un autre prétendant, le comte de Toulouse. Celui-ci avait même épousé Sanchie par procuration en 1241, sous réserve que le pape accordât la dispense de parenté. Romée, parti pour l'Italie avec plusieurs envoyés de Raimond Bérenger, espérait bien l'obtenir de Grégoire IX, mais celui-ci mourut à Pise avant de l'avoir donnée.

Le comte de Flandre, Thomas de Savoie, prend alors les négociations en main, s'entremet entre la cour d'Angleterre et les parents de Sanchie. Dans un premier temps, il fait venir en France la jeune princesse et sa mère Béatrice sous prétexte de voir la reine Marguerite dans le courant de 1243. Louis IX accueille sa belle-mère avec joie et l'on imagine la joie de Marguerite, bien que les chroniqueurs n'en disent mot. La comtesse Béatrice, très touchée de la manière dont elle est reçue à la cour de France, a le loisir d'y rester autant qu'elle le désire. Quand les pourparlers sont assez avancés, elle traverse la Manche avec Sanchie et débarque à Douvres « en grand appareil et avec un faste pompeux », le 14 novembre 1243. Le clan savoyard les accueille avec une grande allégresse. Est présent le frère de Béatrice de Savoie, Boniface, évêque élu de Cantorbéry, qui sera consacré primat de l'Eglise d'Angleterre par le pape, en 1245. Mathieu Paris note aussi qu'Henri III, qui payait tous les frais du voyage, avait ordonné à un grand nombre de seigneurs anglais de venir les attendre sur le rivage. Comme le chroniqueur précise qu'Henri III force les nobles à aller à leur rencontre quand elles arrivent à Londres, on peut supposer que de grandes réticences existaient à l'égard de cette nouvelle union avec une princesse provençale. Cela n'empêche pas de fastueuses réceptions. Une nouvelle fois, les rues de Londres sont débarrassées de leurs immondices et l'on orne les maisons et les édifices publics lors de l'arrivée du cortège, le 18 novembre.

Le contrat au sujet de la dot, qui s'élève à 2 000 marcs d'argent, est enfin conclu. Le mariage peut donc être célébré en grande solennité dans l'abbaye royale de Westminster le 23 novembre 1243, fête de Saint-Clément. Le festin nuptial, somptueux, réunit beaucoup de convives autour des nouveaux époux, de la comtesse de Provence, du roi et de la reine d'Angleterre. La jeune mariée est si agréable à regarder qu'Henri III met tous ses soins à paraître « aimable et gracieux ».

La situation de la nouvelle princesse est cependant difficile à maint égard. Richard de Cornouailles lui confie aussitôt l'éducation de son fils Henri. En outre, il a reconnu trois enfants naturels : Richard, Walter et Isabelle. On peut supposer que cette situation, jointe à la question de la dot, inférieure à celle de ses aînées, avait contribué à retarder les entretiens préliminaires au mariage.

La mère des reines de France et d'Angleterre, que Mathieu Paris qualifie de « femme aux dehors gracieux et d'une grande prudence et civilité », reste quelque temps en Angleterre et ne quitte Londres qu'en janvier 1244. Le roi et une nombreuse suite l'accompagnent jusqu'à Douvres. Avant d'embarquer, elle apprend que son mari souffre d'une grave maladie. A son retour, il se remet quelque temps. Il meurt le 19 août 1245 tandis que son épouse ne disparaît qu'en 1266.

La comtesse Béatrice avait profité de sa présence en Angleterre et de l'influence d'Eléonore à qui son mari ne refusait rien pour obtenir de grosses sommes d'argent qu'elle se hâta d'expédier en Provence. Mathieu Paris ne signale le fait qu'en 1248 à l'occasion d'un nouveau voyage en Angleterre entrepris sous prétexte de visiter parents et amis. La générosité de Richard lui aurait permis de « remplir ses coffres béants et vides ». C'est la seule indication de ce second séjour qui serait d'autant plus compréhensible que la croisade se prépare et que Béatrice aurait pu concevoir le désir de revoir sa fille Marguerite avant son départ. Mais aucune preuve n'existe et la confusion qu'a faite selon toute vraisemblance Mathieu Paris s'explique aisément. Il a tant loué la comtesse Béatrice lors de sa première visite, en 1243-1244, qu'il n'arrive pas à justifier sa nouvelle appréciation sur elle dans un laps de temps trop court. Mal informé, il juge sans doute qu'un second voyage peut seul expliquer ce revirement d'opinion. La rapacité d'Eléonore et de sa mère ne suffisent pas à expliquer la méfiance accrue des Anglais envers leur clan. Quelques Savoyards et Provençaux contribuent, par leurs abus, à ce mécontentement. Mathieu Paris cite un prieur, clunisien et savoyard, qui passe ses nuits à festoyer et qui s'enivre dès le matin, tant et si bien qu'un de ses moines, gallois de naissance, l'éventre un jour avec son couteau. Henri III écoute les plaintes de son épouse et jette le coupable dans un profond cachot ou nulle lumière ne pénètre.

A vrai dire, le premier séjour (le seul prouvé) de l'épouse de Raimond Béranger avait suffi à consolider la position de ses compatriotes en Angleterre, à la cour comme dans l'administration laïque et ecclésiastique. Elle avait pu observer à quel point la situation était différente en France et n'avait pas manqué d'admirer la solidité de Louis IX et de son gouvernement. Pas question, pour Marguerite, de soutirer de l'argent à son époux, lequel ne dépense pas à tort et à travers. En outre, la reine de France ne veut pas — ou ne réussit pas — à obtenir, pour ses compatriotes, des places de choix. En bref, au cours de ses séjours de 1243-1244, la comtesse aurait procédé à ce que l'on pourrait appeler une « inspection des gendres ». Mathieu Paris, à l'ordinaire si peu favorable aux Français, met en parallèle Louis IX, qui ne se laisse mener par personne, et Henri III qu'Eléonore dirige comme elle l'entend. Le Nain de Tillemont écrit même que Béatrice de Savoie aurait vite regretté le mariage d'Eléonore et de Sanchie avec des princes anglais tandis qu'elle se réjouissait de l'union de sa fille aînée avec le roi de France. Il précisait qu'il faisait état d'une rumeur et ne signalait pas ses sources. En fait, deux chroniqueurs pouvaient être à l'origine de ce bruit qui avait couru dans les cours royales. On a vu que Mathieu Paris avait opposé la fermeté de Louis IX et la faiblesse d'Henri III envers leurs épouses. Il est vrai aussi que Béatrice de Provence cherche ensuite refuge et protection auprès du couple royal français quand elle se querelle avec Charles d'Anjou. Pour sa part, Philippe Mousket, dans sa chronique rimée, suggère que l'épouse de Raimond Bérenger est surtout heureuse de son séjour français. L'érudit de Port-Royal n'a donc pas tout inventé et Béatrice de Provence a jugé excessives les prodigalités du roi d'Angleterre envers Eléonore bien qu'elle en ait profité sans vergogne. On devine également que les bâtards de Richard de Cornouailles ne lui plaisaient guère. En outre, elle craignait, avec bon sens, les conséquences possibles de l'impopularité d'Henri III.

La reine d'Angleterre a certes quelques excuses. Jolie fille élevée dans une certaine impécuniosité, elle fait un riche mariage et la tentation d'en profiter est d'autant plus forte que son mari, dépensier, est enclin à lui céder ses caprices, et que, en temps de crise, c'est la garde-robe — section financière de la chambre de l'Hôtel —, peuplée de clercs venus du continent qui dirige pratiquement les finances. En France, la présence du trésor au Temple et le rôle financier de la *Curia*, distinct de celui de l'Hôtel, évitent une fâcheuse confusion entre l'argent personnel du roi et celui des finances du royaume. Enfin, Marguerite n'a pas le caractère autoritaire de sa cadette ni son goût du pouvoir.

Eléonore a d'autres excuses encore. Elle aide sa famille et sa mère, soutient les Provençaux et les Savoyards qui s'incrustent en

Angleterre, où résident beaucoup d'étrangers, Romains, Allemands et surtout « Poitevins », nobles et hommes d'Eglise venus des fiefs anglais du continent. Ces derniers, qui accaparent des bénéfices, ajoutent au mécontentement du clergé anglais que les exigences financières de la papauté accablent déjà. Dans ces conditions, l'opinion publique pardonne encore moins à la reine Eléonore d'imiter ceux qui pillent le Trésor et ruinent le pays. Elle n'hésite pas à octroyer un traitement à son oncle Boniface et à verser dès 1243 une allocation annuelle à sa mère qui s'empresse de la céder à Charles d'Anjou. Ce détournement, qui est connu en 1245, suscite du mécontentement. Certes, Eléonore ne parvient pas à faire élire au siège épiscopal de Winchester son oncle Guillaume, évêque élu de Valence, mais deux autres frères de sa mère font une glorieuse carrière en Angleterre : Boniface, archevêque de Cantorbéry, et René de Savoie, qui reçoit le comté de Richmond confisqué à Pierre Mauclerc, comte de Bretagne[67].

Marguerite de Provence et le mariage de sa plus jeune sœur

L'union de Richard de Cornouailles avec Sanchie éloignait ainsi, comme on l'a dit plus haut, le danger de le voir s'unir avec la plus jeune fille de Raimond Bérenger, Béatrice, héritière du comté de Provence. Dans son testament rédigé à Sisteron et daté du 20 juin 1238, le comte de Provence avait réglé sa succession. Il voulait garder son autonomie à la Provence et refusait de la voir liée à l'un des deux grands royaumes d'Occident. Il écartait donc Marguerite et Eléonore, renouvelait l'assignation de la dot de 10 000 marcs d'argent à la reine de France qui n'en avait reçu qu'une partie, reconnaissait la même somme à la reine d'Angleterre qu'il n'avait pas davantage payée et estimait que ces sommes correspondaient à leur part d'héritage. Il ne réservait que 5 000 marcs à Sanchie, mais celle-ci gardait un droit éventuel sur le comté. En effet, si Béatrice n'avait pas de fils, l'héritier serait le fils de Sanchie. Si l'épouse de Richard de Cornouailles n'avait pas de garçon, le comté reviendrait à la fille aînée de Béatrice. Dans le cas où Béatrice n'aurait pas d'enfant et Sanchie pas de fils, la Provence reviendrait à Jacques d'Aragon. Le comte de Provence avait donc pris toutes les précautions possibles pour refuser sa terre aux enfants des rois de France et d'Angleterre.

Cette exclusion n'était pas le fait le plus grave aux yeux de Louis IX. Il jugeait prématurée l'annexion de la Provence, et, sur ce point, la déception de sa femme qui, au titre de fille aînée, pouvait se considérer comme l'héritière légitime, fut amère. Mais il n'accepta pas la menace de la domination du comté par le fils d'un prince anglais ou par le chef de la maison catalane-aragonaise qui aurait rogné l'influence française dans le Midi rhodanien et languedocien et pris en tenailles les nouvelles sénéchaussées royales de Béziers-Carcassonne et de Nîmes-Beaucaire.

Louis IX, de plus en plus maître du jeu politique, ne laisse pas la reine Marguerite s'introduire dans sa politique personnelle et se garde bien de suivre en aveugle les anciens dirigeants qui ont bien servi la royauté, l'ont aidée à rétablir son autorité, mais risquent désormais de provoquer un rejet de la part de l'opinion publique, lasse des abus des administrateurs royaux dans la province. Il n'hésite pas à remettre en cause l'action de ses ancêtres et de ses agents. En 1247, il envoie des enquêteurs dans le Domaine et dans les régions des grands fiefs qui, depuis le début du siècle, avaient été occupés par les armées royales ou par une administration royale temporaire. Devant l'inquiétant et gigantesque déferlement de plaintes, il se persuade de plus en plus de la nécessité d'une nouvelle politique dans la conduite des affaires intérieures du royaume. Pourtant, les urgences de la politique extérieure et sa croisade remettent à plus tard les dispositions à prendre.

C'est ainsi qu'il imprime d'abord sa marque dans les relations internationales. Il estime le moment venu d'intervenir avec plus de force hors des limites du *regnum* qu'avait fixées le traité de Verdun en 843. A la différence des conseillers du royaume, il ne veut plus une extension démesurée du Domaine. Les dernières acquisitions ne lui apportent pratiquement rien sur le plan financier et le personnel dont il dispose n'est pas suffisant pour prendre en main l'administration de nouveaux et vastes territoires. Le changement des objectifs extérieurs ne se manifeste cependant qu'avec une extrême prudence tant au nord qu'au sud. En 1246, choisi comme arbitre avec le cardinal Eudes de Châteauroux, légat du pape, dans le règlement de la succession éventuelle de Marguerite, comtesse de Flandre et de Hainaut, il préfère briser le bloc économico-politique autour de l'Escaut plutôt que de l'attribuer à un lignage fidèle aux Capétiens, celui des Dampierre, c'est-à-dire aux enfants du second mariage de la comtesse. Il laisse donc le Hainaut, en majeure partie impérial, aux enfants du premier lit, les Avesnes. Il reste qu'il intervient ainsi outre-Escaut, donc dans l'Empire[68].

Son action est encore plus manifeste en ce qui concerne la succession provençale. Il n'agit pas outre-Rhône pour plaire à son épouse, mais parce que les intérêts français l'exigent. Il adopte néanmoins une position nuancée et ne se lance pas à la légère dans ce que d'aucun pourraient considérer comme un mirage méditerranéen. F. Benoît, qui a donné une édition critique de tous les actes relatifs aux volontés testamentaires de Raimond Bérenger, a considéré à juste titre comme faux un codicille qu'aurait ajouté en 1244 le comte. Selon ce texte, l'héritière reste Béatrice et le patrimoine doit revenir à son fils mais, si elle n'en a pas, le comté, qui ne peut être confié à l'une de ses filles, reviendrait alors aux enfants du roi et de la reine de France. Comment ce codicille, si opposé à toutes les autres décisions comtales et à la détermination de ses conseillers, s'est-il glissé dans les actes des comtes de Provence ? A moins de supposer à la cour de Provence un « parti français », plus puissant qu'on ne l'estime d'ordinaire, il faut conclure à l'intrusion, sans doute assez tardive, d'un faux destiné à justifier à l'occasion l'annexion du comté[69].

Très habile, la diplomatie capétienne utilise une autre méthode pour éliminer la menace catalane. L'affaire se corse en effet avec le testament de Raimond Bérenger, conservé aux Archives nationales, qui apporte quelques nuances par rapport à l'original inclus dans les chartes des comtes de Provence. La version française reprend les principales dispositions du texte provençal mais y ajoute quelques compléments. Marguerite et sa sœur Eléonore doivent recevoir une prime supplémentaire de 1 000 marcs d'argent et, sur les 5 000 attribués à Sanchie, 2 000 concernent sa dot. Béatrice est bien reconnue comme héritière mais seuls ses fils et ceux de Sanchie pourront ensuite recevoir la terre de Raimond

Bérenger, c'est-à-dire les comtés de Provence et de Forcalquier. Sinon, ceux-ci passeront à la famille royale aragonaise. C'est là que d'importantes précisions interviennent. Si Jacques, roi d'Aragon, a deux fils, la Provence revient au second. Louis IX veut donc éviter l'union durable de la Provence à l'Aragon et à la Catalogne. Mieux encore, le cadet d'Aragon doit verser 5 000 marcs s'il succède à Béatrice qui conservera en gage le comté de Forcalquier et les châteaux de Provence localisés outre-Durance. La clause financière qui verrouille l'ensemble du dispositif compromet le plan prévu si l'héritier ne peut payer et elle ne manquera pas d'être la source de procès interminables [70].

Ces précautions, chargées d'artifices et de ruse, se révèlent inutiles car le roi réussit à donner comme époux à Béatrice un prince français, son propre frère Charles d'Anjou. Il ne dépend pas de lui ensuite que le couple ait des enfants, mais il impose bien son frère à l'héritière. Il est grand temps : Raimond Bérenger meurt en 1245. Le Conseil de régence dont ne fait pas partie Romée, qui a été banni, réunit les états de Provence le 13 septembre et Béatrice reçoit serment d'allégeance des prélats, barons, seigneurs et de toutes les communautés urbaines du comté. Le Conseil accorde de grands privilèges à Aix, plus fidèle qu'Arles et Marseille. Sans plus attendre, Béatrice doit épouser un prince capable de gouverner. Les prétendants ne manquent pas et la compétition est vive. Prennent rang Conrad, fils de l'empereur Frédéric II de Hohenstaufen, Pierre, fils du roi d'Aragon, et Raimond VII, comte de Toulouse. Ce dernier, déjà évincé par Sanchie, s'apprête à venir avec son armée afin d'épouser Béatrice que lui aurait promise son père. Le Conseil temporise, ce qui permet de l'écarter. La différence d'âge n'est-elle pas trop grande ? Le souvenir de l'âpre rivalité des maisons de Toulouse et de Provence ainsi que la crainte de mécontenter Louis IX en offrant à Raimond VII la possibilité de se marier et avoir d'autres enfants que Jeanne, son héritière, sont autant de motifs supplémentaires de refuser sa proposition.

La candidature de Conrad est plus sérieuse. Le Conseil de régence peut être tenté d'accepter cette proposition susceptible d'apaiser les ambitions impériales qui s'étaient manifestées une nouvelle fois en 1239. L'empereur avait voulu enlever le comté de

Forcalquier à Raimond de Toulouse. Le pape Grégoire IX était intervenu et avait demandé son aide au roi de France afin d'empêcher la réalisation d'un tel projet. On comprend mieux la modération de Louis IX. Ses prétentions à l'héritage provençal de Marguerite ne manqueraient pas de soulever de sérieux remous. Il ne tient pas compte d'un motif justifié d'intervention directe : l'arriéré de la dot de Marguerite. Malgré les espoirs et les revendications de son épouse, il reste inflexible et trouve la solution adaptée : le mariage de l'héritière avec Charles d'Anjou. L'influence française pourrait ainsi s'introduire outre-Rhône sans provoquer de la part de l'empereur une trop farouche opposition qui risquerait de causer retard et dommage à son projet prioritaire en ces années 1244-1246, le « voyage outre-mer ». Louis IX profite aussi de la lutte entre le nouveau pape Innocent IV et Frédéric de Hohenstaufen, phase ultime du combat séculaire entre la papauté et l'Empire, aggravée par la forte personnalité des deux adversaires et par la menace que font peser sur les Etats de l'Eglise la Sicile et le sud de l'Italie qu'il a hérités de sa mère, descendante des rois normands de Sicile et épouse de l'empereur Henri VI. Les deux rivaux ont besoin du roi de France qui peut ainsi manœuvrer à sa guise : il protège le pape réfugié à Lyon mais soutient les droits de Frédéric II contre son adversaire qu'il accuse d'oublier la croisade.

Le projet de mariage de Béatrice de Provence avec Charles d'Anjou, l'un des chefs-d'œuvre de la grande stratégie matrimoniale médiévale, doit vaincre d'ultimes obstacles avant d'aboutir. De grandes dominations occidentales l'appuient, d'autres le contrarient. Béatrice de Savoie, comtesse douairière, et le Conseil de régence, après avoir demandé son avis au pape et obtenu son accord, acceptent les propositions du roi de France qui avait d'ailleurs rencontré Innocent IV à Cluny en 1245. Le pape ne pouvait qu'appuyer Louis IX, seul garant de sa liberté. Un oncle maternel de Marguerite, Philippe de Savoie, archevêque de Lyon, servait de médiateur entre le pape, le roi et la Provence. Il favorisa ainsi le mariage. En revanche, le comte de Toulouse, mécontent d'être écarté, menaçait d'envahir le comté de Provence vers lequel se dirigeait aussi l'armée de Jacques, roi d'Aragon. Plutôt que d'aider le comte de Toulouse, le chef de la maison aragonaise se propose de présenter son fils Pierre à la jeune Béatrice. Sur ces entrefaites, Charles d'Anjou arrive en Provence avec de nombreux chevaliers, éloigne les soldats aragonais et élimine ainsi le dernier rival. La comtesse Béatrice remet alors sa fille « dans les mains du roi et de ses gens » dans l'attente du mariage. Après avoir pris avis de ses conseillers, Louis IX « consent » à ce que son frère épouse Béatrice et devienne ainsi comte de Provence.

Le comte Amédée de Savoie se charge de la dernière démarche indispensable : l'accord de compensations au roi d'Angleterre qui voyait s'évanouir son espoir d'intervention en Provence. Le comte de Savoie n'oublie pas ses intérêts et profite de l'occasion pour obtenir d'Henri III un prêt de 1 000 marcs et la promesse d'une pension annuelle. Pour sa part, le roi d'Angleterre reçoit les châteaux qui dominent les grands cols alpins, ceux de Bard et Saint-Maurice-en-Valais pour le Grand-Saint-Bernard, et ceux de Suse et Aviglania pour le Mont-Cenis, puisque la dot d'Eléonore n'avait pas été payée en entier, mais le pape n'accepte pas sa demande de s'opposer au mariage tant que ce qui reste dû n'est pas versé.

Le 31 janvier 1246, le mariage est célébré à Aix. Charles d'Anjou reste quelque temps en Provence et séjourne à Fréjus vers le 15 mars. Il se rend ensuite en France avec sa femme. Devant une grande foule de barons assemblés autour de son frère le roi, il est adoubé chevalier le 27 mai. Né en 1226, il est dans sa vingtième année. Destiné à l'état ecclésiastique par son père Louis VIII, il avait cependant été prévu par testament que si l'un de ses frères aînés venait à disparaître, il resterait dans la vie laïque et recevrait son apanage à sa majorité. La mort de son frère Jean, décédé en 1227, à l'âge de huit ans, en fit donc un comte d'Anjou. Restait à remettre l'apanage. Au mois d'août 1246, Louis IX lui cède l'Anjou et le Maine avec les régales (ou revenus des sièges épiscopaux vacants entre la mort de l'évêque et l'élection de son successeur) des évêchés d'Angers et du Mans et celles de l'abbaye de Fontevrault. Comme le douaire de la reine Marguerite comprenait quelques biens dans le Maine, le roi cède en compensation à son épouse des seigneuries dans l'Orléanais. Au mois d'octobre 1247, Charles, qui a reçu de son frère aîné une rente viagère de 400 livres, s'en retourne en Provence. Ce mariage n'est pas un succès total pour Marguerite de Provence. Le candidat français l'emporte, soit, mais la reine de France voit son héritage lui échapper. Elle continue à revendiquer son comté de Provence qu'elle regrettera jusqu'à la fin de ses jours. Elle n'est pas seule à protester. Eléonore et Sanchie réclament aussi contre Béatrice et contre son mari qui s'intitule Charles, comte d'Anjou et de Provence. Mécontents d'avoir à leur tête un prince étranger, les Provençaux s'opposent vite à leur nouveau comte. Dès le printemps 1246, Marseille s'unit contre lui avec Arles et Avignon qui avaient reconstitué leurs consulats[71].

Marguerite de Provence « pardonne » à Blanche de Castille

Pour le moment, la page provençale semble être tournée pour Marguerite. Il revenait à Charles d'Anjou et à Béatrice de diriger le comté et d'y affronter les difficultés. Elle était cependant loin de l'oublier. Patiente, tenace et habile, elle attendait son heure. N'avait-elle pas déjà agi ainsi envers Blanche de Castille et remporté sur elle une franche et nette victoire ?

Comment les adversaires de Marguerite réagissent-ils dans les années suivantes ? Nous avons la preuve de leur opposition constante. Souvenons-nous du serment qu'ils lui imposèrent en 1242. Il y a aussi la crainte du roi de France de la voir exposée à leurs représailles pendant son absence au cours de la croisade. Ce ne fut certes pas le seul motif de la présence de la reine Marguerite dans l'expédition mais il est indéniable que Louis IX n'a pas voulu la laisser en otage à ceux qui, déçus, cherchaient leur revanche. Blanche était la première à en vouloir à Marguerite de Provence mais elle ne peut cependant accuser sa belle-fille de l'avoir remplacée dans les allées du pouvoir puisque son fils, on l'a vu, a refusé de suivre les impulsions provençales de son épouse, mais elle sait qu'elle l'en a éloignée.

Avant que la cohabitation ne devienne impossible, Marguerite avait composé, s'était tenue à son rang, avait trouvé appui et réconfort auprès de son mari dans les temps d'intimité que la vie leur laissait. Gardons-nous de faire de l'épouse de Louis IX une sainte. Elle n'oublie pas les vexations de sa belle-mère et les garde au plus profond de sa mémoire. Mais elle n'est pas méchante. Elle aurait pu ignorer les plus jeunes enfants de la reine mère. Or, au contraire, elle se charge de leur éducation car le goût de Blanche pour les affaires publiques, ses tournées avec le roi pour la chose publique, ou pour son propre compte lors de l'inspection des domaines, lui laissait peu de temps à leur consacrer. L'affection que portait la jeune reine à Isabelle et à Charles n'a pas été payée d'égale manière. Charles d'Anjou, fils préféré et quelque peu gâté par sa mère, s'oppose avec violence à sa belle-sœur et leur rivalité au sujet de la Provence est célèbre. Bien entendu, Marguerite lui en veut d'être devenu comte de Provence, mais Charles ne fait pas preuve d'esprit de conciliation. Faut-il y voir une conséquence indirecte et lointaine de son enfance que surveillait l'épouse de son frère aîné ? On ne sait. Au contraire, sa jeune sœur Isabelle a toujours témoigné beaucoup d'affection à Marguerite de Provence. Celle-ci avait pu exercer son autorité sur Charles pendant quelques années puisque la différence d'âge était nette tandis qu'il ne pouvait en être question avec la jeune princesse, de deux ans seulement sa cadette. C'est plutôt de tendre amitié qu'il faudrait parler. Entre Marguerite et Isabelle, très douce, très pieuse, l'entente est grande. Sa jeune belle-sœur aide Marguerite à surmonter ses épreuves et à prendre patience. Isabelle ne fait preuve d'aucune ambition mondaine ou politique. Elle refuse d'épouser Conrad, le fils de l'empereur Frédéric de Hohenstaufen, et repousse tous les autres partis qu'on lui présente avec insistance, passe une grande partie de ses journées en prières, rêve du cloître, mène à la cour une vie presque monacale avant d'entrer en 1263 dans un monastère où elle meurt en 1269. Cette enfant de Louis VIII et de Blanche de Castille est la seule fille survivante au milieu de tant de frères. Considérée par l'Eglise comme « bienheureuse », c'est-à-dire parvenue au stade qui précède la canonisation, elle constitue l'un des plus solides piliers de la famille royale. Elle atténue longtemps les heurts et favorise la cohérence du lignage capétien, sujet à tant de fissures.

Devenue enfin mère à son tour, Marguerite n'a plus à composer.

En même temps qu'elle lutte pour consolider l'unité du couple, elle défend sa progéniture. Elle est d'autant plus ferme qu'elle perçoit l'importance de son aide morale auprès du roi. Blanche de Castille comprend, se tient à l'écart. Son fils n'aurait d'ailleurs plus toléré qu'elle intervienne sans son accord. Mais la victoire de Marguerite ne prend jamais la forme d'une vengeance. Elle en arrive même à oublier sa rancune après le décès de sa belle-mère. Pour mieux connaître la nature de ce pardon relatif et en finir avec cette triste querelle, anticipons de quelques années.

Lors du départ pour la croisade en juin 1248, Marguerite de Provence quitte Blanche de Castille pour ne plus la revoir puisque la mère de Saint Louis meurt à la fin de novembre 1252, dix-huit mois environ avant le retour en France du couple royal. Ce n'est qu'au printemps 1253 que le roi et la reine, qui résident alors à Sidon, apprennent la nouvelle. Joinville raconte la scène sans en préciser la date exacte. Louis IX « mène si grand deuil pendant deux jours » qu'on ne peut lui parler. Il envoie ensuite un valet chercher Joinville. A sa vue, le roi étend ses bras et s'écrie : « Sénéchal, j'ai perdu ma mère. »

Joinville s'efforce de lui faire reprendre courage. Il avoue ne pas comprendre que le roi, homme sage, se maîtrise si peu et offre aux regards un visage bouleversé, ce qui trouble et mécontente ses amis tout en réjouissant ses ennemis. Louis IX se ressaisit, fait célébrer un grand nombre de messes outre-mer pour le repos de l'âme de sa mère et envoie derechef en France un courrier chargé de « lettres de prières » pour les distribuer dans les églises du royaume.

Joinville n'en a pas fini pour autant. Voilà que l'une des dames d'honneur de la reine, Mme Marie des Vertus, de haut lignage et sainte femme, vient lui apprendre que, dans l'appartement voisin, la reine mène aussi grand deuil et qu'il doit se rendre sur-le-champ auprès d'elle afin de la réconforter. Le sénéchal de Champagne s'exécute aussitôt, trouve Marguerite en larmes, s'étonne et donne raison à ceux qui pensent qu'on ne doit pas croire une femme. Il s'exprime en toute franchise : « La femme que vous avez le plus haïe au monde meurt et voilà que vous montrez une telle douleur. » Marguerite de Provence s'explique, déclare que ce n'est pas pour sa belle-mère qu'elle pleure. Elle est donc aussi franche que Joinville et n'essaie pas de nier sa haine envers une belle-mère si tracassière, jalouse et injuste. Mais sa rancune s'efface devant la souffrance de son époux. Elle l'aime tant qu'elle fait sienne la douleur du roi[72].

Pardon relatif certes, pardon indirect ou, selon une meilleure formule, enfouissement des mauvais souvenirs du passé devant la triste réalité présente : celle de l'époux tant aimé, écrasé et accablé de douleur. Marguerite ajoute aussi qu'elle pleure pour sa fille Isabelle qui reste à Paris « en la garde des hommes ». Elle reconnaît que Blanche de Castille protégeait cette princesse âgée d'une dizaine d'années. L'épouse du roi craint qu'Isabelle devienne désormais un otage entre les mains des dirigeants du royaume.

Les échos de la farouche opposition entre la vieille et la jeune reine sont parvenus jusqu'à nous. Mais la transmission l'a simplifiée jusqu'à la déformer et n'en a retenu que l'un des aspects, l'affection du roi tiraillé entre les deux femmes. On oublie que le pouvoir en était aussi l'un des enjeux. Ajoutons-y encore la complexité des sentiments personnels et familiaux et l'on s'aperçoit alors les multiples facettes de cette rivalité. Blanche de Castille n'est cependant pas oubliée dans les années qui suivent. En 1256 encore, et à plusieurs reprises, les comptes journaliers de l'Hôtel royal enregistrent les sommes d'argent consacrées pour la célébration de messes en faveur de la « reine défunte » et qui s'élèvent à une vingtaine de livres[73].

La compétition entre les deux reines ne fut pas sans conséquences politiques. Le voyage outre-mer de Marguerite de Provence, ses motivations et ses répercussions, en sont autant de témoignages.

CHAPITRE V

LA REINE MARGUERITE
ET LA CROISADE DE 1248 A 1254

Le vœu

En décembre 1244, au cours d'une très grave maladie, rechute probable des fièvres contractées en 1242 lors de l'expédition dans l'Ouest, Louis IX fit vœu de partir en croisade. On le crut mort et l'une des dames à son chevet voulut tirer le drap sur son visage. Une autre s'opposa : selon elle, l'âme du roi était encore unie à son corps. Le roi entendait le débat et voici que la parole, tout soudain, lui fut rendue. Aussitôt le souverain ordonna qu'on lui donnât la croix. Joinville, qui raconte la scène, ne dit mot de Marguerite. Selon toute vraisemblance, elle était présente dans la chambre du roi, ou, pour le moins, elle se tenait au courant de l'évolution de son état. Sur ses sentiments, nous sommes réduits à des conjectures. Nous sommes davantage renseignés sur ceux de Blanche de Castille qui, après s'être réjouie de la guérison de son fils, montra, à l'annonce de son vœu, une aussi grande tristesse que s'il avait péri. Nous connaissons ensuite sa farouche opposition à son départ alors qu'il n'y a aucune trace d'une quelconque tentative de Marguerite pour l'empêcher. Avant tous les autres, elle comprend qu'il est inflexible sur ce point. L'entourage royal imite la jeune reine : personne n'ose plus remettre en question la décision du roi [74].

On le pouvait d'autant moins que la situation des Etats latins de Syrie-Palestine n'était guère brillante. La prise de Jérusalem par les Turcs khwaresmiens le 23 août 1244 — dont le roi de France n'avait pas encore connaissance au moment de son vœu — ne pouvait que le fortifier dans son projet. La Terre sainte et les reliques du Christ étaient depuis quelques années l'une de ses préoccupations majeures. Dès 1239, il avait acheté la couronne d'épines à l'empereur de Constantinople, Baudouin II. L'arrivée de la relique avait été l'occasion de grandes fêtes. Il avait renouvelé l'opération en 1241, en rachetant à ce même Baudouin, toujours à court d'argent, le bois de la vraie croix. Le roi, les deux reines et les princes, qui s'étaient purifiés par la confession, le jeûne et la prière, avaient accueilli avec solennité ces reliques de la Passion. Blanche de Castille et Marguerite de Provence avaient ensuite accompagné Louis IX qui, à pied, transporta la croix de l'abbaye Saint-Antoine à la cathédrale Notre-Dame puis au palais de l'île de la Cité où il la déposa dans la chapelle Saint-Nicolas. Il fit ensuite placer les précieuses reliques dans la Sainte-Chapelle dont la construction s'achevait et qui fut consacrée le 28 avril 1248, donc peu avant le départ du roi qui avait consacré une grande partie de son temps à la préparation de sa croisade au cours des trois années précédentes [75].

Le départ

Le 12 juin 1248, Louis IX se dirige vers l'église abbatiale de Saint-Denis où il reçoit le bâton de pèlerin, prend l'oriflamme royale et donne ainsi le signal du départ à son armée. Il revient vers Corbeil où il fait ses adieux à sa mère qui ne cache pas sa douleur et que le roi incite à plus de retenue. Il emmène avec lui son épouse. On a beaucoup écrit sur les motifs qui l'ont conduit à prendre cette décision. Mais il n'a pas laissé de confidences sur ce point. Sa volonté de protéger Marguerite de Provence contre la vindicte de Blanche de Castille et des principaux conseillers de la Couronne suffit-elle à justifier tous les inconvénients de cette participation de la jeune reine à l'expédition ? Le ressentiment possible des autres participants à la croisade n'est pas négligeable puisqu'ils ne peuvent être accompagnés de leur épouse. Les seules exceptions connues sont les frères du roi, Alphonse de Poitiers et Charles d'Anjou. Pourquoi cette faveur? Le roi voulait-il donner des compagnes à sa femme, jugeant que ses dames d'honneur ne suffisaient pas? En fait, le roi désirait surtout éviter des complications politiques au cours de son absence. N'a-t-il pas déclaré qu'il pouvait partir tranquille puisqu'il confiait le royaume à sa mère et que celle-ci était capable de défendre l'Etat avec l'aide des bons conseillers qui l'entouraient? Il vaut mieux que ces hommes qui avaient fait leurs preuves ne rencontrent pas d'obstacles chez les partisans d'une politique différente. Le roi leur laisse une dernière occasion de gouverner selon leur méthode, leurs objectifs.

On voyait déjà en Marguerite de Provence le chef de file du « parti » opposé à Blanche de Castille. Beaucoup de conseillers ne l'aimaient pas, tandis qu'elle rencontrait d'indiscutables soutiens dans l'entourage du souverain, auprès des Tourangeaux. Ces hommes nouveaux, assoiffés d'ambition, aspiraient à de hautes responsabilités. Affaire de génération, de côterie, ou, plus simplement opposition systématique à une belle-mère autoritaire, les épouses des frères de Saint Louis, en particulier Jeanne de Toulouse, l'appuyaient à l'occasion. Toutefois, il serait excessif d'affirmer que le roi a imposé la présence de son épouse dans la croisade parce qu'il se méfiait de ses initiatives politiques. Dans les circonstances présentes, il juge préférable de laisser revenir au pouvoir les anciens conseillers, groupés autour de sa mère. Ils pourront ainsi montrer ce dont ils sont encore capables et, si jamais ils échouent, cela appuiera la nécessité d'une autre politique, plus ouverte, moins autoritaire, qui tienne compte davantage des exigences légitimes d'une population exaspérée.

La croisade représente pour Louis IX l'occasion rêvée de prendre du champ. Ce n'est d'ailleurs pas seulement sur le plan politique que la croisade modifie les perspectives royales. Elle transforme aussi la personnalité du roi. Au milieu d'autres dangers, plus redoutables certes, mais peut-être moins douloureux dans le domaine des sentiments, Marguerite de Provence, qui se signale d'ailleurs par un grand courage, va découvrir à ses dépens que son époux commence sa longue marche vers la sainteté.

Fra Salimbene, ce franciscain vagabond et touriste, qui parcourt la France au lieu d'étudier à Paris où l'avaient envoyé ses supérieurs, se trouve à Sens, quand le roi, qui a quitté Paris le 12 juin, y arrive. Le chroniqueur ne s'intéresse qu'à Louis IX et ne mentionne qu'indirectement la reine en soulignant que, lors de son passage à Vézelay, le roi a laissé au château la majeure partie de son escorte — donc son épouse, ses belles-sœurs, les dames d'honneur, etc. —, tandis qu'accompagné de ses frères et de quelques serviteurs il part tôt le matin pour le couvent des frères mineurs. Après une génuflexion et un salut vers l'autel, Louis IX s'assied par terre, discute du royaume avec ses frères et avec les moines, leur demande ensuite de prier. Il sort de l'église et attend avec patience que son frère Charles ait fini ses dévotions accomplies avec ferveur et force génuflexions.

Louis IX pratique alors une piété fort routinière et compte davantage sur celle des autres que sur la sienne. Lors de son arrivée à Sens, il avait pris part au chapitre des frères mineurs ; frère Jean de Parme, ministre général des disciples de François d'Assise, remercie le roi qui est leur bienfaiteur et s'engage à faire célébrer quatre messes par jour dans tous les couvents français de l'Ordre. Louis IX accepte avec grand empressement et demande qu'une lettre scellée du sceau du ministre général enregistre sur-le-champ cette offre. Jean de Parme s'exécute. Le roi, qui n'a guère confiance en une promesse verbale, la fait authentifier sans plus attendre. Une telle hâte, une telle prudence éclairent sa connaissance des hommes ainsi que sa très grande avidité de prières. Il n'est encore qu'au stade d'une ferveur mal comprise. On peut même le suspecter d'avoir utilisé les actes de piété comme une forme un peu particulière des relations publiques. Tous les moines des couvents franciscains du royaume vont prier pour Louis IX qui voit très bien tout le profit qu'il peut tirer de ce soutien et n'hésite pas un instant à s'en servir pour implanter la puissance royale[76].

Marguerite de Provence, bonne chrétienne sans plus, est en accord avec son mari qui se trouve encore à son niveau de spiritualité, dépense beaucoup pour ses chevaux, ses armes, ses habits et pour les chasses royales. Comme ses contemporains, elle voit dans ce Capétien — qui a hérité de sa grand-mère Isabelle de Hainaut la finesse des traits ainsi qu'un peu de sa beauté fragile et gracieuse — le type achevé du chevalier qui n'est pas l'homme à passer sa nuit en prières avant l'adoubement, contrairement à l'image d'Epinal si répandue. L'entrée en chevalerie reste un sérieux examen de la valeur du combattant de guerre à cheval qui, de l'âge de cinq ans à vingt ans environ, fait l'apprentissage de l'équitation et du métier des armes. Saint Louis est aussi un vaillant homme de guerre. Pour s'en convaincre, il n'est que de lire la description qu'en fait Joinville lors de la bataille de Mansourah en 1250 :

« Comme j'étais à pied, avec mes chevaliers, blessé... ainsi vint le roi avec tout son corps de bataille, à grands cris et à grand bruit de trompettes et de cymbales. Il s'arrêta sur un chemin privé. Jamais je ne vis si beau chevalier car il paraissait au-dessus de tous les gens, les dépassant à partir des épaules, un heaume doré sur la tête, une épée d'Allemagne à la main[76]. »

Il redonne ainsi courage aux combattants et, en plusieurs occasions, combat avec grande vaillance. Marguerite n'assiste pas à toutes les scènes de bataille, mais, une fois au moins, elle sera témoin de son courage, lors du débarquement à Damiette, en 1249.

A Sens, en ce mois de juin 1248, elle l'admire comme tant de femmes qui attendent son arrivée avec impatience. Voici la description qu'en fait Fra Salimbene quand il le découvre à la tête du cortège : « Mince, svelte, assez maigre et élancé »... « son visage angélique a un aspect gracieux ». Il porte le bourdon et une cape, mais celle-ci « orne avec merveille ses royales épaules ». Il n'en est que plus beau aux yeux de Marguerite et des autres dames[77].

Marguerite l'accompagne dans cette lente descente vers Aigues-Mortes. Selon la coutume capétienne, le roi se doit de profiter de toutes les occasions de se montrer à son peuple. Pour lui comme la famille royale, c'est le seul moyen de se faire connaître. Certes, Louis IX manifeste un goût prononcé pour les pèlerinages auxquels la reine ne participe pas toujours, comme on l'a vu. La reine passe aisément ce caprice à son mari qui la laisse dormir le matin quand il part pour une visite pieuse impromptue. Comme la croisade va transformer ce mari qu'elle comprend si bien en 1248 !

Le séjour à Chypre

Bien préparée pendant trois ans, l'expédition se présente favorablement. Le roi et son épouse, arrivés à Aigues-Mortes au début du mois de juillet, embarquent le 25 août 1248 sur la nef *Montjoie* et, accompagnés d'une trentaine de bateaux, se dirigent vers Chypre où ils débarquent le 17 septembre. Henri de Lusignan, roi de Chypre, les reçoit avec tous les honneurs. Louis IX avait fait de l'île sa base logistique et comptait diriger ensuite sa flotte vers l'Egypte d'où partaient sans cesse de nouvelles troupes destinées à attaquer les Etats latins de Terre sainte. Les chefs militaires, templiers, hospitaliers ou barons de Syrie-Palestine qui sont venus l'accueillir lui conseillaient d'attendre le printemps avant de lancer une nouvelle offensive contre l'Egypte. Pendant ces longs mois d'hivernage, la vie diplomatique et mondaine reprend ses droits. A partir d'octobre 1248, nous disposons pour notre bonheur du témoignage de Jean de Joinville, parti de Marseille au mois d'août et arrivé à Chypre après le roi, l'absence de vents le long de la côte tunisienne ayant retardé sa nef. Il exprime son admiration devant l'amoncellement des tonneaux de vin que le roi a fait acheter depuis deux ans et qui formait des édifices si élevés qu'il les compare à des granges. Il nous donne bien d'autres informations sur la croisade et, sur les cent quarante-neuf chapitres que comprend son *Histoire de Saint Louis*, cent six traitent du voyage outre-mer de 1248 à 1254 et, dans dix-huit d'entre eux, il est question de Marguerite de Provence.

A vrai dire, il ne la cite guère pendant le séjour chypriote. Il la présente recevant avec le roi l'impératrice Marie de Constantinople, fille de Jean d'Acre ou de Brienne, ancien roi de Jérusalem. Toujours à la recherche d'argent et de soldats, l'empereur avait envoyé sa femme demander des secours à Louis IX car il espérait encore une offensive qui partirait de Chypre pour défendre son empire. Le roi de France avait longtemps tenu secret son plan et le choix de Chypre pouvait laisser augurer de cette possibilité. Mais Saint Louis juge son flanc gauche suffisamment protégé par les troupes de l'Empire byzantin pour lancer son offensive sur le côté droit du dispositif chrétien dans le bassin oriental de la Méditerranée. L'impératrice Marie ne peut modifier la décision royale. A peine débarquée à Basse, dans le nord de l'île, elle voit son navire rompre ses amarres et se diriger vers le large. Elle se trouve démunie, sans vêtements de rechange. Joinville qui, avec Evrard de Brienne, est chargé de la convoyer de son port de débarquement à Limassol où résident le roi et la reine de France, lui offre des fourrures, des tissus, en particulier de la tiretaine et des taffetas pour qu'elle puisse doubler ses vêtements. Les fêtes que donnent ensuite en son honneur Louis IX et son épouse ne peuvent masquer l'échec de sa démarche. L'impératrice n'obtient que des promesses, surtout celles d'engager de nombreux chevaliers, promesses d'ailleurs subordonnées à l'autorisation du roi de France. Celui-ci consulté, refuse. Il a déjà vidé son trésor et a besoin de toutes ses troupes pour l'expédition qu'il envisage.

Bien que Joinville ne le signale pas, il est vraisemblable que la reine Marguerite assiste aux réceptions des ambassadeurs qu'envoie à Chypre Aldigaï, le représentant en Asie occidentale du khan mongol Güyük. Les Mongols proposent une alliance. Louis IX, prudent, ne veut pas tout subordonner à l'attaque mongole, mais il ne la refuse pas et, de Nicosie, envoie frère Jean de Longjumeau, un dominicain, porter lettres et cadeaux au grand khan. Marguerite perçoit les premiers échos de cette Asie profonde qui se révèle aux Occidentaux.

Marguerite devient responsable de la croisade

Peu prolixe sur Marguerite de Provence au cours de cet hiver 1248-1249, Joinville donne ensuite beaucoup d'indications sur son rôle. Il apparaît que c'est sur elle que repose le destin de l'expédition au moment le plus crucial. Elle s'affirme ainsi de manière décisive et donne raison à Louis IX qui lui laisse la garde de Damiette et de la flotte royale. Pendant les deux siècles que durent les croisades, elle est la seule femme à assumer une telle responsabilité et a, en outre, le mérite de mener à bien sa tâche. Or l'histoire, obstinée dans ses erreurs, continue de la considérer comme une intrigante sans envergure.

Le 21 mai 1249, le vendredi avant la Pentecôte, le roi et la reine embarquent sur leur nef à Nicosie. Louis IX donne l'ordre du départ, la flotte cingle toute la journée et Joinville s'émerveille du spectacle de cette mer couverte par les voiles de 1 800 navires (de toute taille, il est vrai). Le soir, le roi fait jeter l'ancre vers Limassol et y attend des vents favorables. Au matin du jour de la Pentecôte, il entend la messe sur la nef, débarque ensuite, mais le vent s'élève et emmène vers l'est, donc vers Saint-Jean-d'Acre, un grand nombre de navires avec à leur bord 2 800 chevaliers. Louis IX embarque à nouveau et, le jeudi après la Pentecôte, arrive devant Damiette. Il décide d'attaquer l'Egypte dès le lendemain. Il prétend bien débarquer avec les premiers combattants. Là, les sources divergent. Dans son exposé détaillé du débarquement, Joinville signale que le roi écouta les conseils de son entourage, refréna son impatience et accepta qu'une partie de ses troupes occupât la côte avant que lui-même ne posât pied sur le rivage. En revanche, dans la présentation générale du roi au début de son ouvrage, Joinville affirme, ainsi que d'autres documents — de source arabe surtout —, que le roi s'était engagé avec beaucoup d'impétuosité et répondait, à ceux qui lui recommandaient la prudence, qu'il n'était pas l'Etat. On ne dit mot de la reine qui assistait à la scène. Les forces égyptiennes cèdent aussitôt. Les croisés s'emparent de Damiette. Ils doivent ensuite consolider la base et attendre l'arrivée d'Alphonse de Poitiers et de son armée. Au mois de novembre 1249, chevaliers et piétons s'ébranlent enfin vers Le Caire.

Le 21 décembre, ils parviennent devant Mansourah, bien protégée par un canal qui rejoint le fleuve à cet endroit, ainsi que par les jets de naphte en feu qui volent « comme un tonneau de vert jus avec une queue enflammée » lancé par les catapultes. Le 8 février 1250, le roi donne l'ordre d'attaquer Mansourah. Pendant les premières heures, le succès semble assuré, mais l'impétuosité de Robert d'Artois qui, sans attendre les renforts, s'enfonce dans les rues étroites de la ville provoque le désastre. Joinville ne manque pas d'insister sur la valeur des combattants et rappelle ce que le comte de Soissons lui a dit vers le soir : « Vous et moi, nous parlerons de cette journée dans la chambre des dames. » Le chroniqueur ne précise pas s'il s'agit d'aller narrer ses prouesses dans la petite cour qui se tient autour de l'épouse de Louis IX, mais, quelque temps plus tard, en Terre sainte, nous le voyons dans les appartements de la reine égayer Marguerite de Provence et ses dames d'honneur.

Après avoir pris du retard devant Mansourah, le roi, le 5 avril 1250, ordonne la retraite qui tourne à la catastrophe. La dysenterie, le typhus, le scorbut et le paludisme déciment l'armée. Louis IX, bien qu'atteint, refuse d'abandonner ses hommes. Mauvaise interprétation d'une rumeur ? trahison ? Un sergent annonce que le roi, à la dernière extrémité, ordonne de se rendre. L'émir, chef des Mamelouks, interrompt les négociations qu'il menait avec Philippe de Montfort sur le libre retour vers Damiette et, le 7 avril au matin, l'armée et le roi sont faits prisonniers. Joinville dénombre 12 000 captifs mais le chroniqueur musulman Abou-Chama ne mentionne que 3 200 soldats tués et capturés.

Tout l'espoir repose alors sur les troupes restées à Damiette, sur la flotte royale et sur Marguerite de Provence qui en a désormais la responsabilité. Saint Louis fait l'admiration de ses geôliers. Malgré les menaces de torture, il ne cède pas les châteaux de Syrie-Palestine. Ses adversaires lui demandent alors à combien il estime sa rançon et celle de son armée. Ils exigent en outre Damiette. Louis IX leur répond que si le soudan d'Egypte fixe une somme raisonnable, il demandera à la reine de la payer.

« Comment se fait-il que vous ne puissiez ordonner cela ? », lui demandent les musulmans, étonnés. A quoi le roi de France répond qu'il ignore si la reine accepterait de le faire, car « elle est bien la maîtresse [78] ». N'était cette réponse, on pourrait soupçonner Saint Louis d'avoir imaginé cela dans l'instant et y voir ruse, double jeu ou habileté diplomatique. Puisqu'il est prisonnier, il ne veut plus rien décider et laisse à la reine les choix décisifs, ce qui permet de gagner du temps. Mais la suite montre que Marguerite de Provence se comporte en véritable chef, prend même, parce que l'urgence le commande, des décisions qui n'étaient pas prévues. Bien que nous ne possédions pas d'actes prouvant de manière incontestable que la reine avait été investie d'un vrai pouvoir lors du départ de Damiette de l'armée royale, elle agit comme si elle en disposait réellement.

S'il n'y avait que les discussions au sujet de la rançon, s'amorcerait le schéma que l'on va retrouver si souvent ensuite, le partage des tâches entre le roi et son épouse. Louis IX aurait eu deux fers au feu ou, si l'on veut, une politique de rechange. Il aurait laissé ainsi à la reine le choix d'une réponse dilatoire si celle-ci permettait d'autres ouvertures. Mais la situation devient vite telle que Marguerite doit prendre les dispositions indispensables pour sauver l'expédition. Si le roi ne lui avait pas confié tout le pouvoir, son mérite n'en serait que plus grand de l'avoir pris quand la situation l'exigeait.

Louis IX offre d'abord une rançon d'un million de besants d'or, soit environ 500 000 livres. Comme il estime que sa personne ne peut être rachetée avec l'argent de ses sujets, il propose Damiette en échange, en précisant toutefois que ces propositions demeurent soumises au bon vouloir de la reine. Par crainte du jeune soudan Turan-chah qui avait introduit de nouveaux conseillers, Baibars et ses Mamelouks tuent leur prince et traitent directement avec le roi de France. Ils promettent de le libérer dès la reddition de Damiette, réduisent la rançon à 400 000 livres dont la moitié devra être payée avant qu'il quitte le « fleuve » (le Nil) et le reste dès son arrivée à Saint-Jean d'Acre, dans les Etats latins. Un acte écrit consigne avec soin les conventions. Les Mamelouks avaient même songé à faire de Saint Louis leur chef, tellement ils l'admiraient, mais ils renoncèrent au dernier moment car ils craignaient de devoir se convertir au christianisme sous peine d'être massacrés.

A Damiette, la reine se trouve en périlleuse situation. Trois jours avant d'accoucher, elle apprend la capture du roi. Elle fait des cauchemars pendant la nuit, imagine sa chambre envahie par les Sarrasins, réclame de l'aide. Elle craint surtout que ses ennemis lui enlèvent l'enfant dès sa naissance et fait dormir dans sa chambre un chevalier âgé de quatre-vingts ans. Celui-ci la rassure dès qu'elle crie en lui disant : « Madame, n'ayez pas peur car je suis ici. »

Au moment d'accoucher, elle requiert une grâce de ce chevalier qui fait serment de la lui accorder : « Je vous demande par la foi que vous avez engagée que, si les Sarrasins prennent cette ville, vous me coupiez la tête avant qu'ils me prennent. »

Dans son attitude, Marguerite de Provence manifeste beaucoup de grandeur. Elle redoute le sort réservé à tant de femmes chrétiennes prisonnières des Sarrasins et ne veut pas finir ses jours dans un harem ni se voir séparée de son enfant qui serait élevé en musulman.

La reine accouche d'un garçon prénommé Jean. On lui donne vite un second prénom : Tristan, à cause de la grande douleur qui accompagne sa naissance. Le jour de son accouchement, elle apprend que des Pisans, des Génois ainsi que des gens venus d'autres villes d'Occident ont décidé de s'enfuir. Le lendemain, après avoir repris des forces, elle les fait venir à son chevet et leur déclare :

« Seigneurs, pour l'amour de Dieu, n'abandonnez pas cette ville ; car vous voyez que mon seigneur le roi serait perdu avec tous les prisonniers si Damiette était prise. Et si cela ne suffit pas à vous convaincre, du moins que vous preniez pitié de cette chétive créature qui est ici gisante. Attendez donc jusqu'au moment où je sois relevée. »

On ne peut qu'admirer le courage de Marguerite, sa promptitude à mesurer la situation et à prendre les dispositions qui s'imposent. Le départ des bateaux génois, pisans et ceux des autres ports chrétiens de la Méditerranée rendrait tout accord caduc puisque Damiette serait sans défense et qu'il ne resterait pas assez de navires pour rapatrier les prisonniers après leur libération. Elle les supplie d'attendre quelques jours au moins. Troublés, les porte-parole des marins et des marchands lui répondent : « Madame, comment ferons-nous car nous mourons de faim en cette ville ? »

La reine les rassure et s'emploie à dissiper leur crainte d'une famine : « Je ferai acheter tous les vivres qui sont à Damiette et je vous retiens tous dès à présent aux frais du roi [79]. »

Cette fois, elle a trouvé l'argument décisif. Ses interlocuteurs se consultent, reviennent vers elle et lui annoncent qu'ils acceptent volontiers de rester dans de telles conditions. Elle fait alors acheter des vivres pour une énorme somme d'argent et sauve ainsi la situation. C'est la seule fois que l'épouse de Louis IX eut l'occasion de prendre en main la direction des affaires. Elle possède une redoutable énergie, la capacité de décider vite et de trouver, dans l'urgence, les moyens adaptés à son objectif. Pourquoi donc la royauté n'a-t-elle pas utilisé davantage plus tard ses compétences ? La suite de sa vie nous l'apprendra peu à peu.

Après avoir sauvé Damiette et l'expédition, la reine ne s'y attarde pas. Il lui faut quitter sa chambre avant le terme normal et prendre place dans la nef royale. Les négociations ont en effet abouti. Le patriarche de Jérusalem avait obtenu un sauf-conduit pour traverser les lignes musulmanes afin d'aider le roi à négocier sa délivrance. De Damiette, il apporte l'accord de Marguerite de Provence au versement de la rançon de l'armée. On commence à rassembler l'argent. Tout est donc prêt pour la libération du roi et des autres prisonniers. Le 5 mai 1250, jour de l'Ascension, quatre galères transportant Louis IX, les grands barons et une partie des chevaliers viennent s'ancrer au milieu de la branche du Nil aboutissant à Damiette, devant le pont de ce port. Geoffroy de Sargines, chargé par le roi de rendre la ville, rentre dans Damiette et la cède aux ennemis. Le soir, le roi que les Sarrasins gardaient à terre dans un pavillon depuis quelques heures peut monter sur une galère génoise. Ses compagnons s'embarquent sur des vaisseaux de mer. Les comtes de Soissons et de Bretagne (celui-ci, il est vrai, était très malade) appareillent sans tarder vers la France malgré les supplications du roi qui leur demande d'attendre la libération de son frère Alphonse de Poitiers.

Ensuite s'effectue le paiement de la première tranche de la rançon, qui s'élève à 200 000 livres, et doit être versée avant le départ du delta. Commencée le samedi 7 mai, l'opération se poursuit jusqu'au dimanche, tard dans la nuit. La pesée prend beaucoup de temps. La reine Marguerite n'a pu rassembler l'intégralité de la somme car, on l'a vu, elle a dû payer bien cher l'aide des marins génois et pisans. Il manque 30 000 livres. Le roi se refuse à frauder et le trésorier du Temple ne veut pas avancer ce qui manque sous le prétexte que cet argent n'appartient pas aux templiers. Ceux-ci recevaient en effet des dépôts et en étaient arrivés à remplir les fonctions de banquiers. Selon ses dires, Joinville obtient du roi l'autorisation de rencontrer les responsables du Temple. Il s'empare alors d'une cognée et fait mine de forcer le coffre. Le maréchal des templiers prend prétexte de cette menace pour se soumettre. Il commande au trésorier d'ouvrir le coffre et d'avancer la somme qui manque.

Le roi peut enfin partir vers Saint-Jean-d'Acre. Par prudence, la reine avait quitté le port de Damiette dès le 5 mai, jour de la reddition de la ville, tandis que Jeanne de Toulouse attendait la libération de son époux. Le roi espérait aussi cette délivrance et refusa de monter sur son vaisseau de guerre avant l'annonce de la mise en liberté de son frère. Aucun préparatif n'avait été fait et Louis IX sera contraint de coucher sur un matelas donné par le chef des Sarrasins. La navigation dure six jours. Pendant le voyage, le roi prend ombrage de ce que son frère Charles ne lui tienne pas compagnie. Quand on lui apprend qu'il passe son temps à « jouer aux tables » avec Gauthier de Nemours, Louis, courroucé, s'en va le trouver bien qu'il soit encore chancelant à cause de sa maladie, et jette par-dessus bord la table des jeux et les dés [80].

Marguerite, le roi, les barons et les dames d'honneur en Terre sainte

A Acre, où des processions l'accueillent, le roi retrouve la reine qui avait tant craint de ne plus le revoir. Joinville ne dit mot de cette rencontre. Ses affaires le préoccupent davantage. Des syncopes l'affaiblissent, il manque d'argent et a hâte de se rendre aux bains « pour se laver de l'ordure et de la sueur qu'il avait rapportées de sa captivité ». De son côté, Louis IX doit prendre des décisions capitales. Malgré une lettre de Blanche de Castille qui le supplie de rentrer au pays, il décide de rester, contre l'avis de la plupart de ses barons. Toute à la joie de la présence de son mari, Marguerite de Provence ne songe pas à contrarier ses projets. Elle est trop heureuse de ces retrouvailles qu'elle n'espérait plus. Si elle avait pris parti pour ceux qui préconisaient le retour immédiat, Joinville n'aurait pas manqué de nous le faire savoir. Le fait qu'il défende régulièrement la reine pendant le séjour en Terre sainte laisse supposer qu'elle était de son avis car il prétend être l'un des seuls à avoir conseillé au roi de rester.

Louis IX a fort à faire en Syrie-Palestine. Son action diplomatique est intense. Il joue à merveille, parfois même sans scrupules et avec une mauvaise foi évidente, des différends qui existent entre ceux qui lui proposent une alliance, tels le sultan de Damas et celui d'Egypte. Les templiers penchent pour le premier, les hospitaliers pour le second. Pour justifier son attitude, les excuses ne manquent pas au roi. Les Egyptiens ne tuaient-ils pas certains de ses soldats encore prisonniers, s'ils refusaient d'abjurer la religion chrétienne pour adopter l'islam ? Louis IX s'efforce aussi d'apaiser les rivalités des différents clans : marchands génois et pisans qui se livraient à une véritable guerre civile dans Saint-Jean-d'Acre pour la possession du monastère Saint-Sabbas et pour le contrôle de la ville, templiers et hospitaliers, barons venus de France avec lui et Poulains, descendants d'anciens croisés implantés en Palestine, etc. Il consacre une grande partie de son activité à la défense des villes et des châteaux de Terre sainte. Soucieux de consolider et de compléter le réseau de fortifications, il se déplace de ville en ville afin d'inspecter l'état des travaux, en particulier à Sayette (Sidon), Jaffa et Césarée.

Marguerite de Provence, si heureuse de sa présence, passe à nouveau de longs jours à l'attendre. Elle assiste aux allers et venues des diplomates (par exemple à l'arrivée des ambassades musulmanes), se tient au courant des relations qu'il a nouées avec les Mongols, par l'intermédiaire des frères dominicains, tel Guillaume de Rubrouck à qui elle donne un psautier avant son départ vers l'Asie intérieure en 1252. Saint Louis ne rejette pas à priori l'alliance mongole, mais il estime que le temps n'en est pas encore venu, d'autant que le nouveau khan, Mongke, exige au préalable l'allégeance du roi de France.

La reine reprend la place qui est souvent la sienne, à l'arrière-plan de la vie politique. Un instant projetée sur le devant de la scène, elle le quitte pour ne plus y revenir qu'en de rares occasions. On la voit ainsi intervenir auprès du roi afin de plaider la cause de frère Hugues de Jouy, maréchal du Temple. Celui-ci avait traité avec le sultan de Damas à propos du partage d'une seigneurie sans en référer au roi au préalable. Les supplications de Marguerite, jointes à celles du grand maître du Temple qui avait été « compère » de Louis, c'est-à-dire parrain au baptême de Pierre, enfant du couple royal né en 1251, à Châtel-Pèlerin, sont impuissantes à adoucir son courroux. Frère Hugues « doit vider sur-le-champ la Terre sainte et le royaume de Jérusalem »[81].

La reine se consacre à ses tâches quotidiennes d'épouse, de mère et de reine. Bien entendu, elle n'a pas la responsabilité financière de l'Hôtel royal qui revient à des chambellans et à des clercs tels que Pierre de Clissy, tué près du roi à Mansourah, ou Pierre de Chambly, tandis que d'autres techniciens gèrent l'ensemble des finances royales. Parmi eux se signale Jean de Valenciennes que le roi enleva à Alphonse de Poitiers et qu'il récompense ensuite en le faisant seigneur de Caïphas. Dans les dépenses de la royauté, celles de l'Hôtel sont considérables. Elles atteignent régulièrement, de 1250 à 1253, 16 % à 20 % des dépenses ordinaires de chacun des exercices. Louis IX tient à ce qu'un grand train de vie rehausse son prestige auprès des habitants des Etats latins et des pays musulmans voisins. Il n'hésite pas à consacrer aux dépenses de sa maison une part importante de ses ressources alors que les charges militaires et les dépenses des fortifications semblaient plus urgentes. Mais le roi juge que sa réputation et le succès des entreprises diplomatiques dépendent aussi de sa manière de vivre et de recevoir. La présence royale a fortement contribué à faire du « roi des Francs » le protecteur de la Terre sainte et, à partir de son séjour, on désigna comme « Francs » l'ensemble des Occidentaux dans le bassin oriental de la Méditerranée[82].

Marguerite de Provence a participé à ce résultat. Le souci de la vie quotidienne et, plus encore, celui des réceptions l'occupent devant les absences de son époux. Le cercle familial s'était réduit car le roi avait renvoyé en France, en 1250, ses frères Alphonse de Poitiers et Charles d'Anjou avec leurs épouses. Les bons moments ne manquent cependant pas : Louis IX peut-être, Joinville certainement, n'hésitent pas à jouer de bons tours à la reine et à ses dames ou demoiselles d'honneur. Le sénéchal nous narre ainsi une bien amusante histoire.

Il prit envie à Joinville d'aller en pèlerinage à Notre-Dame de Tortose où l'on pensait trouver le plus ancien autel dédié à la mère du Christ. Il en demande l'autorisation au roi : celui-ci lui suggère de profiter de son voyage pour acheter cent camelins (étoffe mélangée souvent de laine et de soie) de diverses couleurs qu'il veut offrir aux frères mineurs. Accompagné de ses chevaliers, le chroniqueur passe par Tripoli où Bohémond VI, prince d'Antioche et de Tripoli, l'accueille avec faste. Il se refuse à indiquer à ses compagnons la destination des tissus dont il a fait l'emplette. De retour, il apporte au roi les camelins achetés à sa demande. En bon courtisan, il en a acquis quatre supplémentaires qu'il destine à la reine. Un chevalier présente à Marguerite de Provence les étoffes entortillées dans une toile blanche. La reine, croyant se trouver en présence de reliques, se met à genoux, mais voilà qu'à son tour le chevalier s'agenouille devant elle. En bonne chrétienne, elle s'étonne :

« Levez-vous, sire chevalier ; vous ne devez pas vous agenouiller, vous qui portez des reliques.

— Madame, répond alors le chevalier, ce ne sont pas des reliques que mon seigneur [Joinville] vous envoie. »

A ces mots, la reine et ses dames d'honneur éclatent de rire. Marguerite de Provence menace de tirer les oreilles de Joinville et conclut :

« Dites à votre seigneur que je lui souhaite le mauvais jour pour m'avoir fait agenouiller devant ses camelins[83]. »

Le chroniqueur ne nous dit pas si le roi était de connivence. De toute manière, l'entourage royal s'est diverti de cette mystification qui égayait leur exil et ni le roi ni la reine n'en tinrent rancune à Joinville.

Après Jean-Tristan, deux enfants royaux naissent pendant la première croisade de Louis IX : Pierre en 1251 et Blanche en 1253 (qui reçoit ainsi le prénom de sa sœur aînée décédée en 1243). C'est à l'occasion de cette naissance que Joinville exprime sa désapprobation devant l'attitude du roi envers sa femme et ses enfants au cours de cette expédition. Les chroniqueurs hagiographes qui ont connu Saint Louis, et d'autres historiens à leur suite, oublièrent cet épisode ou l'esquivèrent prudemment. Examinons les faits.

Joinville nous apprend que la reine, après avoir accouché à Jaffa de « Madame Blanche », s'en fut, par bateau, rejoindre le roi à Sayette (Sidon). Joinville quitte le roi auprès duquel il se trouvait et va à sa rencontre. Il la conduit au château puis rejoint le souverain. Celui-ci, qui assistait à un office en sa chapelle, lui demande si la reine et les enfants sont bien portants. Le sénéchal, qui le rassure, s'entend répondre par Louis IX :

« Je savais bien quand vous vous êtes levé devant moi que vous alliez au-devant de la reine. A cause de cela, j'ai même fait attendre votre retour pour le sermon[84]. »

Louis IX a au moins le mérite de ne pas mentir ni d'essayer de tricher. Il n'utilise aucun prétexte pour justifier son peu d'empressement à accueillir les siens. Joinville en est stupéfait et le temps qui s'écoule après ces événements n'adoucit pas son indignation : « Et je vous rappelle ces choses parce que j'avais été cinq ans auprès de lui qu'il n'avait encore, que je susse, parlé de la reine ni des enfants, et que ce n'était pas bonne manière, ainsi qu'il me semble, d'être étranger à sa femme et à ses enfants. »

Louis IX n'est pas de ces êtres secrets qui répugnent à exprimer devant autrui leurs sentiments les plus profonds puisqu'on le voit pleurer la mort de sa mère en cette même année 1253 et qu'en 1260, le décès de son fils aîné l'affecte atrocement. En 1270, avant de partir pour sa dernière croisade, ne confie-t-il pas Marguerite à son fils Philippe ? Le roi ne manifeste donc pas toujours de l'indifférence envers les siens. Pourquoi le fait-il en ce moment précis ? Il n'a pas encore entamé son chemin vers la sainteté mais cela constitue-t-il une excuse pour ignorer ses proches dont il est d'autant plus responsable qu'il les a entraînés dans une aventure ? Une explication plausible vient à l'esprit. Le roi est alors très gêné de sa situation. Il a son épouse auprès de lui alors qu'il a interdit à la plupart des autres participants à la croisade d'en faire autant.

L'expédition qu'il espérait brève se prolonge d'année en année. Il est bien conscient des difficultés de ses compagnons et ne contre leurs incartades sexuelles qu'en de rares occasions. Joinville signale une seule fois qu'il prive de son dextrier un chevalier qui s'était affiché sans vergogne avec une prostituée. Le plus souvent, il se montre tolérant. Il laisse même un bordel s'installer à un jet de pierre de sa tente dans l'un de ses camps en Egypte. Il en parle à Joinville, lui montrant ainsi qu'il n'est pas dupe. Une autre fois, en Syrie-Palestine, il ordonne une discrète enquête sur ses serviteurs. Ses agents lui rapportent que sur dix-sept d'entre eux, seize ne pratiquent pas l'abstinence sexuelle. Le roi prend patience et attend son retour en France pour les chasser quelque temps de sa « maison »[85].

Louis IX tient à maîtriser l'expression de ses sentiments et ne pas afficher ses craintes ni son empressement envers les siens. S'il adopte ce qui peut apparaître extérieurement comme un certain détachement, c'est bien parce que sa conscience lui en fait une obligation.

Quand il juge sa tâche achevée en Terre sainte, il décide le retour en France où la situation est plus que difficile. Les échecs et les difficultés, déjà considérables vers la fin de la nouvelle régence de Blanche de Castille, s'aggravent encore après sa mort en novembre 1252. Cette année avait vu la croisade des Pastoureaux qui, partis de Flandre et de Picardie sous la conduite d'un ancien moine, le Maître de Hongrie, pénètrent dans Paris. Blanche de Castille manifeste en cette occasion une incroyable faiblesse et les reçoit. Ces « croisés » d'un nouveau type en profitent pour massacrer des moines. Blanche et ses conseillers les laissent agir impunément et ce n'est qu'à partir d'Orléans — où les étudiants réagissent avec un grand courage contre ces hordes — que la « croisade » se divise en plusieurs bandes. Celles-ci, devenues ainsi plus vulnérables, sont finalement réduites à néant.

Blanche fait également preuve d'un insigne manque de fermeté envers son fils Charles d'Anjou qu'elle laisse négocier seul avec la comtesse de Flandre et de Hainaut. Après la mort de sa mère, Charles d'Anjou accepte le comté de Hainaut que la comtesse lui offre pour que les Avesnes, nés de son premier mariage, n'en héritent pas, malgré la volonté expresse du roi de France. En outre, les Anglais profitent de sa longue absence pour lancer des attaques de plus en plus fréquentes le long des frontières d'Aquitaine. Louis IX décide son retour pour le temps de Pâques 1254 après qu'on aura achevé les fortifications de Sidon[86]. Pendant le

Carême, le roi ordonne la préparation de ses vaisseaux qui sont au nombre de treize, tant nefs (navires à voiles) que galères.

Les dangers du retour

Le roi commande à Joinville et à ses chevaliers de s'armer et de conduire la reine et leurs enfants d'Acre à Tyr où ils doivent embarquer. Le sénéchal obéit « sans répliquer une seule parole ». Il n'est cependant pas très rassuré : ce déplacement de vingt-huit kilomètres présentait en effet quelque danger : la menace d'un raid musulman ne pouvait être exclue puisqu'il n'y avait plus alors de trêve ni avec Damas ni avec l'Egypte. Le voyage se passe sans incidents. Le 24 avril 1254, la veille de la fête de saint Marc, après la célébration des solennités pascales, le roi et la reine embarquent sur la nef. Les premiers jours, les vents sont favorables [87].

La flotte royale arrive un samedi devant l'île de Chypre, quand soudain, la brume descend et masque la côte. Surpris, les marins se croient encore assez éloignés du rivage et ne peuvent empêcher le navire qui transporte le roi et sa famille de heurter avec violence un banc de sable. Les nautonniers se désespèrent, « déchirent leurs habits et leurs barbes ». Louis IX se réveille en sursaut. Frère Raimond, un templier, maître de la flotte, fait jeter la sonde et s'aperçoit avec terreur que la nef s'est échouée. On veut que le roi quitte aussitôt le bateau en péril et aille se réfugier sur l'une des galères qui l'accompagnent. Louis IX parvient à calmer les esprits. La sonde, jetée une seconde fois, indique que la nef ne touche plus le fond. Le lendemain, quatre plongeurs examinent les parties de la coque en dessous de la ligne de flottaison et, interrogés, révèlent que le frottement sur le sable a enlevé au moins trois toises à la quille. Les marins conseillent au roi de quitter le bateau qui risque de ne pouvoir soutenir le choc des vagues et de se disloquer en haute mer. Saint Louis prend conseil. Il demande notamment aux marins ce qu'ils feraient si le navire leur appartenait et qu'il était chargé de marchandises. Sans hésiter, ils répondent d'un commun accord qu'ils préféreraient risquer la noyade plutôt que de perdre une nef d'une valeur supérieure à 4 000 livres. Il leur rétorque :
« Et pourquoi me conseillez-vous de descendre ?

— Parce que le jeu n'est pas égal ; car ni or ni argent ne peut valoir le prix de votre personne, de votre femme et de vos enfants qui sont céans ; voilà pourquoi nous ne vous conseillons pas de vous mettre ni vous ni eux en aventure. »

Le roi répond alors :

« Seigneurs, j'ai ouï votre avis et l'avis de mes gens ; or je vous dirai à mon tour le mien qui est tel que si je descends du vaisseau, il y a ici cinq cents personnes et plus qui demeureront en l'île de Chypre, par peur du péril de leur corps (car il n'y en a pas une qui n'aime autant sa vie que je fais de la mienne) et qui, jamais, par aventure ne rentreront en leur pays. C'est pourquoi j'aime mieux mettre en la main de Dieu ma personne, ma femme et mes enfants que de causer un dommage à un aussi grand nombre de gens [88]... »

Joinville souligne d'ailleurs que le roi avait raison car Olivier de Termes, homme pourtant très courageux, n'osa partir avec eux et demeura à Chypre plus d'un an et demi avant de rentrer en France bien qu'il fût riche et qu'il eût de l'argent pour payer son voyage. Le chroniqueur ajoute : « Que serait-il devenu des petites gens ? » Louis IX agit en vrai chef de l'expédition : il refuse de placer sa personne, sa femme et ses enfants dans une position privilégiée par rapport à ses sujets. Il y a de la grandeur dans cette résolution, même si cela peut heurter nos sensibilités contemporaines [89].

A peine les voyageurs ont-ils échappé à ce péril et repris leur navigation qu'un vent très fort se lève et menace de les jeter contre l'île. Les marins parviennent tout juste à arrêter le bateau dans sa course en jetant cinq ancres à la mer. Encore fallut-il abattre la chambre du roi afin de donner moins de prise au vent. En effet, le vaisseau royal, le *Montjoie,* long d'une trentaine de mètres et d'une contenance de 500 tonneaux environ, comprenait divers niveaux. Le premier entrepont pouvait servir au logement d'hommes ou au parcage de chevaux. Le deuxième, qui se situait à l'air libre au-dessus du dortoir des marins, possédait à ses extrémités des logements aménagés dans les gaillards. Il y avait ainsi plusieurs cabines sur le *Montjoie* au-dessus desquelles prenait place une construction légère ou banne qui servait de chambre au roi et que surmontait une tente ou super-banne. Ce sont ces deux superstruc-tures que l'on dut démolir à la hâte, les quatre voiles triangulaires latines qui reposaient sur deux mâts inégaux, l'artimon et le « maistre », offrant trop de prise au vent. Une fois les parois de la chambre démolies, personne ne veut plus y demeurer car l'on craint d'être emporté par le vent. Joinville et Gilles de Trazegnies, — un chevalier du Hainaut qui deviendra connétable de France et est plus connu sous le nom de Gilles le Brun —, qui dormaient dans la chambre du roi, sont en train de la quitter lorsqu'ils voient la reine ouvrir la porte de sa cabine pour se diriger vers la chambre haute où elle espère trouver le roi. Joinville s'enquiert alors ce qu'elle est venue demander. Marguerite de Provence lui déclare qu'elle voudrait parler au roi pour qu'il promette à Dieu et à ses saints quelque pèlerinage par quoi Dieu délivrerait tout le monde en danger car elle a entendu les marins parler du péril de couler. Joinville prend la parole :

« Madame, promettez le voyage (c'est-à-dire le pèlerinage à Saint-Nicolas de Varangéville en Meurthe-et-Moselle) et je vous suis garant que Dieu vous ramènera en France, vous, le roi et vos enfants. »

Et la reine de répondre :

« Sénéchal, je le ferais volontiers, mais le roi est si divers que s'il savait que je l'eusse promis sans lui, il ne me laisserait jamais y aller. »

Cette réponse de la reine a fait couler beaucoup d'encre et la manière dont elle traite son époux a pu être interprétée comme l'amorce d'une mésentente dans le couple royal. Examinons la question. Il faut d'abord s'entendre sur le mot « divers » que Marguerite utilise pour qualifier son mari. Natalis de Wailly l'a traduit par « bizarre », ce qui en est l'un des sens en effet. D'autres éditions (par exemple celle de La Pléiade) se contentent de reproduire l'adjectif « divers » du texte. Comme autres sens, on relève singulier, capricieux, et même mauvais, sauvage, cruel, fâcheux. Personne, évidemment, n'a osé dire que la reine trouvait son mari cruel ou sauvage. Elle aurait été bien la seule dans ce cas. Restons au plus près du texte. Le roi est si divers, c'est-à-dire d'humeur si changeante, qu'on ne sait comment le prendre. A vrai dire, la reine qualifie d'instable son mari et n'ose rien lui suggérer de crainte qu'il prenne sans délai la décision inverse. Or, que savons-nous du roi pendant ce retour de la croisade ? Fatigué, humilié par ses échecs, il traverse ce que nous appellerions une phase de dépression. La ruine de son royaume lorsqu'il débarque va encore accentuer cet état. Il doute de Dieu et de son propre rôle. Il a l'impression d'un échec total et affronte cette épreuve que les mystiques appellent « la nuit obscure ». Le témoignage de Marguerite de Provence indique que le processus vers la sainteté est déjà enclenché pour le roi pendant le voyage de retour. Pendant ce difficile passage à une spiritualité plus haute et à la véritable marche vers la sainteté, le roi ne se comprend plus et ni Marguerite ni son entourage ne le comprennent davantage. Cette incompréhension ne dure que quelques mois, même si Louis est parti sur une voie qu'elle ne peut ou ne veut pas suivre. Elle prend alors son parti de la transformation qui s'est opérée en son époux et va trouver les moyens adaptés à cette nouvelle situation.

Revenons à Joinville. En homme prudent qui ne veut pas s'immiscer dans les affaires du couple royal, il tente de trouver une solution à ce pèlerinage qui cause bien des soucis à la reine :

« Vous ferez ceci : si Dieu vous ramène en France, vous lui promettez une nef en argent de 5 marcs [plus de deux kilogrammes] pour le roi, pour vous et pour vos trois enfants [Jean-Tristan, Pierre et Blanche qui, nés outre-mer, reviennent avec leurs parents] ; et je vous garantis que Dieu vous ramènera en France ; car je promis à saint-Nicolas que s'il vous réchappait de ce péril, là où nous avions été la nuit, je l'irais prier à pied et déchaussé. »

Joinville agit ainsi en admirable courtisan puisqu'il prend à sa charge la partie la plus pénible de l'opération et évite à Marguerite de Provence de se mettre en mauvaise posture, soit avec saint Nicolas, soit avec le roi. La reine acquiesce avec joie et promet la nef en argent. Elle s'éloigne sur le bateau, puis revient assez vite vers le sénéchal :

« Saint Nicolas nous a sauvés de ce péril car le vent est tombé. »

Le chroniqueur ne manque pas de nous confier la fin de l'histoire. Après la mort de la reine (donc après 1295, puisqu'il demande à Dieu d'avoir pitié de son âme), il signale que Marguerite, revenue à Paris, a fait exécuter le bateau en modèle réduit comme elle l'avait promis. L'orfèvre parisien à qui elle en avait confié la fabrication forgea plusieurs statuettes en argent qui représentaient le roi, la reine et les trois enfants ainsi que les mariniers. Les mâts et les cordages du navire étaient aussi en argent tandis que les toiles étaient cousues avec des fils d'argent. La reine avoua que la façon revenait à 100 livres, soit vingt fois environ un assez bon salaire annuel de l'époque. Elle envoya cet objet précieux à Joinville qui, comme promis, le fit transporter jusqu'à Saint-Nicolas de Varangéville. Le chroniqueur précise que la nef s'y trouvait encore en 1300 quand il accompagna Blanche, sœur de Philippe le Bel et petit-fille de Saint Louis et de Marguerite, à Haguenau, auprès de celui qu'elle allait épouser, Rodolphe, fils du chef de l'Empire romain germanique, Albert de Habsbourg[90].

Revenons au retour de la première croisade. Deux fois encore, le sénéchal de Champagne nous met en présence de la reine. Sans Joinville, plusieurs aspects de sa personnalité nous échapperaient. Très maternelle, elle prend soin de ses enfants et les gâte au point de faire courir un danger à tous. La flotte royale arrive en vue de l'île de Pantellaria (entre la Sicile et la Tunisie), peuplée de musulmans, sujets « du roi de Tunis ». La reine demande au roi d'y envoyer trois galères afin de ramener des fruits pour ses enfants qui doivent être lassés de ces « biscuits » cuits deux fois, qui se conservaient à merveille, et qui étonnèrent tant Joinville. Malgré la menace que représente cette expédition, Louis IX accepte et donne l'ordre aux galères d'aborder dans l'île et de rejoindre la nef quand elle passera devant le port. Hélas, le rendez-vous est manqué ! L'inquiétude naît.

Le roi, qui voit les marins s'entretenir à voix basse, les interroge et leur demande ce qu'ils pensent de l'aventure. Ils lui répondent qu'ils craignent que les Sarrasins se soient emparés de ses gens et de ses galères. Et ils poursuivent :

— Mais nous vous donnons l'avis et le conseil, Sire, de ne pas les attendre ; car vous vous trouvez entre le royaume de Sicile et celui de Tunis qui ne vous aiment guère, ni l'un ni l'autre [le premier appartenait en effet à Conrad, héritier de Frédéric II de Hohenstaufen et le second était musulman] ; si vous nous laissez naviguer, nous vous aurons cette nuit délivré du péril, car nous vous aurons fait passer le détroit.

— Vraiment, dit le roi, je ne vous suivrai pas de laisser mes gens entre les mains des Sarrasins sans que je fasse au moins tout mon possible pour les délivrer. Et je vous commande que vous tourniez vos voiles et que nous allions leur courir sus. »

En entendant ces propos, la reine montre sa grande tristesse et dit :

« Hélas, c'est moi qui suis cause de tout cela ! »

Obéissant au roi, les marins commencent à tourner les voiles afin de se diriger vers la côte quand les galères, cachées par un repli de la baie, « sortent de l'île », c'est-à-dire réapparaissent. Le roi interroge les marins dès leur arrivée sur le motif de leur retard. Ceux-ci répondent que ce n'est point leur faute, mais celle de six fils de bourgeois de Paris qui s'étaient éloignés pour chaparder, manger des fruits et n'étaient revenus qu'après leur maraude. Le roi, fort en colère, ordonne que les garnements prennent place dans une chaloupe. Ils pleurent, hurlent, supplient Louis IX de ne pas les condamner à cette infamie réservée aux meurtriers et aux voleurs. La reine et ceux qui l'entourent sollicitent son indulgence. Mais le roi ne cède pas et les coupables demeurent dans leur chaloupe jusqu'au débarquement. Ils y sont plusieurs fois en danger quand la mer devient grosse et que les vagues risquent de les entraîner par-dessus bord ou de casser les cordages qui relient les embarcations à la nef royale.

Joinville prétend que, tout compte fait, cette gourmandise leur avait coûté huit jours de retard[91]. Il y a là sans doute quelque exagération car, dans un autre passage, le chroniqueur admire la rapidité avec laquelle la nef inverse sa marche grâce aux deux gouvernails attachés à deux barres et que l'on voyait sur les navires affrétés à Marseille[92]. Il est vrai cependant que tous les bateaux n'en disposaient pas et que les vents étaient peut-être défavorables à la manœuvre.

Le voyage se poursuit. Un soir, voici qu'une servante, après avoir aidé la reine à se déshabiller et à se mettre au lit, jette l'étoffe avec laquelle elle lui avait entortillé la tête près de la « poêle de fer » où se consumait la chandelle de la reine, et part se coucher.

La chandelle communique le feu à l'étoffe, puis aux toiles qui recouvrent le lit. La reine se réveille en sursaut, saute du lit, dévêtue, prend l'étoffe enflammée et la jette à la mer, sans perdre son sang-froid et sans crier. Mais ceux qui naviguaient dans les chaloupes hurlent « au feu, au feu ! ». Leurs clameurs réveillent Joinville qui revêt sa cotte à la hâte et rejoint les marins. Son écuyer l'avertit que le roi, éveillé à son tour, demande où se trouve le sénéchal. On lui répond que Joinville est dans les chambres, mais le monarque n'est pas dupe et déclare qu'on lui ment. Il perçoit que quelque chose d'anormal est en train de se passer. Sur ces entrefaites, maître Geoffroy, clerc de la reine, explique toute l'affaire à Louis IX et l'enjoint de ne pas s'effrayer.

« Maître Geoffroy, dit alors Joinville, allez donc dire à la reine que le roi est réveillé et qu'elle aille vers lui pour l'apaiser. »

Le lendemain, le roi fait savoir qu'il est au courant du grave danger qu'a couru son épouse et de la menace de cet incendie qui a failli détruire le navire. Il prend ses dispositions et ordonne au sénéchal de Champagne de ne pas se coucher tant qu'il n'aura pas inspecté la nef pour voir si tous les feux sont bien éteints à l'exception du grand foyer qui brûle dans la soute. Le roi attend que Joinville vienne l'assurer que tout est en ordre et ne s'endort qu'ensuite. Ces ordres sont suivis avec grande exactitude tant qu'ils naviguent en haute mer [93].

Après avoir navigué six semaines, couru bien des périls et contemplé une dernière fois les merveilleux jardins et vergers des rivages méditerranéens, la reine Marguerite et les siens abordent enfin le 10 juillet 1254 dans un petit port provençal à deux lieues du château d'Hyères. La reine et tout l'entourage désirent y faire halte puisque Charles d'Anjou est maître de la Provence. Mais le souverain ne veut rien entendre et prétend ne quitter son navire qu'à Aigues-Mortes, sur ses terres. Pendant deux jours entiers, il s'entête. Le troisième jour, assis sur une barre du gouvernail, il appelle son ami Joinville et l'interroge :

« Que vous semble de cette affaire ? »

Son interlocuteur n'hésite pas :

« Sire, il serait bien juste qu'il vous arrive ce qui était parvenu à Madame de Bourbon qui ne voulut descendre en ce port mais se remit en mer pour aller à Aigues-Mortes. La navigation fut si mauvaise qu'elle demeura sept semaines en mer. »

Le roi réunit alors son conseil. Tous sont d'avis qu'il ne serait pas sage d'exposer à nouveau sa personne, sa femme et ses enfants aux dangers d'une nouvelle aventure maritime. Le roi décide enfin de débarquer à Hyères, à la grande joie de Marguerite de Provence. Cette décision prouve que Louis IX n'est pas aussi têtu et indifférent envers les siens que Joinville le prétend.

La reine a ainsi l'occasion de traverser sa chère Provence. Le cortège se met en route après avoir attendu au château d'Hyères des chevaux qu'on fait venir du royaume de France. Ceux qui participent au voyage de retour accompagnent ensuite Louis IX jusqu'à Beaucaire. Ils passent par Aix où la reine, selon toute vraisemblance, se recueille sur le tombeau de son père, dans l'église des Hospitaliers-de-Saint-Jean, et rend visite à sa mère, mais Joinville signale seulement le pèlerinage de Saint Louis au tombeau de sainte Marie-Madeleine. Toujours soucieux de se rappeler à la postérité, il indique qu'il quitte le roi dans cette cité de Beaucaire, forteresse appartenant au roi de France. Ce dernier s'attarde car il veut visiter ses sénéchaussées du Midi languedocien où la guerre de conquête, l'annexion et la répression de l'hérésie cathare et des révoltes ainsi que les vexations des agents du roi ont provoqué bien des drames. Mais le chroniqueur ne nous dit rien de la reine. Enceinte une nouvelle fois, retourne-t-elle sans tarder à Paris afin d'y retrouver ses enfants, Isabelle, Louis et Philippe, dont elle est séparée depuis six ans ? Accompagne-t-elle le roi dans l'inspection de ses sénéchaussées méridionales ? On ne sait. Enfin, le 5 septembre 1254, Louis IX arrive à Vincennes. Le 6, il va remettre l'oriflamme à Saint-Denis et, le 7, entre à Paris. Le clergé en procession et toute la population le reçoivent avec grande solennité et dans la liesse. Le soir venu, on allume de grands feux et les réjouissances ne prennent fin que sur ordre du roi car il souffre pour son peuple de ces réjouissances qu'il estime inutiles.

Avant de rentrer à Paris, le roi avait décidé une série de réformes urgentes afin de limiter les abus de ses administrateurs. Il est d'ailleurs significatif qu'il interdit à ses sénéchaux de recevoir des cadeaux considérables de leurs administrés et l'on s'aperçoit alors qu'il tient largement compte de sa propre expérience. C'est encore Joinville qui nous fait connaître cette scène à laquelle a assisté la reine. Tandis que Louis IX attendait ses équipages à Hyères, de grands personnages s'empressèrent de venir le saluer. L'abbé de Cluny profite de l'occasion pour lui exposer l'une de ses affaires et lui offre deux chevaux de grand prix, un dextrier d'une valeur dix fois supérieure à celle d'un cheval ordinaire et un magnifique palefroi pour la reine. Louis IX écoute longuement le prélat. Après son départ, Joinville demande au roi si ce présent ne l'a pas incité à écouter la requête avec une patience et une bienveillance toute particulière. Louis IX en convient et, quelques semaines plus tard, il n'oubliera pas cette péripétie lorsqu'il s'attachera à réformer son administration, mise à mal par Blanche de Castille et ses conseillers [94].

Au cours de la période la plus douloureuse de son existence, le roi a donc accepté des conseils. Joinville corrige ainsi l'impression qu'il donne parfois d'un roi indifférent envers les siens et entêté.

Les informations précises et familières sur une famille royale sont rares au Moyen Age. Pour le couple royal, nous n'en avons en abondance que pendant ces six années de voyage outre-mer. C'est une aubaine de disposer d'un témoin tel que Joinville qui nous fait vivre près du roi et de la reine.

Marguerite de Provence se montre très attentive envers ses enfants et son mari. Pendant le voyage de retour, certains jours, il lui faut beaucoup de patience car le roi, très éprouvé dans sa santé et par les événements, se voit entraîné vers une vie spirituelle plus intense qui modifie son point de vue sur bien des choses. Elle observe avec étonnement cette mutation et en arrive à trouver son mari instable. Elle ne le comprend pas toujours, craint ses réactions brutales, mais son amour l'incite à éviter les occasions de le heurter et de lui donner ainsi l'occasion de se montrer peu compréhensif envers elle et ses enfants. Parfois même, elle ne sait plus quel comportement adopter envers cet époux qui souffre tant. Les compagnons du roi adoptent la même attitude, s'efforçant d'éviter de l'inquiéter en vain.

Il n'est guère que Joinville qui, selon ses dires, ose le contrarier de temps en temps. Mais nous savons qu'il se donne volontiers le beau rôle. Lorsqu'il déclare se tenir en retrait, en particulier quand il prévoit ou craint une querelle entre le roi et la reine, c'est bien parce qu'il pressent que quelque chose de décisif se produit entre eux. Il fait montre alors d'une certaine délicatesse et d'une véritable compréhension de la psychologie des partenaires royaux. Cette intuition et cette manière de procéder par allusion nous rassurent sur la valeur de son témoignage. On regrette le départ de ce brillant chroniqueur quand il quitte le roi à Beaucaire afin de remonter la vallée du Rhône et de la Saône pour s'en retourner dans sa Champagne.

Joinville ne précise pas quand il se sépare de la reine Marguerite et de sa suite. Il ne revoit plus guère ensuite le couple royal car il reste sur ses terres qu'il trouve fort dégradées à son retour et qu'il doit défendre sans relâche contre ses voisins les administrateurs royaux. Il revient certainement à la cour en 1267 quand le roi veut l'entraîner dans une nouvelle croisade. Joinville refuse. Il insiste avec raison sur la période pendant laquelle il a vécu près du couple royal de 1248 à 1254, et signale brièvement les événements de 1254 à 1270, qu'il n'a pas vécu personnellement. Ce qui ne l'empêche pas de donner encore quelques savoureux détails sur les époux royaux, d'autres sources permettent de compléter le tableau.

CHAPITRE VI

LE COUPLE ROYAL EN SA MATURITÉ

Les couples du XIIIᵉ siècle

L'étude des rapports de l'homme et de la femme, celle de la sexualité, du mariage et de la condition féminine ont désormais droit de cité dans l'histoire. La vive lumière qu'apporte sur ces questions l'illustre couple formé par Marguerite de Provence et Louis IX présente quelque danger. Couple exemplaire, oui, mais ce « modèle » est-il un idéal quasi unique ou connaît-il de nombreuses imitations? Bien entendu, les difficultés, les incompréhensions, parfois même de réelles divergences, ne furent pas épargnées au couple royal. Elles ne les ont cependant pas séparés.

Si l'on regarde le XIIIᵉ siècle à travers l'union de Saint Louis et de Marguerite de Provence et à travers leur entourage, on découvre alors le couple monogamique glorifié. Il l'est d'autant plus que des sources littéraires liées à quelques lignages nobiliaires et à un certain nombre de sermons donnaient du XIIᵉ siècle une image assez perverse : mariages désunis, triomphe d'une sexualité débridée, du concubinage ou du mariage à la danoise avec une épouse légitime et une autre qui ne l'était pas. G. Duby a cependant précisé que le mariage monogamique était déjà répandu dans le peuple avant le XIIᵉ siècle. Qu'en était-il dans l'aristocratie? J. Leclercq cite des moines cisterciens, souvent d'origine noble, qui glorifiaient l'amour conjugal dont ils avaient rencontré bien des

exemples avant d'entrer au monastère à l'âge adulte. Les œuvres de
saint Bernard et de ses disciples livrent ainsi une haute réflexion
sur l'amour humain vu à la lumière de la Bible, surtout du
Nouveau Testament. Des sermons et d'autres écrits en véhiculent
les principaux aspects. Le XIIᵉ siècle a donc connu d'authentiques
couples chrétiens, même dans l'aristocratie. Mais, dans ces
milieux, le mariage « institution », tel que le souhaitait l'Eglise,
rencontrait un obstacle de taille : les empêchements de mariage liés
à la consanguinité remontaient au septième degré, c'est-à-dire qu'il
fallait presque deux siècles pour ne pas risquer d'avoir un ancêtre
commun. En ces temps où l'écrit était rare, c'était souvent une
cause d'annulation du mariage puisque la dispense préalable
n'avait pas été demandée. Ainsi se trouvait contrée l'Eglise qui
avait décidé que l'engagement des époux se ferait devant le prêtre
car l'expérience lui avait appris que la promesse faite devant des
parents, un échevinage ou un notaire, dans le Latium du XIᵉ siècle
— comme le soulignait P. Toubert —, pouvait trop aisément être
remise en question.

L'échec de bien des couples montre aux hommes d'Eglise qu'ils
doivent donner davantage de souplesse aux interdictions de
mariage. G. Duby a éclairé le rôle du concile de Latran, en 1215,
qui limita l'empêchement de mariage pour cause de consanguinité
au cinquième degré et permit ainsi de renforcer le mariage
chrétien. Le pape Innocent III a donné une solidité plus grande au
mariage et, par là même, sauvegardé les droits de l'épouse — qu'il
était si facile de répudier auparavant — et ceux des enfants. S'il n'a
pas cédé aux rigoristes qui n'hésitaient pas à découvrir l'inceste
jusque dans un lointain cousinage, il n'a cependant pas voulu
réduire l'interdit à sa plus simple expression en se contentant de
s'opposer au mariage entre frère et sœur et a maintenu l'empêchement jusqu'aux unions entre des cousins dont les parents descen-
daient des mêmes arrière-arrière-grands-parents, non par respect
d'un quelconque tabou, mais bien parce que l'Eglise, qui s'estimait
responsable du devenir de l'être humain, ne pouvait rejeter une
expérience multimillénaire. (Les découvertes génétiques ne font
d'ailleurs que ratifier cet empirisme ancestral.) Innocent III s'en
tint à une position prudente, quitte à l'assortir de dispenses à partir

de la parenté du second degré, ce qui permit d'arranger des cas particuliers et de permettre des unions entre des familles régnantes dont les souches s'entrecroisaient.

Ici se pose l'une des questions fondamentales de l'histoire des couples du XIIIe siècle. Le concile de Latran en a clarifié les données, mais a-t-il provoqué une rupture radicale entre deux versants de l'histoire des relations entre l'homme et la femme ? Le contraste est-il total entre la période antérieure qui n'aurait guère rencontré que des unions instables et celle qui suit avec des couples solides ? La tentation est grande de s'emparer de l'exemple de conjoints tels que Louis IX et Marguerite pour décider que le XIIIe siècle voyait enfin la glorification du mariage monogamique ! Ce serait oublier que bien des couples ont connu l'échec et que Saint Louis éloignait de sa cour les épouses adultères. Le XIIIe siècle n'ignore pas le péché de chair.

D'autres témoignages prouvent que des contemporains de Marguerite de Provence n'éprouvent aucun enthousiasme pour le succès franc et décisif du couple tel que le voulait l'Eglise. Certaines œuvres littéraires en sont un exemple éclatant. Certes la littérature se soumet souvent à la mode et au snobisme. On ne peut cependant négliger que certains écrits vont à contre-courant de l'opinion jugée dominante. Ce XIIIe siècle, que l'on estime si beau et irréprochable, n'en a pas moins donné naissance à des œuvres d'un naturalisme très cru qui se manifeste par de vrais défis contre le mariage institutionnel. Il suffit de citer le second *Roman de la Rose*, celui de Jean de Meung. Mieux encore, de savants professeurs parisiens prennent le relais d'hommes et de femmes moins cultivés du XIIe siècle. Citons les averroïstes d'une manière générale et, en particulier, Amaury de Bène et ses disciples du début du XIIIe siècle et Siger de Brabant vers 1250 qui en font l'une des conclusions de leur panthéisme et de leur réflexion philosophique sur l'absence de liberté personnelle.

Le souci de la vérité historique interdit de laisser dans la pénombre de tels faits. Découvrir des défauts et des vices au siècle de Saint Louis ne le rend pas incohérent. Ce n'est pas parce qu'un prince de l'Eglise de l'entourage royal, un abbé de la glorieuse abbaye de Saint-Denis, fut démis de sa charge pour avoir eu des relations coupables avec une dame mariée qu'il faut conclure que le XIIIᵉ siècle fut un siècle corrompu.

Faut-il donc renoncer à dépasser les cas particuliers ou se contenter du couple royal et de quelques autres de leur milieu pour affirmer le succès du mariage chrétien ? Par bonheur, les dossiers ne manquent pas qui permettent de déceler si le concile de Latran a bien été la ligne de crête qui séparerait les temps où l'Eglise luttait avec peine en faveur de la monogamie et celui qui en voit le triomphe. Encore faudrait-il des dizaines d'années pour étudier les sources sur les lignages, les procès d'annulation de mariages, les testaments, les partages, les ventes de fiefs et leurs inventaires. Sans attendre, l'on se doit de satisfaire autant que possible de légitimes curiosités. Si le couple royal est l'un des exemples les plus achevés du mariage monogamique et du respect de la femme, s'il est le mieux connu de tous, on peut affirmer qu'il est loin d'être le seul. Ils n'ont pas été inutiles, ces efforts multiséculaires de l'Eglise pour rendre l'union des couples conforme à l'Evangile, après une longue patience marquée par des phases de tolérance que d'aucuns pourraient considérer comme étrangement laxistes. Ces efforts aident à valoriser la femme par le cheminement de l'amour courtois qui, quoi qu'on en dise, est issu de la valeur reconnue par le christianisme à toute personne humaine, donc à la femme. Dans cette quête vers la perfection, le rôle du concile de Latran ne peut être négligé.

Dans le lignage capétien tous les cas de figure se rencontrent. Bien entendu Philippe Auguste, qui fut longtemps bigame, eut une maîtresse plus ou moins officielle et sans doute d'autres aventures féminines, ne connaissait que le mariage antérieur au concile de Latran, au moins jusqu'en 1215, mais son fils Louis VIII avait épousé Blanche de Castille avant cette date, ce qui ne l'empêcha pas de former avec elle un couple exemplaire. A l'autre bout de la chaîne, peu après 1300, une petite-fille de Saint Louis et de Marguerite de Provence, Marguerite de Bourgogne, épouse de Louis X le Hutin qui allait devenir roi de France, se préoccupe, avec son amant, aussi peu de la morale conjugale qu'Almodis, sa lointaine ancêtre du XIᵉ siècle. A l'opposé prennent rang, parmi ceux ou celles qui ont suivi les préceptes évangéliques dans leur vie matrimoniale, les enfants de Louis IX et de la reine Marguerite de Provence, bien que certains de ses contemporains aient accusé Philippe III d'homosexualité. Il semble cependant que sa vie conjugale ait été irréprochable.

La comparaison des couples des filles de Raimond Bérenger et de Béatrice de Savoie n'est pas sans intérêt. Les deux aînées, Marguerite et Eléonore, avec trente-cinq ans de mariage, ont vécu plus longtemps avec leur époux que Sanchie et Béatrice dont le mariage n'a duré qu'une vingtaine d'années environ. Quant à la solidité du couple, la plus mal lotie fut Sanchie, non parce qu'elle avait épousé un veuf, Richard de Cornouailles, mais bien parce que son mari avait une maîtresse (ou plusieurs ?) et trois bâtards qu'il a fait légitimer. Il serait étonnant qu'elle n'ait pas regardé avec quelque envie ses sœurs que de tels soucis épargnaient. De son union, qui a duré dix-huit ans, elle a eu deux enfants : le premier, né en juillet 1246, meurt le 15 août suivant et le second, Edmond, qui voit le jour en 1250, disparaît en 1300.

Le couple de Béatrice et de Charles d'Anjou a duré vingt ans. Même si son mari était fantasque, ambitieux, porté vers l'aventure et d'une piété excessive, Béatrice n'a pas eu à supporter d'incartades de sa part. Ce ménage modèle a eu six enfants, trois fils et trois filles. Charles II le Boiteux succède à son père comme roi de Sicile de 1285 à 1309, son frère Philippe meurt en 1277, tandis que le plus jeune, Robert, disparaît en 1266, l'année de la mort de sa mère. Blanche épouse Robert de Béthune, comte de Flandre, Béatrice s'unit à Philippe de Courtenay et Isabelle devient reine par son mariage avec Ladislas, roi de Hongrie. Deux ans après le décès de son épouse, Charles d'Anjou se remarie avec Marguerite, comtesse de Tonnerre, fille d'Eudes, duc de Bourgogne, mais il n'eut pas d'enfants de ce second mariage.

Le couple que forment Eléonore et Henri III est le plus original : le mari était faible et l'épouse énergique, autoritaire, ce qui lui permit de sauver le trône de son mari. Ménage dépensier, ils avaient au moins en commun ce goût prononcé pour les fêtes et les cadeaux. Parmi les époux des filles de Raimond Bérenger, Henri III était le seul à n'avoir pas participé à une croisade. Richard de Cornouailles avait été un valeureux croisé en 1239. Il avait même, grâce à ses talents de négociateur, sauvé une malheureuse expédition de barons français qui accompagnaient Thibaud de Champagne. Quant à Charles d'Anjou, on a vu qu'il était présent à la croisade de Saint Louis en 1248. Mais le roi d'Angleterre a été fidèle à sa femme. Mathieu Paris souligne aussi que sa piété était plus grande que celle du roi de France et qu'il assistait à davantage de messes quotidiennes que lui. Henri III et Eléonore eurent cinq enfants, deux fils et trois filles : Edouard, né en 1238, qui devint roi d'Angleterre, Edmond, duc de Lancastre, né le 16 janvier 1239, Béatrice, née à Bordeaux en 1242 qui épousa Jean de Dreux, comte de Bretagne, et Marguerite qui vit le jour le 25 novembre 1253 et ne vécut que quelques mois [95].

Marguerite était-elle belle ?

Ne point évoquer le physique de Marguerite serait esquiver une difficulté, puisque nous ne connaissons pas les canons de la beauté féminine de l'époque alors que la description que nous a faite Fra Salimbene de Louis IX en 1248 (svelte, élancé) et la régularité des traits du Bon Dieu de Reims permettent une approche plus sûre de la beauté masculine. Cette incertitude, jointe à une certaine insuffisance des recherches esthétiques et à la très grande diversité des représentations, tendrait peut-être à suggérer qu'il n'y avait pas de critères stricts pour juger de la beauté d'une femme au XIIIe siècle, ce qui correspondrait à la tradition courtoise qui se faisait un devoir d'admirer toute dame et toute jeune fille.

Ce que nous savons de la mode féminine qui se modifie en gros à chaque génération à partir du siècle de Saint Louis — et peut-être d'ailleurs sous l'influence de la cour de France, donc de Marguerite de Provence — ferait conclure aussi à un certain refus de l'uniformité de la beauté de la femme. Ainsi s'expliquerait mieux l'avalanche de louanges. Les filles de Raimond Béranger et leur mère Béatrice de Savoie qui, la quarantaine venue, attirait encore le regard des hommes. Ses filles présenteraient un type de beauté inconnu ou peu connu encore dans les cours septentrionales.

Les textes de l'époque soulignent à l'envi que Marguerite et ses sœurs étaient belles, mais ils ne nous donnent pas de détails. Etait-ce le même type de beauté pour les quatre ? Nous ne pouvons admettre que ce soit là uniquement clause de style car le XIIIᵉ siècle savait ce qu'était la beauté. On en veut pour seule preuve tant d'édifices de l'art que nous appelons si tristement gothique et que les contemporains de Saint Louis désignaient comme « l'œuvre française ». Ce siècle, comme le Moyen Age en général, n'était pas pudibond et ne considérait pas comme un péché le seul fait d'admirer la beauté féminine. Citons même Alain de Lille, un savant professeur parisien, qui devint ensuite moine cistercien. Il affirmait qu'une pénitence moins rigoureuse devait être exigée pour un homme qui aurait péché avec une jolie femme.

Il reste que nous pouvons avoir quelque regret d'ignorer même si Marguerite de Provence était brune ou blonde. On est plus démuni que pour Blanche de Castille qui est dite « castillane », ce qui signifie que ses cheveux étaient de couleur très sombre. Pour sa belle-fille, nous ne disposons pas de portrait indiscutable, même pas d'une description aussi précise que celle de Fra Salimbene en 1248. Saint Louis était de grande taille, mince, c'est certain, et l'on peut supposer que son épouse était plus petite, mais on ne peut induire de ce texte du frère franciscain que les formes de Marguerite étaient assez enrobées.

On ne tentera pas le vain exercice de brosser le portrait de l'épouse de Louis IX comme le firent les historiens du passé qui accomplissaient ainsi une prouesse artificielle. On sait en revanche qu'elle était vive, charmante, gaie et rieuse à l'ordinaire, piquante quand il le faut, fidèle en amitié, étonnée, sinon naïve parfois, sensible, triste à l'occasion, d'une intelligence que l'on qualifierait volontiers de moyenne, cependant très intuitive et fine et, lorsque la situation l'exigeait, tenace, courageuse, forte. La beauté n'était pas sa seule qualité[96].

Louis IX a une épouse digne de lui. Tendre épouse — ce qui n'exclut pas des sautes d'humeur —, mère attentive, elle tient avec dignité son rôle de reine.

De la difficulté de vivre avec un époux en marche vers la sainteté

Soucieuse de ne pas froisser son royal mari, la reine Marguerite est pleine d'attentions envers lui. Il est si instable, si « changeant », sur la nef qui le ramène en son royaume après six ans d'absence. Son intuition de femme amoureuse lui fait deviner que de profonds changements sont en train de se produire en lui. Elle n'en connaît pas l'issue mais, sur le moment, s'efforce de ne pas le troubler davantage. Elle ne veut pas lui donner l'occasion de se montrer peu compréhensif ou même injuste et brutal. Le courroux violent du roi contre son vieil écuyer, qui tardait à lui avancer son cheval sur la plage de débarquement d'Hyères, est une nouvelle manifestation des difficultés qu'éprouve le roi à se dominer.

Marguerite de Provence doit faire face à une situation nouvelle et complexe. Jusqu'à la croisade, elle n'avait vécu que l'expérience relativement commune — mis à part son rôle de reine — d'une épouse tendrement aimée en rivalité de plus en plus accentuée avec une belle-mère abusive. Mais, dès le voyage de retour et dans les premiers temps qui suivent, elle se trouve placée dans une position que peu de femmes ont connue : son époux, jusqu'alors assez bon chrétien certes, mais d'une piété conforme à l'esprit du temps, se voit entraîné sur les âpres sentiers de la sainteté.

Telle est l'expérience qu'un très petit nombre de couples ont vécue. Quand cela se produit, la solution « classique » est la suivante : dès que les enfants sont élevés, les époux se séparent et chacun entre dans un couvent. Selon une chronique anonyme de Saint-Denis, Louis IX aurait été tenté de rester outre-mer, même comme prisonnier. Guillaume de Saint-Pathus, confesseur de la reine, affirme que, vers 1258, le roi, jugeant son fils aîné Louis en âge de régner, propose à son épouse de se séparer et d'entrer en religion. Marguerite lui démontre qu'il sera plus utile comme roi. Le confesseur du roi, Geoffroy de Beaulieu, donne plus de détails. Il situe aussi le débat vers 1258. Il précise que Louis IX, selon ses familiers, ne savait pas quel ordre il aurait choisi et qu'il aimait autant les disciples de saint Dominique que ceux de saint François d'Assise. Beaulieu ajoute que la reine a eu raison de le faire renoncer à son projet car le roi était indispensable à l'Eglise et au royaume. Marguerite a donc employé les arguments décisifs. Elle n'a d'ailleurs pas manqué de lui rappeler ses devoirs d'époux et de père. En désespoir de cause, ne se serait-elle pas contentée un jour de lui présenter ses enfants ? Elle n'accepte pas le projet de son mari qui, toujours selon Beaulieu, lui demande de n'en parler à personne. Marguerite n'a nulle intention d'entrer si tôt au couvent. Elle ne le fait qu'une trentaine d'années plus tard, quelques jours avant sa mort. Une nouvelle fois, elle défend ses droits d'épouse et de mère et, ce faisant, rend un service insigne au royaume et au roi. Jeune reine, n'avait-elle pas déjà incité son mari à s'imposer ?

Un autre dénouement était possible : les deux époux auraient pu vivre comme frère et sœur. Ils n'adoptent pas cette solution, sans que l'on sache si Louis IX avait proposé ce choix à la reine. Il a probablement estimé que cela aurait été au-dessus de ses forces. Sur ce point, aucun des deux époux, et encore moins leurs confesseurs respectifs, n'ont livré de confidences. Mais nous savons qu'en 1260 ils eurent un autre enfant, Agnès, la dernière de leur onze garçons et filles. Pourtant, l'Eglise n'a pas hésité à canoniser Louis IX, mort en état de mariage. Cette canonisation ne s'est pas faite seulement sous la poussée de la vénération populaire. Louis IX, l'un des rares hommes mariés à l'avoir emporté dans un long procès... Bien entendu, l'Eglise a porté beaucoup de veufs ou de veuves sur les autels et, parmi eux, certains avaient eu une vie dévergondée avant leur conversion mais ils avaient eu le temps de faire la preuve de leur détachement des plaisirs charnels avant leur mort. L'Eglise juge certes parfaitement légitime le plaisir de l'amour conjugal et, dès le XIIIe siècle, elle interdit aux confesseurs de poser aux époux des questions indiscrètes sur leurs rapports. Toutefois, pour juger de la perfection, l'Eglise se méfie quelque peu des hommes et des femmes morts avant leur conjoint car elle ne peut savoir si, dans la chambre conjugale, le candidat à la canonisation n'a pas été trop prisonnier de l'amour. Elle se demande toujours avec inquiétude si le degré de sainteté de l'époux — ou de l'épouse — permet un réel détachement intérieur et spirituel. Elle a passé outre pour Saint Louis et ce ne fut pas seulement pour faire plaisir aux Capétiens.

Marguerite de Provence n'a donc pas empêché Louis IX d'accéder à la sainteté, même si elle n'a pas pu ou pas voulu l'accompagner dans cette voie malaisée. Elle l'a cependant aidé dans deux domaines au moins : elle lui a rappelé qu'il devait rester roi, c'est-à-dire accomplir son « devoir d'état », condition indispensable pour être considéré comme un saint (dans le cas de Louis IX, renoncer à la royauté aurait été très mal considéré) ; en outre, elle ne lui a pas fait grief d'accéder à une vie spirituelle plus haute, à un mode de vie plus humble et plus charitable. Les deux époux ont su trouver les compromis qui laissaient à chacun la libre disposition de sa personnalité.

Considérons un instant cet époux tel que la croisade l'a transformé. Le fait d'avoir entraîné, par sa seule volonté, son royaume dans une longue aventure aurait pu le griser et lui donner la folle tentation d'un pouvoir sans frein. Au début de la croisade s'en décelaient quelques signes. Mais les échecs répétés ont contribué à lui faire percevoir ses limites. De plus, Louis IX perçoit mieux une réalité qu'il pressentait déjà avant son départ, celle d'un Etat dont les bases sont constituées par les sujets et, plus encore, par les auxiliaires directs du roi qui n'est que le détenteur momentané du pouvoir. En même temps, l'approfondissement de sa réflexion sur le christianisme convainc Louis IX qu'il est le capitaine chargé de diriger son peuple, ce qui le conduit à se considérer comme le vrai responsable de ce pouvoir qui lui est confié et l'amène ensuite à ne pas céder sur ce qu'il estime être la ligne de sa politique qu'il ne veut ni ne peut infléchir, fût-ce pour faire plaisir à son épouse. Pour le roi, les « serfs » sont ses frères et cette perception chrétienne de la dignité humaine le pousse davantage à considérer tous les habitants du royaume, grands compris, comme ses sujets. Il y découvre un argument supplémentaire pour faire plier les puissants, prélats, membres de la grande noblesse et « communes ».

Convaincu dès lors que son grand-père Philippe Auguste a eu raison de désigner, selon leur capacités, des conseillers de petite naissance, Louis IX choisit ses conseillers parmi des hommes tels que Pierre de Fontaine, Pierre de Villebéon, un diplomate, Guy Foulquoy, un légiste méridional. Il saura les soutenir quand les décisions qu'il prend, après les avoir entendus, contrarient sa femme ou son frère Alphonse de Poitiers.

Devenu chef d'Etat au plein sens du terme, le roi connaît aussi une grande transformation spirituelle. Il accède à la contemplation, à la vie mystique, est conduit à des expressions d'une vie caritative venue de très loin. Il se livre à des actes de charité qui dépassent l'entendement. Certes les hagiographes exagèrent quand ils l'admirent de donner aux pauvres, les jours de fête, les mêmes viandes et mets que ceux de la table royale. Cela prouve que, les autres jours, la viande de charité n'était pas aussi bonne que celle qu'il mangeait. Au contraire, quand il goûte ce que l'on donne aux mendiants, quand il découpe la viande destinée aux lépreux, il est digne d'admiration [97].

Les compromis indispensables à l'unité du couple royal

Faut-il voir, avec des auteurs contemporains, une mésentente dans le couple [98] ? A l'évidence, il y a eu des problèmes et même des scènes de ménage. Marguerite de Provence, qui admet certaines fantaisies de son époux, tolère mal les attitudes outrancières dans sa quête de la sainteté, surtout quand il veut l'entraîner à sa suite. Au moment où son époux se détermine dans son choix, elle juge le moment opportun de mettre les choses au point entre eux. Chacun se doit de respecter la voie choisie par l'autre. En ce qui concerne le roi, sa recherche d'une spiritualité plus haute ne l'a jamais conduit à se soumettre à l'Eglise sur le plan temporel. Malgré les réclamations épiscopales, il refuse de poursuivre les excommuniés pour des motifs autres que religieux. Il ne subordonne pas les exigences royales aux vues et aux pressions des hommes d'Eglise. Il reçoit un appui décisif de la part de la nouvelle théologie, celle des ordres mendiants, franciscain et dominicain, qui ne veulent réserver à l'Eglise que ses fonctions liées à la foi. A la différence de son grand-père, Philippe Auguste, Louis IX se montre déterminé dans l'affirmation de son autonomie politique car, dans son grand souci de justice comme dans sa vie privée et dans sa morale, il ne laisse aucune prise aux reproches de l'Eglise qui serait en mesure d'intervenir légitimement « en raison du péché ».

Ajoutons aussi que le roi devient plus tolérant à mesure qu'il progresse dans sa vie spirituelle. Ainsi, à partir de 1258, il veut rendre leurs biens à ceux qui ont été injustement spoliés dans le Midi. Il se rend compte aussi que la condamnation totale de la prostitution est impossible et il se contente d'établir des quartiers réservés, ce qui ne l'empêche pas d'exiger de fortes redevances de ceux qui continuent malgré tout à tenir une « maison » dans le centre des villes.

D'autres facteurs favorisèrent les compromis. La fidélité et son corollaire, l'unité du couple, prennent rang parmi eux. Louis IX et Marguerite avaient des exemples proches d'eux, ceux de leurs parents, Raimond Bérenger et Béatrice de Savoie, Blanche de Castille et Louis VIII. Ce dernier refusa peu avant sa mort le remède ancestral, biblique, l'union avec une jeune fille vierge que lui proposaient ses conseillers à Montpensier en novembre 1226. Cette preuve de fidélité est gravée dans les mémoires. On le voit à propos du péché mortel. Qui ne connaît la scène qu'a décrite Joinville ? Louis IX l'interroge :

« Or je vous demande ce que vous aimeriez mieux, ou d'être lépreux ou d'avoir fait un péché mortel ? »

Avec loyauté, le sénéchal de Champagne lui répond qu'il préférerait commettre trente péchés mortels plutôt que d'être lépreux. Le roi attend le départ des moines qui assistaient à l'entretien. Il lui reproche alors avec vivacité sa réponse et affirme qu'il est de beaucoup préférable d'avoir la lèpre. Mais qu'entend-on par péché mortel ? Selon Joinville et Geoffroy de Beaulieu, dernier confesseur de Louis IX, qui écrit sa *Vita... Ludovici* entre 1272 et 1275 et se trouve à l'évidence tenu à une certaine discrétion, la haine de son pénitent s'adresse à tout péché grave en général. Mais, pour Guillaume de Saint-Pathus, confesseur de la reine Marguerite — donc bien au courant des opinions de la famille royale — quand Blanche de Castille déclarait qu'elle préférait voir son fils mort plutôt que de le voir coupable d'un péché mortel, il s'agissait pour lui de choisir ou de refuser le remède légendaire de l'union avec une jeune fille vierge. A Louis IX, Blanche proposait donc son père comme modèle et préférait pour lui la mort de préférence à une guérison obtenue grâce à un procédé aussi coupable.

Qui a transmis la vérité? La reine Blanche avait conservé le souvenir de son mari qui lui transmettait la force de son exemple. Sous l'influence des théologiens de l'époque, Thomas d'Aquin par exemple, la famille capétienne ne s'en tient plus à cette position étroite et distingue mieux les diverses catégories de péchés mortels.

Blanche de Castille n'avait d'ailleurs rien à craindre quant à la fidélité réciproque des deux époux royaux. Ils font preuve d'une grande tendresse et de beaucoup de respect l'un envers l'autre. Marguerite de Provence, qui accueille volontiers autour d'elle les poètes courtois, ne veut cependant pas donner l'occasion du moindre ragot et interdit la présence à la cour d'un poète dont les vers trop enflammés risqueraient de laisser planer une interprétation équivoque. Les courtisans, si prompts à la flatterie comme à la médisance et à la calomnie, n'ont jamais risqué la moindre plaisanterie sur les mœurs de Marguerite — qui n'en était pas moins coquette.

Louis s'est également tenu sur ses gardes. Certes, il pardonne aux dames de sa cour le péché d'adultère et, après les avoir chassées, il leur permet de revenir dès qu'elles ont mis fin à leur liaison coupable, mais il se méfie des jolies dames de son entourage et, afin d'écarter toute possibilité de commentaires malveillants, conseille d'éviter toute familiarité de paroles ou de gestes qui risquerait d'être mal compris. En agissant ainsi, il ne se sert pas de sentences tirées de livres de morale mais tient des propos inspirés par sa propre expérience et celles de son entourage[99].

Le roi a donné à son épouse d'indiscutables témoignages de sa délicatesse. Elevé avec sévérité par sa mère, il avait encore subi à l'âge de douze ans la bastonnade que lui donnait son précepteur. Peu à peu, il s'éloigne des déformations possibles d'une éducation trop rude. Dominent enfin en lui les qualités de cœur, de charité et le respect des autres. Il en donne la preuve en diverses occasions. On répète à l'envi après Joinville qu'il suivait toutes les heures liturgiques, même celles de la nuit. Or Guillaume de Saint-Pathus, confesseur de la reine — donc au courant de la situation réelle —, prouve que le sénéchal de Champagne exagère. Saint-Pathus affirme que le roi se levait pour primes été comme hiver. Sauf s'il était avec sa femme : il ne voulait donc pas la réveiller à une heure incongrue ni l'incommoder par ses dévotions [100].

Malgré quelques malentendus, le couple royal surmonte ses difficultés. Louis accède à la vie contemplative tandis que Marguerite en reste à la bonne et naïve prière de son enfance. Sur ce point comme sur tant d'autres, la distorsion n'était cependant pas irrémédiable. Même à la fin de sa vie, le roi, à l'exemple de la plupart des théologiens de son siècle, ne dédaigne jamais les piétés des humbles ; il n'avait d'ailleurs pas rejeté certains éléments de la piété populaire, tel l'attachement aux reliques.

Tout cela n'a donc pas entraîné de crise majeure. Saint Louis retrouve vite son équilibre après son épreuve personnelle, aidé par son épouse. Décidée à ne rien abdiquer de ce qui lui est dû, elle contribue à trouver les compromis que le roi admet le plus souvent sans trop rechigner. Sauf sur la question de l'habillement. Sur ce point, Louis IX ne met pas en application les conseils qu'il donne aux autres. Il déclare que les maris doivent se bien vêtir afin que leurs femmes les aiment encore mieux. Il faut cependant regarder le juste milieu et n'en faire ni trop ni trop peu. Pourtant, dans la dernière partie de sa vie, il n'applique pas ces principes et s'habille comme un pauvre, ce qui déplaît fort à Marguerite. Elle se plaint. Son mari lui offre alors un marché. Il consent à se vêtir à nouveau d'habits précieux puisque l'homme doit faire plaisir à sa femme, mais il exige la réciprocité : son épouse doit s'habiller avec humilité puisque, à son tour, elle doit le contenter. Habituée dès l'enfance à se parer avec recherche, si soucieuse d'élégance et de distinction, la reine devine qu'une scène de ménage ne servirait de rien. Elle préfère en rester à la situation telle que l'a imposée son époux et ne lui fait plus aucune remarque sur sa tenue vestimentaire. Il garde ses habits d'humble condition tandis qu'elle continue à acheter de belles étoffes et de luxueuses fourrures et à ordonner à ses couturières de lui confectionner de belles robes [101].

Cette scène illustre à merveille la situation nouvelle du couple royal. Marguerite a obtenu que son époux observât l'essentiel du contrat de 1234 : il est resté auprès d'elle. A quel prix ? Elle a dû

faire un certain nombre de concessions. Jamais elle n'aurait pu
imaginer que son beau chevalier serait habillé pour le restant de ses
jours comme un homme de basse condition, ne porterait plus de
riches fourrures, de beaux tissus de couleur rouge vif, ne se
servirait plus d'étriers ni d'éperons dorés et qu'il opterait pour des
vêtements communs, des tissus bleu foncé, des fourrures de daim
ou de jambes de lièvre. Qu'il portât le cilice sous ses habits, soit,
mais qu'il se montrât avec un accoutrement déplaisant pour une
dame aussi distinguée et raffinée que Marguerite de Provence
dépassait l'entendement [102].

Malgré tout, elle a eu le grand mérite d'accepter. On la devine
même de plus en plus habituée aux fantaisies de son époux. Elle en
prend son parti et ne réagit plus guère à ce qu'elle considère avec
son entourage comme des excentricités. Nous la connaissions
comme une femme ardente, sensible, élégante. Nous la découvrons aussi merveilleusement équilibrée. Elle rend un éminent
service à son époux en ne l'imitant pas. Si la reine s'était vêtue
comme une personne d'humble condition, comme une servante, il
est certain que beaucoup à la cour auraient imité le couple royal.
Quel aurait alors été le prestige du roi de France dans cet Occident
dont il gère une partie des affaires ? Aurait-on continué à faire
appel à son arbitrage ?

Le couple et ses enfants

Saint Louis a adopté une attitude si prudente envers les femmes
de sa cour que l'on pourrait en conclure assez aisément qu'il se
méfie de lui-même et de sa fermeté. Etait-ce bien le cas ?
Examinons cette expérience que vivent le roi Louis et la reine
Marguerite, celle de la fidélité du couple dans une union à la fois
sensuelle et spirituelle, issue de l'influence chrétienne et prenant
parfois les chemins de l'amour courtois. Des textes souvent
occultés, oubliés parfois, ou, plus souvent, présentés d'une
manière très affaiblie et édulcorée existent. L'histoire peut-elle les
ignorer plus longtemps même s'ils semblent un peu crus ? Le XIIIᵉ
siècle n'a pas eu peur du corps. La reine Marguerite se baignait et

son mari aussi. Ce n'est qu'à l'extrême fin de sa vie que Saint Louis tient à se baigner seul pour que ses serviteurs ne le voient pas dévêtu. Il était bien de son siècle et ne se serait pas offusqué en apprenant que François d'Assise se jetait nu dans un buisson afin de calmer les ardeurs de son corps.

Sûre de son droit, confirmée dans sa décision par la certitude d'agir pour le bien du royaume et celui de ses enfants, la reine a refusé à son mari l'état monastique. Ils continuent de vivre comme mari et femme. Nous n'avons même pas la certitude que leurs rapports soient devenus moins fréquents après le retour de la croisade. Bien entendu, il y avait les périodes de continence, la nuit du jeudi au vendredi, le temps de Carême [103], qui constituaient le seul moyen qu'admettaient le roi et la reine pour restreindre un peu le rythme des naissances royales. Contrairement à ce qui s'écrit souvent, le Moyen Age n'ignorait pas la limitation des naissances, notamment dans les milieux éclairés de ce XIIIᵉ siècle. Les sœurs de Marguerite, qui ont été peu prolifiques, en offrent de probants exemples. Si le petit nombre des enfants de Sanchie et de Richard de Cornouailles (deux) tient peut-être au fait que l'époux était volage et qu'il s'absentait souvent ; si l'on peut expliquer qu'Eléonore et Henri III n'en aient eu que cinq parce qu'ils formaient un couple mal assorti où l'épouse, autoritaire, froide sans doute, dominait un mari incapable et faible, il en va différemment pour Béatrice et Charles d'Anjou, conjoints fidèles et pieux, qui eurent six enfants.

Le couple royal de France fut le plus fécond. Pourtant, Marguerite de Provence est loin d'avoir atteint les limites de la fécondité naturelle. On peut dire qu'elle n'a eu *que* onze enfants en trente-cinq ans de mariage ou, pour être plus précis, pendant la vingtaine d'années qui s'écoulent entre la naissance du premier (1240) et celle du dernier (1260), c'est-à-dire entre dix-neuf et trente-neuf ans.

Quoi qu'il en soit, l'observation de la continence n'est pas toujours chose aisée pour le roi. Deux témoignages assez étonnants nous éclairent sur ce point. Dans sa *Vie de Saint Louis*, Guillaume de Nangis, garde des archives de l'abbaye royale de Saint-Denis, écrit que les nuits où le roi avait décidé de ne pas « connaître » sa femme lui étaient pénibles. Afin d'apaiser les mouvements de son corps, « il se lève et marche à travers sa chambre jusqu'à ce que la rébellion de sa chair s'apaise ». Telle est la traduction littérale, précise, du texte latin original. La version française, qui est un peu plus tardive, mais date aussi du XIIIe siècle, se contente d'indiquer que le roi se levait, allait et venait dans sa chambre « tant qu'il était refroidi ». Il reste qu'avec de telles informations, nul ne peut suivre Le Nain de Tillemont quand il affirme que Saint Louis ne s'était marié que pour avoir des enfants [104]. Ceux qui ont vécu auprès du couple royal savaient combien sa vigueur amoureuse envers son épouse était grande et avec quelle impatience Marguerite l'attendait...

Le second témoignage est encore plus délicat à manier. Guillaume de Nangis révèle encore que le roi, qui, à la fin de sa vie, se confessait cependant tous les vendredis, cherchait parfois à recevoir le sacrement de pénitence au matin d'un autre jour de la semaine. Il était donc devenu scrupuleux et certains n'ont pas manqué d'affirmer que cela entravait son action politique et l'empêchait de défendre avec fermeté les droits de l'Etat et ceux du royaume. Toute l'activité de Louis IX dément cette interprétation et, par ailleurs, Nangis ajoute que le roi ne désirait se confesser le matin que si « quelque chose » lui survenait au cours de la nuit, ce qui exclut un remords concernant une décision politique. Pourquoi donc, à son réveil, cherchait-il son confesseur et, s'il ne le trouvait pas, s'adressait-il au premier chapelain rencontré ? Le chroniqueur laisse suffisamment entendre que les scrupules sont relatifs aux problèmes sexuels d'un homme vigoureux et puissant. Selon toute vraisemblance, le « quelque chose » qui peut lui survenir la nuit serait une « pollution » que le roi n'aurait pas maîtrisée et qu'il estimerait plus ou moins coupable [105].

Certaines attitudes du roi Louis s'expliquent mieux ainsi. Il veut autour de lui des gens honnêtes, il évite les familiarités et les conversations privées avec les femmes. Il leur demande de ne pas aguicher les hommes par leurs vêtements et par leur comportement. Il sait par expérience que la fidélité est un combat qui nécessite quelques protections. Il rappelle même un jour à une dame âgée qui continuait à jouer la coquette que la beauté de l'âme est plus digne d'être recherchée que celle du corps [106].

A vrai dire, mis à part la manière dont il se vêt et une extrême charité, Louis IX a mené la vie d'un roi, d'un époux et d'un père de famille. Néanmoins, à lire quelques biographes, il aurait passé tant d'heures à ses prières qu'il lui en restait bien peu pour régner [107]. Il n'en était rien. Guillaume de Saint-Pathus l'a déjà montré pour les prières de la nuit. Nous savons aussi que Saint Louis assistait à l'ordinaire à deux messes qui, célébrées le matin, étaient brèves. Quant à celle de midi, il ne s'y rendait que s'il en avait la possibilité [108]. Comme il n'était pas aussi confit en dévotion qu'on l'a affirmé, il a très bien pu remplir ses tâches royales et familiales de manière convenable.

Marguerite de Provence et Louis IX furent des parents attentifs. Les écrivains du temps insistent sur le rôle du père. La plupart décrivent le roi racontant à ses enfants l'histoire des bons rois et empereurs avant leur coucher. Il leur apprend aussi à prier. Ces chroniqueurs ne citent pas la reine en ces occasions. On connaît cependant sa présence calme et patiente, son profond attachement envers ses enfants. Son confesseur en donne une nouvelle preuve en révélant une anecdote lors du voyage de retour de Terre sainte. Joinville ne la signale pas et Saint-Pathus la raconte à la fin de son récit de la croisade sans préciser le moment où la scène a lieu. Toujours est-il que la reine lui raconte que, un jour où le navire royal se trouvait en grand péril, les nourrices l'interrogent :

« Madame, que ferons-nous de vos enfants ? Doit-on les éveiller et les lever ? »

La reine, qui désespère de leur vie et de la sienne, leur répond :

« Vous ne les éveillerez pas, vous ne les lèverez pas, mais vous les laisserez aller à Dieu en dormant. »

Plutôt que de les inquiéter, elle préfère les laisser dormir quitte à se priver de les embrasser une dernière fois. Elle se conduit comme une mère qui pense d'abord à ses enfants [109].

Les chroniqueurs nous apprennent aussi que les familles royales ou princières se réservaient des moments d'intimité. N'est-ce pas ce qui permit de confondre en 1226 l'imposteur qui se présentait comme Baudouin, comte de Flandre et de Hainaut, mort empereur de Constantinople en 1206, grâce à des faits seulement connus des enfants comtaux, Jeanne et Marguerite ? En outre, dans la famille royale de France, Marguerite se devait d'éviter les heurts, en particulier entre le père et ses fils. N'a-t-elle pas adouci certaines paroles du roi qui, par exemple, déclarait choisir comme successeur quelqu'un venu d'Ecosse qui prendrait soin de son peuple bien et loyalement, de préférence à son fils qui gouvernerait mal. Louis IX se grandissait par de tels propos, mais il devait être assez pénible à son héritier de les entendre. Enfin, puisque les sources sont muettes sur le rôle de Marguerite dans les soirées familiales, contentons-nous d'affirmer sans grand risque d'erreur qu'elle devait être au moins aussi attentive envers ses enfants qu'elle l'était à l'égard de son mari.

Avec ses onze enfants, le couple a eu ses joies et ses tristesses. Ces naissances ont rythmé la vie de leur foyer, le plus souvent de deux en deux ans. Si l'intervalle entre deux naissances se réduit une fois ou l'autre, un espacement ultérieur de trois ou quatre ans compense. Tandis qu'au début du siècle, dans la famille de Louis VIII et de Blanche de Castille comme dans celle de Raimond Bérenger et de Béatrice de Savoie, les enfants morts en bas âge n'étaient pas tous recensés, on en sait plus sur la progéniture du roi Louis et de la reine Marguerite. Leur fils Jean, né et mort en 1248, est connu. La marge d'incertitude se restreint fort et ne repose que sur la possibilité d'enfants morts-nés dont la naissance aurait précédé la naissance de la première fille en 1240 ou aurait suivi celle de la dernière en 1260. Ce ne sont là que des hypothèses car le nombre de chroniques consacrées au règne de Saint Louis est tel qu'il semble assez improbable que l'une d'elles n'ait pas fait allusion à un événement de ce genre s'il avait eu lieu.

Récapitulons ces naissances royales : Blanche naquit en 1240, Isabelle en 1242, Louis en 1244, Philippe en 1245, Jean en 1248, Jean-Tristan en 1250, Pierre en 1251, une seconde Blanche en 1253 (la première était décédée en 1243), Marguerite en 1254, Robert en 1256 et Agnès en 1260, soit six garçons et cinq filles.

Marguerite fut l'une des premières mères à expérimenter les progrès de l'obstétrique de l'école de médecine de Montpellier qui se signalent par une meilleure connaissance du bassin de la femme et par les débuts de l'utilisation d'instruments destinés à la dilatation du col. Elle a perdu un seul enfant peu après la naissance et il semble que, une fois au moins, elle ait été sauvée grâce aux nouvelles méthodes d'accouchement qui, il est vrai, l'auraient cruellement déchirée, ainsi qu'on l'a vu.

La famille royale avait à sa disposition plusieurs médecins, accoucheurs et chirurgiens de renom. Parmi ces derniers, citons Jean de Béthisy. Les comptabilités royales montrent qu'ils étaient fort bien payés. L'un des médecins du roi, Pierre Lombard, un Italien originaire de Crémone, achète des maisons et se livre à la spéculation immobilière. On assimile trop souvent chirurgien et barbier. Dans les petites villes et dans les médiocres cours seigneuriales, le barbier se charge des saignées et des menues opérations puisque, en principe, le médecin ne peut faire couler le sang. Mais la situation est bien différente à Paris avec son Hôtel-Dieu et, après la croisade, avec un hôpital comme celui des Quinze-Vingts spécialisé dans les maladies des yeux. Louis IX l'avait fondé à l'imitation des établissements hospitaliers byzantins et musulmans du bassin oriental de la Méditerranée qui comprenaient des services très spécialisés. Vers 1260, de véritables chirurgiens sont formés dans une école de chirurgie, le collège de Saint-Cosme, qui donne un indiscutable renom à ceux qui suivent les stages de l'Hôtel-Dieu. Des sages-femmes apprenaient aussi le métier dans un collège rattaché à celui de Saint-Cosme.

La famille de Marguerite de Provence et de Louis IX n'hésitait pas à faire appel aux médecins et chirurgiens les plus réputés. Ainsi, après son retour de la croisade, le frère du roi, Alphonse de Poitiers, atteint de paralysie, souffrait d'une grave maladie des yeux ; on recourut alors aux meilleurs spécialistes connus et l'on n'hésita pas à faire venir de très loin un ophtalmologiste juif dont la réputation était parvenue jusqu'à Paris [110].

La reine, on l'a dit, fut sauvée au moins une fois en couches [111] et les enfants bénéficiaient de meilleurs soins. Cela explique que deux de ses enfants seulement sont morts en bas âge : Blanche en 1243, à l'âge de trois ans et Jean, qui ne survécut pas un an, en 1248. Deux autres n'ont pas atteint l'âge de vingt ans : le fils aîné meurt en 1260 à l'âge de seize ans et Marguerite en 1277, à dix-sept ans. Sont morts avant la trentaine Jean-Tristan, né à Damiette en 1250 et disparu en 1270, quelques jours avant son père, et Isabelle qui, née en 1242, meurt en 1271, à l'âge de vingt-neuf ans. Philippe, le successeur de Louis IX sous le nom de Philippe III le Hardi, vit une quarantaine d'années (de 1245 à 1285) tandis que son frère Pierre n'atteint que trente-trois ans (de 1251 à 1284). Huit de ses enfants meurent donc avant la reine Marguerite, décédée en 1295. Trois autres héritent de sa robuste constitution et disparaissent longtemps après elle : Blanche, épouse de Ferdinand de Castille, s'éteint septuagénaire en 1323, tandis qu'Agnès, épouse de Robert de Bourgogne, atteint l'âge de soixante-sept ans (elle meurt en 1327) ; enfin Robert de Clermont, devenu souche de la branche des Capétiens-Bourbons après son mariage en 1277 avec Béatrice de Bourbon, s'éteint en 1318, à l'âge de soixante et un ans.

Aucun des enfants royaux n'a donc atteint l'âge de Marguerite, morte à soixante-quatorze ans. Trois d'entre eux ont été au moins sexagénaires ; ils contribuent à rehausser la moyenne de vie des enfants du couple royal (trente-huit ans contre vingt-trois pour ceux de Louis VIII et de Blanche de Castille). Sept enfants sur onze atteignent l'âge de vingt ans et cinq d'entre eux dépassent la trentaine, ce qui constitue une exception par rapport à la mortalité habituelle de ce temps où, de manière quasi générale, 50 % des enfants mouraient avant la vingtième année : dans le cas présent, le pourcentage n'est que 36 %. Sans contestation possible, les enfants de la reine Marguerite furent mieux soignés que d'autres.

Plusieurs fils de Blanche de Castille et de Louis VIII souffraient de fièvres violentes dès qu'ils abordaient les pays de la Loire, et ce fut le cas de Louis IX. Au contraire, les garçons nés de Marguerite de Provence n'auraient pas connu systématiquement ces inconvénients. L'hérédité transmise par la mère de Marguerite, Béatrice de Savoie, apporterait-elle cette solidité plus grande puisque Raimond Bérenger était issu de souches identiques à celles de Blanche de Castille ? Les preuves décisives manquent pour l'affirmer, mais nous avons la certitude que la génération capétienne de ce milieu et de la fin du xiiie siècle est beaucoup plus solide et résistante que la précédente et que la moyenne des lignages du temps.

Cette assez bonne santé des enfants de Louis IX et de

Marguerite de Provence n'exclut ni les peines ni les deuils. Depuis Ph. Ariès, on dit d'une manière assez générale que les parents ne pouvaient s'attacher aux jeunes enfants tellement leur chance de survie était faible. Toutefois, on ne s'est guère posé le cas de la disparition des adolescents qui avaient passé les caps les plus difficiles et qui approchaient du seuil décisif de la vingtième année. La plupart des maladies n'avaient-elles pas été surmontées et n'avaient-elles pas apporté une résistance immunitaire importante ? Les risques de mort par accident ou par la guerre n'étaient-ils pas faibles ? En raison de la forte mortalité infantile, la moyenne de vie admise à l'ordinaire pour ce siècle (vingt-quatre à vingt-huit ans) supposait que beaucoup atteignaient la cinquantaine et qu'un certain nombre la dépassait largement. Dans ces conditions, la perte d'un adolescent pouvait constituer une épreuve très pénible pour les parents.

Louis IX et Marguerite de Provence, que le décès de leur fils aîné Louis, âgé de seize ans, a fort affectés, en portent témoignage. Joinville signale que le prince avait souffert auparavant d'une très grave maladie alors qu'il séjournait à Fontainebleau. Sa disparition en janvier 1260 n'en est que plus pénible. La chronique anonyme de Reims associe l'affreuse douleur de Marguerite, enceinte une nouvelle fois, à celle de son mari. Si Joinville ne parle pas de la mort de l'adolescent, d'autres chroniques insistent sur l'immense chagrin du roi. Pour le consoler, son bibliothécaire et commensal, Vincent de Beauvais, un dominicain, compose un traité *De consolatione*, et son ami et conseiller Eudes Rigault, archevêque de Rouen, s'efforce aussi de l'apaiser. Le roi et la reine d'Angleterre qui, après avoir séjourné à Paris, s'en retournaient vers l'Angleterre, font demi-tour dès qu'ils apprennent la triste nouvelle et tiennent à assister aux funérailles. Ce jour-là, les grands du royaume portent le cercueil [112]. Des contemporains se sont étonnés de voir le roi Louis si désemparé alors qu'il se distinguait à l'ordinaire par sa fermeté et sa totale soumission à la volonté divine. Serait-il inconsolable parce qu'il perd son héritier, adolescent d'une grande valeur intellectuelle et morale, apte à gouverner ? Bon connaisseur des hommes et de leurs capacités, ne juge-t-il pas déjà que son fils cadet, Philippe, est un prince faible, futile, sans intelligence politique, sans grand ressort ni personnalité ? Aucun document ne l'atteste.

Les textes de la seconde moitié du XIIIe siècle mentionnent l'affliction des parents du jeune Louis, ce qui jette une certaine suspicion sur les théories à la mode relatives à l'indifférence parentale à cette époque. Ne seraient-elles pas liées à l'absence quasi générale de documents sur ce point ? Nous disposons d'un document, daté aussi de la fin du règne de Saint Louis, qui étonne davantage. Pierre de Fontaine, l'un des conseillers de la couronne que choisit le roi après 1254, examine le cas de l'infanticide et précise que, dans le doute, on ne doit jamais suspecter la mère d'avoir tué son bébé car il n'est pas permis d'oublier l'amour des parents pour leurs enfants. Ne faudrait-il pas suivre le prudent avis de ce froid spécialiste de la confrontation entre le droit romain et les coutumes septentrionales et ne pas préjuger à notre tour de l'absence systématique d'amour parental ?

Une grande prudence s'impose donc puisque les sentiments individuels, l'amour excepté, n'étaient pas des centres d'intérêt avant le XIIIe siècle et que les poètes novateurs n'ont eu partie gagnée à la cour royale et en ville qu'à la fin du règne de Saint Louis. Il reste néanmoins vrai que le nombre considérable d'enfants morts en bas âge suscitait chez les parents une indifférence toute relative, condition de leur propre survie. L'enquête n'est pas close et la situation est plus complexe qu'on ne l'affirme. L'attitude de Louis IX lors de la mort de sa mère était d'ailleurs plus conforme à ce que beaucoup prétendent être l'affectivité du temps. Quand il la pleure avec tant d'ostentation, ne déclare-t-il pas qu'il se doit d'agir ainsi puisque sa mère lui a donné la vie ? A vrai dire, la douleur que le roi et la reine de France éprouvent lors du décès de leur fils aîné dérange bien des conceptions[113].

Dans bien des domaines — vie littéraire, coutumes vestimentaires —, le couple royal donne le ton. Serait-il aussi à l'avant-garde en ce qui concerne les rapports affectifs avec les enfants ? Si la documentation générale est trop maigre pour appuyer telle affirmation, les sources abondent sur d'autres aspects de la vie du couple et montrent, en particulier, qu'il s'insérait bien dans son temps. Une question assez semblable se pose quant à la place de la reine Marguerite dans la cour royale. Sa vie permet-elle d'éclairer la condition féminine du siècle ?

CHAPITRE VII

MARGUERITE DE PROVENCE
ET LA COUR DE LOUIS IX
APRÈS 1254

Une reine effacée ?

Les potins qui nous parviennent de la cour concernent presque tous Saint Louis puisque les chroniques officielles ont pour objet son activité gouvernementale et que les hagiographes traitent de sa sainteté. Nous avons déjà vu que, jusqu'au retour de la croisade, la reine savait attendre patiemment son heure pour imposer son point de vue et qu'elle ne risquait pas une action prématurée et intempestive tant qu'elle n'avait pas tous les atouts en main. Se serait-elle donc effacée brutalement ensuite comme le laisseraient entendre les chroniques de la fin du règne ? N'oublions pas que notre grand informateur sur la reine, Joinville, ne vit plus auprès du couple royal. Certains documents — puisés dans les archives de l'Etat, les comptabilités royales et sa correspondance — contredisent d'ailleurs ce retrait de Marguerite de Provence.

Les privilèges papaux témoignent suffisamment de la haute situation de l'épouse du roi. Ils montrent aussi que l'unité du couple, tant désirée par l'Eglise, entraîne des conséquences que celle-ci n'avait pas prévues. Le roi de France tient à ce que sa femme ne puisse être interdite ou excommuniée par les évêques du royaume sans l'accord du Saint-Siège. Si la menace d'une condamnation ecclésiastique planait sur son épouse, le roi aurait récupéré avec beaucoup plus de difficultés les droits de l'Etat que possédaient les Eglises de France. De Naples, le 25 avril 1255, le pape

Alexandre IV accorde donc à Louis et Marguerite de ne pouvoir être excommuniés sans une licence spéciale du souverain pontife. Le 20 mars 1256, il les autorise même à « communiquer » avec les hérétiques sans encourir de condamnation. Il tient à ce que le roi et la reine aient les coudées franches dans leurs relations politiques. Il leur permet aussi de participer aux offices religieux dans les lieux « interdits » c'est-à-dire dans les églises où les messes sont interdites par l'évêché. Des privilèges divers, enregistrés dans les archives officielles du royaume, associent Marguerite de Provence à son époux. Ainsi, le pape Alexandre IV accorde en 1255 cent jours d'indulgence au roi, à la reine et à leurs enfants quand ils participent aux offices ; en 1259, l'évêque de Cahors promet une somme de quatre livres pour que des prières soient dites en faveur des deux conjoints royaux après leur décès ; en 1265, le prieur de l'ordre des ermites de Saint-Augustin s'engage à prier pour eux et pour Alphonse de Poitiers [114].

Pour sa part, Louis IX veut éviter à son épouse tout souci matériel après sa disparition. Il prend grand soin de son douaire qui subit plusieurs transformations. En 1246, il attribue à son frère Charles des domaines cédés à Marguerite en 1234 : Le Mans, le château de Mortagne et leurs dépendances. En compensation, il assigne à la reine le douaire d'Ingeburge : Orléans, Châteauneuf, Chécy et Neaulphe « comme Ingeburge les avait » (sauf Cléry) tout en maintenant les droits habituels du roi, telle l'autorisation pour les ventes. Louis IX ne pouvait offrir moins à sa femme qu'il n'avait accordé à sa mère, et il avait prévu que s'il plaisait à la reine Marguerite d'échanger ses châtellenies et seigneuries contre d'autres plus proches de Paris, elle en aurait la possibilité. Elle ne manque pas d'en profiter après avoir obtenu en supplément Corbeil et Melun en 1248. Un vaste échange se décide en juin 1260 avec l'accord « de Philippe, notre fils aîné qui est vivant », cruel rappel du jeune Louis décédé en janvier de la même année. Désormais, Marguerite de Provence a la promesse de jouissance d'une grande partie de l'ancien douaire de Blanche de Castille avec Corbeil, Melun, Meulan, Vernon, Pontoise et leurs environs ainsi qu'Asnières et son « parc », Dourdan avec ses bois, Etampes, La Ferté-Alais et Poissy. Le roi souligne que la reine, mise en possession de son douaire après sa mort, ne peut donner aux Eglises qu'après une confirmation royale et qu'elle ne peut procéder aux ventes sans l'autorisation royale et le paiement des taxes de mutation. Ainsi les droits du roi sont-ils sauvegardés tandis que la reine est à même de disposer de domaines qui présentent le grand avantage de ne pas être trop éloignés de Paris. On le voit, Louis IX fait grand cas des désirs de son épouse et de ses commodités ; il a même la délicatesse de lui proposer le château de Pontoise, souvenir de leurs jeunes amours [115].

Marguerite de Provence occupe une place encore plus éminente dans les contrats de mariage de ses enfants. Les documents que nous possédons la montrent toujours à égalité avec son époux.

Joinville précise dans quelles conditions Isabelle, la fille aînée du roi et de la reine épousa en 1255 Thibaut V, comte de Champagne et roi de Navarre. Celui-ci l'avait demandée à Louis IX qui lui répondit qu'il devait au préalable faire la paix avec le comte Jean de Bretagne. Thibaut s'empressa de conclure un accord avec son adversaire et les noces se célébrèrent à Melun au milieu de grandes festivités. Le nouvel époux mena ensuite sa jeune femme à Provins où l'on procéda à l'entrée solennelle dans la ville [116].

En cette même année 1255, le 20 août, à Paris, une convention fut rédigée en vue du mariage entre le jeune prince Louis, alors âgé de onze ans, et Bérengère, fille du roi Alphonse de Castille, représentée par son frère Sanche, évêque élu de Tolède, devenu son procureur pour l'occasion. La mort du jeune prince en 1260 mit un terme à ce projet [117].

En 1257, le roi de France avait envisagé le mariage de sa toute petite Marguerite, âgée de deux ans. Un lettre d'Henri, duc de Lotharingie et de Brabant, au sujet du mariage de son fils Henri avec la très jeune princesse révélait que Louis IX lui attribuait 5 000 livres à l'occasion de ce lointain projet qui n'aboutit d'ailleurs pas. On peut être surpris de voir disposer d'une manière si précoce de la destinée d'une toute petite fille, d'autant plus que ce mariage camouflait bien mal un don d'argent. Louis IX désirait avantager cet allié traditionnel de la France dans le Bassin scaldien et n'hésite pas à accroître ou à maintenir dans les régions septentrionales les membres du « parti français » par ce qui peut apparaître comme un achat de conscience. Louis IX a la certitude d'accomplir sa tâche de roi et n'a aucun scrupule à procéder de la sorte.

On ne relève aucune trace de protestation de la mère. Faut-il s'en étonner ? Le roi et la reine de France ont été élevés dans la conviction qu'eux et leurs enfants étaient liés au destin du royaume et que du choix des conjoints dépendait l'intérêt général. Disposer d'un enfant de deux ans reste néanmoins choquant et peu courant pour l'époque : on attend d'ordinaire la période de l'adolescence avant d'entamer les négociations. Ce manquement à la coutume supposait qu'une extrême urgence commandât. Le roi de France voulait en effet un allié sûr pour faire respecter son « dit de Péronne » de 1256, qui maintenait la séparation de la Flandre et du Hainaut, et avoir à ses côtés un prince capable de le bien renseigner sur l'élection (prévue en 1257) du nouveau roi des Romains, c'est-à-dire du futur empereur. En ces circonstances, acheter le duc de Brabant ne lui sembla pas suffisant. Jointe à cet investissement politique que représente l'attribution des 5 000 livres, la promesse d'une union matrimoniale lui paraît le moyen le plus adéquat de parvenir à ses fins. Le souci des intérêts du royaume expliquerait donc cet engagement précoce d'un très jeune enfant mais constitue-t-il une véritable excuse, au moins pour nos mentalités contemporaines [118] ?

Les mariages suivants respectent davantage la coutume. Quand Philippe atteint l'âge de treize ans, les tractations en vue d'une union avec Isabelle d'Aragon, fille du roi d'Aragon, commencent le 11 mars 1258. Le mariage est célébré en 1262. C'est aussi en 1258 que Jean-Tristan, qui n'a que huit ans, est fiancé à Yolande, comtesse et héritière de Nevers, Auxerre et Tonnerre. Il l'épouse en 1266 après avoir reçu en apanage le comté de Valois. Les deux derniers mariages des enfants du couple royal contractés avant la mort du roi se font en 1269 : Blanche épouse Ferdinand de la Cerda, héritier du royaume de Castille, et Marguerite, devenue enfin nubile, se marie avec Jean de Brabant, frère cadet d'Henri, son fiancé de 1256 qu'on avait écarté pour cause de dérangement mental [119].

Marguerite de Provence fut-elle la Marie-Antoinette du XIIIᵉ siècle ?

Les premières négociations en vue d'un mariage encore lointain, les fiançailles, les contrats et les cérémonies de mariage sont autant d'occasions de réceptions et de festivités. Le roi et la reine de France ont reçu le souverain d'Angleterre en 1259 avec un tel faste que les chroniques en ont transmis l'écho. Selon Joinville, lorsque le roi recevait des personnages de renom, il attendait avec patience que les musiciens aient fini de jouer de leur vielle : il se levait alors et ses chapelains récitaient les grâces.

Louis IX adoptait à l'ordinaire des attitudes simples et familières. Il s'asseyait auprès de son lit pour discuter avec des frères franciscains ou dominicains, au sujet d'un livre par exemple, mais il préférait en parler que de les entendre lire quelques passages car, disait-il, après le repas, il est bon de converser *ad libitum*, c'est-à-dire comme chacun l'entend et en toute liberté. Il invite aussi son fils Philippe à s'asseoir sur son banc. Si celui-ci, par respect, montre quelque réticence, son père insiste et le rappelle à l'obéissance[120].

Ces détails savoureux sur la vie quotidienne ne nous renseignent pas sur l'attitude de Marguerite de Provence. On la devine s'occupant de ses enfants, de son mari et de ses toilettes. Qu'en était-il de sa responsabilité dans le fonctionnement de l'Hôtel du roi et dans ce qui s'en distingue de plus en plus, l'Hôtel de la reine et celui des enfants royaux. Ces deux derniers ne disposaient pas encore d'une gestion complètement autonome, contrairement à l'Hôtel royal ; les comptes de la reine restent rattachés par ordre aux comptabilités des baillis et des prévôts jusqu'à la fin du règne. L'organisation de la maison royale était devenue très complexe. Les dépenses de l'Hôtel royal s'élèvent de 60 678 livres en 1252-1253 à 64 181 livres en 1256 pour atteindre 164 961 livres en 1289. Comme les comptabilités d'exercices complets intermédiaires ont disparu, nous ne pouvons attester des indications chiffrées connues que la croissance fut régulière à partir de 1256. C'est cependant l'hypothèse la plus probable, si l'on considère par exemple les longues et fabuleuses réceptions du roi et de la reine d'Angleterre en 1259.

Les tablettes de cire sur lesquelles le chambellan Jean Sarrasin enregistre les frais journaliers de l'Hôtel dans les années 1256-1257 signalent les fortes dépenses de personnel, estimé à près de cent personnes avec les chapelains, les clercs, les médecins, les chirurgiens, les comptables et les serviteurs. En 1291, le caissier de l'Hôtel rémunère officiellement 165 personnes auxquelles s'ajoutent un certain nombre de valets. Sous Philippe V (1316-1322), on dénombre 500 personnes dans l'Hôtel du roi et dans celui de la reine. On n'en était pas encore là au temps de Louis IX et de Marguerite de Provence, mais le fonctionnement des métiers ou services exigeait déjà un fort personnel. Au service de la paneterie, par exemple, travaillaient les panetiers, les responsables des nappes chargés aussi de dresser les tables, les lavandières ou blanchisseuses, le patissier et ses aides, etc. Dans celui de l'échansonnerie, les échansons, les bouteillers, responsables des « barils » et des celliers, les porte-barils, etc. Dans la fruiterie, les fruitiers, les valets de fruits et leurs aides. On choyait particulièrement la cuisine avec ses cuisiniers et leurs aides, comme les souffleurs chargés d'actionner le grand soufflet qui activait le foyer. Louis IX ne tient-il pas à donner l'équivalent d'une retraite à l'un de ses anciens souffleurs ?

L'écurie avec les écuyers, les maréchaux-ferrants qui servent aussi de vétérinaires, les valets de forge et d'écurie ainsi que la Chambre étaient à un niveau supérieur. La Chambre cesse même d'être un métier de l'Hôtel entre 1257 et 1261. Le service spécialisé dans l'achat de vêtements, de matériel et dans le paiement des frais qu'entraînaient les fêtes devient alors le sixième métier. Il reçoit parfois le nom de fourrière. L'argenterie, qui disposait d'ailleurs de lignes comptables autonomes dès le règne de Saint Louis, le prend finalement en charge. Désormais la Chambre ne s'intéresse plus à l'Hôtel qu'au niveau des résultats comptables d'ensemble qui sont loin d'occuper à plein temps son personnel de financiers de haut niveau. Elle sert de vivier où le roi puise ses comptables et ses administrateurs. Il les affecte à tel ou tel service central pour une durée plus ou moins longue.

On se ferait une fausse idée de cet Hôtel en l'imaginant limité au stade de l'humble réalité domestique. Bien entendu, c'est dans ce cadre que vivent le roi, la reine et leurs enfants, mais l'Hôtel sert aussi la souveraineté royale. Sans entrer ici dans le détail et sans oublier que Louis IX a refusé à la Chambre de devenir le principal organisme financier du royaume, il reste qu'il l'utilise pour suppléer aux services financiers embryonnaires de la *Curia* devenus par trop insuffisants, ce qui lui permet ainsi de donner moins d'importance au Trésor royal que gère le Temple. Dans le local de la caisse de l'Hôtel, des spécialistes des comptabilités et des finances royales exercent des fonctions nouvelles et indispensables de contrôle, parfois des perceptions de recettes et des assignations de dépenses que le pouvoir royal refuse de confier à la gestion bancaire des Templiers. L'examen des tablettes de cire de Jean Sarrasin en 1256-1257 apporte quelque lumière sur ce point. Les comptes journaliers enregistrent certes des rentrées et sorties d'argent indispensables à la vie quotidienne de l'Hôtel, encore que souvent soit seulement signalé le nom de celui qui reçoit ou paie sans préciser davantage l'objet de la recette ou de la dépense. Mais l'on repère aussi des « dons » en argent, des subventions aux nouveaux convertis, surtout des juifs et de rares musulmans qui se font baptiser, des mentions comptables relatives à des baillis ou à des maîtres des comptes du roi dont le rôle n'a, semble-t-il, rien à voir avec l'activité domestique. Le roi utilise donc parfois son Hôtel comme outil de gouvernement.

Dans ces conditions, il n'était pas question pour la reine de s'occuper de la gestion générale de l'Hôtel sans que l'on puisse découvrir dans cette exclusion une quelconque trace de méfiance de la part de son mari. S'occupait-elle même des menus de la table royale ? On peut en douter quand on voit le personnel spécialisé de la cuisine avec ses maîtres d'hôtel et ses cuisiniers bien payés. En revanche, elle choisit ses bijoux, fourrures, étoffes et s'occupe de ses toilettes avec les couturières. Le compte de 1248 mentionne même un couturier anglais. Sans nul doute Marguerite de Provence contribue-t-elle à développer l'élégance à la cour. Le roi donne des conseils de modération à sa fille Isabelle et aux dames de la cour : il faut s'habiller avec élégance, juste ce qu'il faut pour retenir le mari, mais pas trop afin de ne pas insulter les pauvres ni aguicher les hommes. Pensait-il alors à ses vains efforts pour restreindre les dépenses vestimentaires de son épouse et de son entourage ? A vrai dire, le roi se devait d'être indulgent. Avant 1248, n'avait-il pas recherché les beaux habits ? Joinville écrit que, en 1241, lors d'une grande réception à Saumur, le roi était revêtu d'une cotte en serge de soie bleue, d'un surcot et d'un manteau en serge de soie vermeille fourrée d'hermine, d'étoffes de grand luxe importées d'Orient et de fourrures de grand prix [121].

Les fragments de comptabilités royales générales après 1248 donnent quelques indications sur la gestion de l'Hôtel de la reine qui appartient au compte dit « des baillis et des prévôts » et, de ce fait, dépend du Trésor royal géré par le Temple qui avance l'argent nécessaire et en contrôle l'affectation. En 1261, pour un terme d'une durée de cent vingt-huit jours, Marguerite dépense pour son Hôtel 8 694 livres sur lesquels les frais de fonctionnement (gages, etc.) et de nourritures s'élèvent à 5 942 livres, soit 68,4 % du total, les aumônes à 538 livres, soit 6,18 %, les bijoux d'or et d'argent, les gemmes ou pierres précieuses à 359 livres, soit 4,12 %. Si l'on y ajoute les achats d'anneaux, de tissus de soie et d'or qui viennent d'outre-mer, de fourrures et même de pâtisseries, le tout pour 822 livres (9,45 %), on s'aperçoit que les dépenses de luxe de la reine s'élèvent à 1 081 livres, soit 13,57 % de l'ensemble. Le reste, soit 10 % environ, consiste en achats de costumes pour les valets (143 livres) et de vêtements pour l'épouse du roi, pour ses dames ou demoiselles d'honneur et pour les enfants royaux (393 livres) sans qu'il soit toujours possible de distinguer la part qui revient à Marguerite de Provence.

Le train de vie de la reine est grand. Est-il exagéré ? Les sources disparates n'offrent que la possibilité d'indications assez larges. Comme l'un des trois termes des comptes de la maison de Marguerite de Provence enregistre une dépense de 8 694 livres en 1261 et de 5 523 livres en 1269, les frais de l'Hôtel de la reine semblent donc varier entre 15 % et 30 % de ceux de l'Hôtel du roi, entre 1 % et 2 % de l'ensemble des ressources de la royauté et entre 2 % et 4 % des recettes régionales. Quant aux bijoux, la reine n'en achète plus, en 1269, que pour 80 livres, c'est-à-dire entre 0,006 %

et 0,026 % des recettes de l'Etat et 1,44 % des dépenses de son Hôtel.

Que faut-il en conclure ? La reine est dépensière, et quoi qu'il en soit, Louis IX n'a pas lésiné avec elle. On comprend que Rutebœuf, à la fois poète et vigoureux polémiste, ait lancé quelques piques contre les goûts somptuaires de Marguerite de Provence. Mais à mesure que la souveraineté royale s'affermissait, l'opinion publique, à la suite de l'Eglise, reconnaissait les droits de l'épouse et de la mère. Dans ces conditions, les dépenses de la maison de la reine ne dépassent pas la mesure et se justifient. N'oublions pas que la plus grosse partie des frais revient aux gages, à l'approvisionnement et aux vêtements. Au lieu d'affaiblir l'autorité de son mari, son riche train de vie a contribué au maintien de son prestige royal qui risquait fort d'être mis à mal par les excentricités d'un souverain dont la pauvreté vestimentaire était ostentatoire. Reste la question des bijoux. La reine les aime et ne s'en cache pas. Faut-il pour l'excuser suggérer que les familles régnantes du siècle considéraient aussi les achats de bijoux comme des investissements de précaution ? Ce serait trop facile. Cela dit, Marguerite de Provence ne peut cependant être comparée à Marie-Antoinette. Quand les circonstances l'exigent, elle restreint son train de vie sans se plaindre. Tandis que la fin du règne souffre de la crise économique et des lourdes dépenses engagées en vue de la croisade de Tunis, l'Hôtel de la reine, avec 5 523 livres de frais pour l'un des trois termes de 1269, s'en tient aux frais de fonctionnement indispensables et incompressibles. Ses achats de bijoux se réduisent à 80 livres, soit à 22 % des acquisitions d'un terme de 1261 et à 1,44 % des dépenses totales et ses autres emplettes somptuaires (fourrures, tissus coûteux) à 225 livres, soit à 4,07 % du total.

Quelques informations sur la vie quotidienne

Les comptes des Hôtels du roi et de la reine offrent quelques précieux renseignements sur la vie quotidienne. Le premier compte conservé, celui de 1233-1234, apporte souvent plus de détails que les suivants car la comptabilité se perfectionne ensuite à l'aide de nombreux comptes particuliers qui ont disparu. Le rôle des comptes généraux n'est pas de fournir des détails et les tablettes de cire qui enregistrent les dépenses journalières se contentent, en règle quasi générale, de signaler la sortie d'argent. D'autres documents suppléent parfois. Un bordereau accompagne les bijoux qu'Henri III, en grande difficulté avec ses barons, confie en 1261 à la reine de France. Il apparaît que les orfèvres diversifient leur production avec des fermoirs sertis de diamants. Au contraire, le harnachement des chevaux de selle semble n'avoir guère connu de transformations. En 1234, les emplettes concernaient des rênes, des sangles, des « supersangles » (sangles renforcées), des longes, des éperons, des étriers, des mors et des freins : cette distinction entre deux parties du mors signifiait sans doute qu'on ne remplaçait parfois que la partie usée au contact de la bouche du cheval. Les selles destinées à la reine se distinguaient de celles du roi.

Le 29 mai 1234, le scribe enregistre des achats de literie pour le roi : un matelas, une couverture piquée en soie ainsi que sa bordure, des draps de lin, quatre tapis. Le même jour, on achète trois couvertures de laine et de la toile destinée à la fabrication d'un matelas pour la reine. Selon toute vraisemblance, il est question de Blanche de Castille car l'indication « pour la jeune reine » accompagne à l'ordinaire les emplettes concernant Marguerite de Provence. En 1234, on relève l'achat de coffres. La mention d'acquisition de mobilier disparaît ensuite des grands comptes de l'Hôtel et les comptabilités de la fourrière ne nous sont point parvenues. Il serait cependant bien étonnant que le roi et la reine de France n'aient pas utilisé le bahut et le buffet nouvellement apparus, qui sont déjà objets de commerce. Au mobilier traditionnel (literie, siège, coffre, table) viennent s'ajouter — pour la première fois dans l'histoire, semble-t-il — des meubles qui s'ouvrent sur les côtés. L'avantage de cette nouvelle disposition des ouvertures était d'abord apparue au cours des déplacements où les coffres étaient empilés sur les chariots. En revanche, la table ne change pas et, même à la cour royale, elle continue à être dressée sur des tréteaux lors des repas. Les convives se servent de cuillères et de couteaux.

La fourchette, après une brève apparition à la cour de France au
XIe siècle avec l'arrivée d'une princesse byzantine, est à nouveau
ignorée jusqu'au XVe siècle. Mais, dès le XIIIe siècle, la serviette se
distingue de la nappe et les tasses, les coupes deviennent beaucoup
plus individuelles qu'auparavant, ce qui ne signifie pas que le
hanap collectif disparaisse à jamais. On utilisait des assiettes en
étain et le pain d' « accompagnement » qui servait de support à la
viande, aux légumes, aux compotes (dont le souvenir se perpétue
dans nos quiches, tourtes et tartes) était d'un usage très répandu.
Qu'en était-il à la cour ? On n'en usait certainement pas dans les
festins royaux. Mais les autres jours, ne mangeait-on que des
viandes ou des poissons fort épicés, des fruits et des gâteaux ? La
documentation ne donne pas de réponse.

La « robe » longue ou, plus exactement, le surcot qui descend
jusqu'aux pieds revêt hommes et femmes de la noblesse, clercs,
juristes, médecins, universitaires et riches marchands aussi. C'est
l'héritage du costume méditerranéen et antique. A vrai dire, la
majorité des hommes portent un costume plus septentrional, celui
qui a des promesses d'avenir, avec la tunique courte qui descend
jusqu'en haut des jambes recouvertes de braies tandis que des
bandes molletières joignaient le bas des braies et les chaussures.
Mais personne n'oserait affirmer que les femmes d'humble condition étaient exactement habillées comme Marguerite de Provence
et les dames de son entourage. Il serait aussi ridicule de prétendre
que les différences étaient minces entre costumes féminins et
masculins à la cour. Même si l'on en revient toujours aux quatre
habits de base, la chemise et la longue cotte pour les habits de
dessous, le surcot et le manteau ou mantel (taillé sans manches et le
plus souvent agrafé) pour ceux de dessus, les modalités peuvent
varier beaucoup en fonction des matières premières, de la façon et
de l'ornementation.

Qui donc oserait soutenir que la lingerie « du corps de la jeune
reine », comme l'écrit un comptable de son Hôtel, ait été aussi
fruste et dépouillée que la chemise dite « de Saint Louis » exposée
dans le trésor de Notre-Dame de Paris ? Quant aux *corseti* ou cottes
(vêtements de dessous lacés jusqu'à la taille et s'évasant ensuite)
achetés par exemple en 1234 pour Robert et Alphonse, cadets du

roi, ils étaient certainement très différents des cottes de Marguerite et des jeunes dames qui l'accompagnaient. Il y a tant de manières de lacer la cotte (qui devient le véritable corset à la fin du Moyen Age) afin de mettre en valeur le buste féminin.

C'est à partir du XIIIe siècle que la mode, qui était plus ou moins séculaire jusque-là, évolue à un rythme plus rapide, en gros de génération en génération. C'est pour une grande part à Marguerite de Provence, qui donne le ton à la mode tant à la cour qu'en ville, que revient cette innovation. Les femmes façonnent les surcots et les mantels selon le goût de la reine et celui des dames de son entourage. On fait parfois travailler à la hâte les ateliers parisiens et le retard dans l'exécution des commandes cause bien des soucis. En 1234, un personnage de l'Hôtel royal aussi important que Richier, de la Chambre du roi, ne juge pas indigne de son rang de se rendre dans ces ateliers afin de faire se hâter les couturières parisiennes qui risquent de ne pas respecter les délais. S'il y a bien des manières de couper les surcots, de mieux en distinguer la partie qui, en quelque sorte, constitue le corsage et celle qui correspond à la jupe, le mantel prend aussi des formes variées.

L'ornementation se prête également à de multiples variantes. On peut par exemple disposer des fourrures le long du col, ou sur les franges. Tissus et fourrures peuvent servir de doublure. La zibeline est réservée à la reine. La soie semble bien être le privilège du roi, de son épouse, de leurs enfants et de quelques grands personnages. On leur destine aussi les tissus les plus rares et les mieux teints. En contraste avec la biffe ou serge plus commune, les tissus en poil de chameaux apportaient la touche de l'exotisme à un prix moindre que la soie. Les accessoires tiennent une place de plus en plus grande : les aumusses, ou écharpes de fourrure, pour Marguerite de Provence par exemple, les aumônières, les boucles dorées et celles d'argent, les souliers, les chapeaux de feutre doublés d'étoffes « couleur de paon » ou d'autres tissus et fourrures, les gants pour la reine ou pour les enfants. Il suffit d'y ajouter les bijoux pour se convaincre que les soupirs de Louis IX et les récriminations de Rutebœuf n'étaient pas sans fondement.

Notre curiosité reste insatisfaite sur quelques aspects de la vie de cour, telles les danses. Aucun texte, semble-t-il, ne mentionne que

Louis IX et Marguerite aient dansé. Mais ce que nous savons des usages des cours d'amour courtois montre que le contraire serait bien étonnant. Les danses y revêtaient souvent l'aspect d'un spectacle : les dames et demoiselles dansaient devant les chevaliers. Toutefois, les nobles participaient parfois à des danses qui prenaient encore davantage l'allure d'un jeu de scène, d'un véritable ballet. Enfin, une danse comme la carole associait les hommes, les dames et les demoiselles qui se déplaçaient gracieusement en cadence, au son des chants et des instruments de musique.

Par bonheur, les informations sur la manière dont les dames de la famille comtale de Provence entretenaient leur beauté ne manquent pas. Conseiller en hygiène et en soins du corps féminin, expert en diététique, maître Aldebrandin de Sienne a rédigé le *Régime du corps* vers le milieu du XIIIᵉ siècle pour Béatrice de Savoie, mère de la reine Marguerite. A l'évidence, la comtesse de Provence voyait avec crainte la cinquantaine approcher et désirait entretenir sa beauté si réputée. Plusieurs préceptes de maître Aldebrandin rentraient dans le cadre traditionnel de l'éducation des filles de haut lignage. La reine de France et ses sœurs eurent bien sûr connaissance de cet ouvrage par leur mère.

Il présente l'avantage de donner un ensemble de conseils et de recettes que se devait de suivre la femme élégante vers 1255-1260 et M.-T. Lorçin a eu raison de mettre en relief une œuvre aussi riche d'enseignements.

Aldebrandin expose comment préserver la santé de son corps grâce à l'alimentation, aux bains, au sommeil, à la pose de sangsues... Il préconise des régimes appropriés à chaque âge de la vie, à l'enfant, à la femme enceinte et à la femme âgée. Il donne des recettes pour rendre les cheveux plus blonds (grâce aux fleurs de genêt et de safran), ou plus foncés, pour les assouplir ou les blanchir franchement quand l'âge vient. Il indique comment procéder à l'épilation temporaire ou définitive, comment soigner les dents et les gencives. On ne peut espérer avoir la peau du visage « déliée et blanche » qu'à l'aide d'une grande hygiène de vie qui touche aussi bien la nourriture que le sommeil, et sans oublier le « masque » à base de racines et de fleurs de lys et de farine de fèves le matin, de lotion à l'eau d'orge le soir, de préparations à l'eau de rose et divers onguents.

Pour garder ses cheveux, il convient de consommer des aliments à la fois nourrissants et faciles à digérer, ni trop salés ni trop forts. Le vin ne doit être ni trop vieux ni trop nouveau. Il faut éviter de prendre des bains trop chauds et leur préférer les bains tièdes, mais sans se servir de savon. On doit fuir les aliments « chauds et secs » comme les oignons, les poireaux ou l'ail et opter au contraire pour des nourritures « froides » comme le poisson, la viande de porc, les pieds de bœuf, le pain de seigle, la laitue, le melon, les courges. Se laver la tête avec l'eau de pluie qui « s'écoule de tuyaux » et s'oindre la tête avec des préparations à base d'huile de rose, de myrte ou de laudanum, toujours pour éviter la chute des cheveux.

Ces soins de beauté et de toilette devaient prendre beaucoup de temps, même s'ils n'étaient pas toujours efficaces. Maître Aldebrandin enseigne bien d'autres choses encore. Une partie de son livre est un catalogue de tous les breuvages et aliments (viandes, céréales, poissons, légumes secs, fruits, « herbes », épices). Il apprend aussi comment déceler le caractère des êtres humains, ce qui témoigne que les grandes dames de l'époque se piquaient parfois de psychologie.

Robert de Blois, un Français celui-là, conseillait aux dames d'avoir les ongles propres et nets et d'essuyer leurs lèvres après avoir bu ; il enseignait aussi comment corriger une mauvaise haleine ou marcher avec dignité [122].

La place de la reine dans l'étiquette royale

Cette place n'est pas aisée à déterminer. Le nouveau rituel du sacre dont Saint Louis règle l'ordonnance à la fin de son règne surtout souverain. Le sacre de la reine revêt une solennité moins grande et, en règle quasi générale, reste distinct du précédent.

En ce qui concerne bien d'autres grands moments de la vie royale, les renseignements précis sont rares. On sait par exemple que, dès 1241, les grandes réceptions royales avaient fière allure, toujours grâce à Joinville qui peignit un éblouissant tableau du festin officiel offert par Louis IX à l'occasion de la cour plénière tenue à Saumur lors de l'adoubement et de la prise d'apanage d'Alphonse de Poitiers. En l'absence de Marguerite de Provence retenue à Paris par ses maternités successives, Blanche de Castille présidait l'une des trois tables, ce qui montre que la reine a un rôle des plus importants dans les festins d'apparât. L'ordonnance très solennelle du repas prouve déjà l'existence d'une étiquette capétienne. Dans les grandes halles de Saumur, à la table d'honneur, celle du roi, prenaient place les nouveaux chevaliers de la Saint-Jean, Alphonse, frère du roi, Jean de Dreux, son cousin et le jeune comte de la Marche. En face du comte de Dreux étaient assis Thibaut, roi de Navarre, avec une agrafe et un chapeau d'or. Joinville était le chevalier « tranchant » [la viande] de Thibaut tandis que Robert d'Artois, son propre frère, lui servait à manger. Trois grands barons, Imbert de·Baujeu, le futur connétable de France, Enguerrand de Coucy et Archambauld de Bourbon (en quelque sorte les chefs militaires de la maison du roi de France) « gardaient la table ». Derrière ces trois personnages se tenaient une trentaine de chevaliers revêtus de leur habit de parade. De nombreux sergents aux armes du nouveau comte de Poitiers les aidaient dans leur tâche. A l'une des deux autres tables étaient assis vingt archevêques et évêques. Enfin, la dernière, celle des dames, était présidée par Blanche de Castille. Cette dernière était servie par son neveu, Alphonse de Portugal, comte de Boulogne, par le comte de Saint-Pol et un jeune prince allemand, âgé de dix-sept ans, que l'on disait fils de sainte Elizabeth de Hongrie et que Blanche embrassait tendrement sur le front par dévotion envers sa sainte mère.

De grands vassaux ne jugeaient donc pas indignes de leur rang de servir à table le roi et la reine mère. Cette racine féodale de l'étiquette royale lui confère pour des siècles sa principale originalité. Faudrait-il y ajouter l'influence des fastes de l'Empire romain d'Orient, ou Empire byzantin, que les croisades avaient fait connaître, surtout depuis le début du XIIIe siècle? On n'en voit guère de trace à la cour de France et la reine Marguerite, si spontanée et si franche, ne souhaitait pas rendre l'étiquette royale trop rigide et trop guindée.

Une cour ouverte aux poètes, aux intellectuels et aux administrateurs n'empêchait pas le roi et la reine de France de recevoir avec magnificence leurs hôtes illustres. Mathieu Paris a donné quelques détails sur le festin des retrouvailles de Marguerite de Provence et de ses sœurs en décembre 1254. Il n'y avait pas assisté lui-même mais avait recueilli les impressions de plusieurs participants. Le repas aurait eu pour cadre la grande salle royale du Temple dont les murs s'ornaient d'innombrables boucliers, « selon la coutume d'outre-mer ». Mathieu Paris n'avait pas précisé davantage l'origine de cet usage. L'abbé de Choisy affirma que cette façon d'orner les murs était originaire du Levant tandis que d'autres érudits y découvraient une coutume d'outre-Manche.

Par rapport au banquet de la salle de Saumur de 1241, une modification importante s'était produite dans l'ordonnancement des tables. En 1254, elles n'étaient plus que deux, celle des hommes et celle des femmes. On pourrait y voir une certaine forme de promotion féminine. Ce n'est pas impossible. En revanche, on ne peut mettre en doute la volonté du roi, fort de son autorité grandissante, de signifier ainsi son pouvoir sur tous ses vassaux, ecclésiastiques compris. Le roi de France présidait donc la table des hommes avec, à sa droite, le roi d'Angleterre et, à sa gauche, Thibaud de Champagne. Louis IX, que le chroniqueur anglais reconnaît comme « le roi des rois de la terre en raison de son sacre, de son pouvoir et de sa prééminence en chevalerie », avait bien essayé de donner la place d'honneur de la table à Henri III, lequel refusa. Le roi de France lui dit alors à voix basse :

« Plût à Dieu que chacun obtînt son droit sans être lésé, mais l'orgueil des Français ne le supporterait pas. »

Il lui exprime en quelque sorte sa reconnaissance de n'avoir pas voulu le placer dans une situation délicate vis-à-vis de ses sujets. A la table royale prennent place vingt-cinq ducs, comtes et autres grands vassaux laïcs, douze prélats et quelques personnages de moindre rang. Tous ces invités se mêlent sans préséance protocolaire. Mathieu Paris s'en étonne. Faut-il y voir une volonté de Saint Louis d'abaisser l'orgueil des grands ? Que penser alors de la présence des prélats à la table royale ? Est-ce une promotion ? Peut-être, mais on fait ainsi comprendre que les évêques et les abbés des grands monastères sont des vassaux pour leur temporel qu'ils tiennent en fief du roi.

La seconde table est celle des dames. Le chroniqueur ne signale pas qui la présidait, la reine de France ou sa sœur Eléonore, reine d'Angleterre. Se sont-elles partagées cet honneur ? L'ont-elles laissé à leur mère Béatrice de Savoie qui assistait au repas avec toutes ses filles réunies ? Le moine anglais ne nous donne pas le menu. Il indique simplement que le repas fut abondant et splendide bien que ce fût un jour de poissons [123].

Marguerite de Provence et la civilisation à la fin du règne

A mesure que la souveraineté royale s'affirme, la cour grandit, s'étoffe et impose davantage ses goûts littéraires et artistiques. Les structures de l'Etat se reconstruisent, les ressources royales deviennent plus importantes et s'ajoutent à celles d'un Domaine agrandi ; le roi et son entourage disposent ainsi de plus d'argent. Louis IX fait construire la Sainte-Chapelle, Marguerite de Provence fait travailler les orfèvres parisiens. Mécénat, nécessité liée au prestige, goût de luxe, ces divers facteurs suffisent-ils pour que l'on puisse déjà parler d'un art de cour sur lequel la reine Marguerite de Provence aurait eu une influence indiscutable ? De patientes recherches artistiques sont encore nécessaires pour apporter une réponse satisfaisante.

Marguerite de Provence a-t-elle eu aussi quelque ascendant sur les mœurs, la société et la vie littéraire de son temps ? Dans tous ces domaines, son influence n'a pu s'exercer que dans et par l'intermédiaire de la cour. En effet, la cour royale était loin d'être un milieu clos et ce qui s'y passait avait des répercussions au-dehors. La reine ne s'est certainement pas opposée à l'évolution de la cour de France vers plus de raffinement et moins de violence. Bien entendu, ce n'est pas elle qui a installé la prépondérance de l'administrateur et du comptable sur l'homme de guerre. Mais il dépendait en partie d'elle que la cour considérât le juriste, l'administrateur ou le financier, d'origine parfois roturière, souvent diplômé de l'Université et devenu « chevalier le roi » (c'est-à-dire membre d'une chevalerie administrative), aussi bien que le chevalier noble homme de guerre. Marguerite de Provence ne s'oppose pas à son époux quand celui-ci défend des intellectuels comme maître Robert de Sorbon contre les gens bien nés de son entourage, qui se moquent de cet homme devenu confident du roi grâce à ses capacités et ses bons conseils bien qu'il ignore les bons usages. Joinville reproche à ce clerc qui n'est que « fils de vilain et de vilaine » de mieux s'habiller que le roi et ce dernier défend Robert de Sorbon.

Originaire de l'une des cours les plus raffinées d'Europe, la reine Marguerite contribua à adoucir les rudes mœurs capétiennes et importa à la cour des usages plus civilisés. Elle ne fut d'ailleurs pas seule à agir dans ce sens et ne fit que soutenir et développer l'action de l'Eglise et celle du roi. Elle encourage ainsi l'un des plus grands pédagogues et vulgarisateurs de l'époque, Vincent de Beauvais, un frère prêcheur, bibliothécaire et ami du roi. Son influence personnelle se manifeste de manière éclatante quand elle concourt à faire de Paris un véritable centre littéraire. Bien que Marguerite de Provence maintienne les usages liés à la poésie courtoise, elle comprend l'évolution qui se dessine et ne met pas en jeu tout son prestige pour garder l'exclusive aux modes littéraires et aux rites sociaux venus des cours méridionales. Si Paris veut retirer à Arras sa primauté littéraire, la cour se doit de soutenir tout nouveau talent qui s'annonce, même s'il n'est pas conforme à la poésie qui prime dans les milieux aristocratiques. C'est le cas de Rutebœuf. Grâce à des dons en argent et à des commandes, la famille royale (c'est au moins prouvé pour le roi et sa fille Isabelle) aide ce pauvre jongleur qui a tant de mal à vivre. Pourtant, après avoir remercié Louis IX, Rutebœuf l'accuse ensuite d'avarice et, dans sa *Vie du monde,* dénonce le luxe vestimentaire de la reine. Avec Rutebœuf, c'est une poésie nouvelle qui vient, et qui chante les sentiments individuels, la ville, ses richesses et ses exclus. Afin de l'emporter sur Arras, Paris et la cour royale ne doivent plus tout miser sur la poésie courtoise. Marguerite de Provence participe ainsi à l'introduction à la cour des chantres de la vie bourgeoise et populaire.

La reine a-t-elle eu grand pouvoir sur l'opinion publique ? Rien ne permet de l'affirmer de manière décisive. De 1255 à 1265, un débat secoue l'Eglise de France et l'université de Paris au sujet de la place des professeurs dominicains ou franciscains et de celle des professeurs du clergé régulier. Rutebœuf, qui avait tant loué auparavant les frères mendiants, les attaque alors avec vigueur et reproche au roi sa faiblesse à leur égard. Aucun texte ne permet cependant d'affirmer que Marguerite ait utilisé ce poète pour la soutenir dans son opposition à l'entrée de son mari dans un ordre mendiant. On a vu qu'elle avait d'autres moyens pour arriver à ses fins. Pour sa part, Rutebœuf possédait assez de sensibilité et de talent pour choisir lui-même son clan lorsqu'il attaqua les nouveaux ordres dans *Renart le bestourné* ou prit la défense d'un professeur séculier banni par le roi dans son dit de *Guillaume de Saint-Amour*. Rutebœuf soutiendra à fond la dernière croisade de Saint Louis et même l'épopée de Charles d'Anjou en Sicile et en Italie du Sud. Faut-il découvrir une tortueuse intervention du roi dans le premier cas, de la reine dans le second ? Ne détournerait-elle pas ainsi son beau-frère de la Provence par l'intermédiaire d'un grand polémiste et d'un écrivain de génie ? Il serait à coup sûr téméraire de le prétendre.

A l'inverse, quand la cour et la ville admirent *La repentance, Le mariage Rutebœuf, La pauvreté Rutebœuf* où il dévoile ses défauts, sa passion du jeu, sa misère et ses déboires conjugaux, autrement dit cette poésie personnelle qui s'étend sur une gamme thématique très variée, on ne peut que reconnaître une influence de la reine Marguerite et de son entourage, en particulier de sa fille Isabelle qui commande à Rutebœuf une *Vie de sainte Elisabeth de Hongrie*. Pour le moins, l'épouse de Louis IX a participé ainsi au succès d'une poésie lyrique différente de celle qui chantait l'amour courtois. Cette reine, que tous considéraient dans sa jeunesse comme la princesse la plus gracieuse et la « mieux née » d'Europe, favorise plus tard un courant littéraire qui prend comme héros le clerc, l'intellectuel au même titre que le chevalier. Elle concourt ainsi à l'évolution des mentalités et de la société. Elle aide le roi dans sa politique d'ouverture aux nouvelles réalités, celles de la ville comme celles de ses sujets confrontés à des formes de vie où l'argent et la circulation monétaire tiennent davantage de place qu'autrefois et à cet Etat qui, à peine né, opprime déjà. Tandis que le roi offre aux habitants de son royaume les premiers moyens institutionnels de défense contre les abus de ses agents, la reine ouvre les portes de sa cour littéraire au prince des chantres des sentiments personnels et des polémistes du temps [124].

Marguerite de Provence et la condition féminine au XIIIe siècle

La situation de Marguerite de Provence éclaire-t-elle celle de la femme de son siècle ? A première vue, sa position si éminente de reine semble écarter cette possibilité. On l'a vu, être l'épouse d'un saint n'est pas commun. Mais, placée devant ce fait imprévu, elle réagit en femme amoureuse. Fine, intuitive, elle devine vite — peut-être la première dans l'entourage royal — l'appel qui assaille le roi et sa volonté d'y répondre. Elle l'emporte sur Joinville qui ne reconnaît la sainteté de Louis IX qu'après sa canonisation. Le chroniqueur a quelques excuses de n'avoir pas compris aussi vite que la reine la transformation du roi puisqu'il n'a plus vécu auprès de lui après 1254. Il l'a donc connu avant son ascension spirituelle. Il décrit et admire sa piété, sa haine du péché, sa foi, mais il le montre également colérique, impatient, rusé et même roublard. Louis IX n'hésitait pas à faire s'enferrer ses interlocuteurs dans leurs contradictions afin de l'emporter sur eux d'une manière somme toute peu élégante car il voulait prouver à tout prix qu'il avait raison. Ce trait de caractère semble d'ailleurs constant jusqu'à la fin de sa vie. Au moins autant que les autres, la reine Marguerite n'en a-t-elle pas souffert ?

Plus et souvent mieux que toutes les personnes qui l'approchaient, elle supporta son époux. En règle quasi constante, vivre à côté d'un saint est difficile, pénible parfois. Certains même ne voient que les inconvénients de cet effort et la sainteté de leur familier leur échappe. Pour les autres, qui décèlent l'extraordinaire aventure, l'adaptation n'est pas aisée. Redisons-le, elle s'est tirée avec bonheur d'une situation exceptionnelle. Elle aime son mari et puise dans cet amour la force de le comprendre et d'accepter les modifications à leur contrat initial. Elle y consent, mais à condition de sauvegarder ses droits d'épouse, de femme et de mère. Elle est donc bien femme de son temps, soucieuse d'être respectée. Bien entendu, le roi connut l'apaisement et surmonta ses tourments, ses échecs, ses doutes sur la foi, son profond désespoir sur lui-même et envers Dieu. Il poussa ensuite très loin ses manifestations de charité et de pauvreté. Marguerite de Provence s'en accommoda, s'en amusa parfois et suggéra même à l'occasion les arrangements et compromis indispensables. Elle ne se plaint et ne se rebelle que si ses droits les plus légitimes sont en jeu. Sa foi l'aide et, la quarantaine venue, elle se manifeste de plus en plus comme une femme forte que les épreuves ont forgée.

Attachée à ses droits, à son mari et à ses enfants, ne serait-elle pas la femme idéale de son siècle ? N'oublions cependant pas qu'elle fut reine et qu'à ce titre elle n'eut pas son mot à dire sur le choix de son époux, à la différence de tant de femmes du peuple qui n'étaient plus soumises à l'obligation de prendre leur conjoint dans la même seigneurie. Ne serait-ce qu'en raison des empêchements de mariage pour cause de consanguinité, l'Eglise avait favorisé un tel processus. En revanche, les princes de l'Eglise avaient fermé les yeux sur les stratégies matrimoniales des grands et leur avaient accordé avec une grande régularité les dispenses qui permettaient d'associer les destins de leurs territoires et d'assurer quelque peu la paix. Certes, ce modèle de mariage imposé gagne du terrain. On l'imite même en dehors de la noblesse. C'est le domaine « du pouvoir », comme aurait dit Foucault, celui du pouvoir politique pour les familles régnantes et pour celles qui gravitent autour, celui de la fortune foncière ou des affaires pour les autres. Mais, en ce qui concerne le peuple, l'Eglise maintient longtemps cet héritage des XIIe et XIIIe siècles, le libre choix du conjoint. Bien entendu, dès le siècle de Saint Louis, les milieux ruraux n'ont pas ignoré les mariages préparés afin d'arrondir les tenures, mais la « marieuse » se devait d'assortir au mieux les unions et d'éviter d'associer une jeune fille et un jeune homme dont l'incompatibilité de caractère était connue de tous.

Cette considération ne pouvait guère jouer chez les rois et les princes. La raison d'Etat l'emportait toujours. Ajoutons la fortune et le train de vie qui différencient tant les reines. Faudrait-il alors ne pas tenir compte de Marguerite de Provence et de ses sœurs dans l'analyse de la condition féminine de leur temps ? Pour grandes que soient les reines, elles n'en sont pas moins femmes. Comme toutes les autres, elles ont connu le mariage chrétien, dont Eilen Power a souligné l'importance. G. Duby en a éclairé la valeur en montrant que l'Eglise parvint enfin à l'imposer pour tous, rois et reines compris, vers 1200. A première vue, le mariage chrétien repose sur l'inégalité de l'homme et de la femme puisque l'Eglise a adopté le point de vue de l'œuvre néotestamentaire la plus importante après les Evangiles, celle de saint Paul, qui prescrit aux épouses de se soumettre à leur mari. Faut-il remettre en cause la promotion médiévale de la femme à cause de ce précepte qui semble donner raison aux derniers partisans d'un Moyen Age misogyne ? En vérité, la soumission de l'épouse s'accompagne de l'obligation pour le conjoint « d'aimer sa femme comme le Christ aime l'Eglise ». Les conséquences en sont majeures : le mari se doit exclusivement à sa femme et s'engage à lui donner les moyens de subsister après sa mort. Voilà deux facteurs essentiels de la promotion féminine au siècle de Saint Louis. L'épouse ne peut être considérée comme une concubine ou une maîtresse que l'on peut rejeter à son gré ; elle a un droit de regard sur ses enfants qui sont seuls légitimes.

N'est-ce pas le privilège exclusif des reines et des nobles dames de posséder un douaire après la mort de leur époux ? Par bonheur, on a quelques traces de douaire dans les milieux ruraux mais il est vrai que, d'ordinaire, les vieillards terminaient leurs jours dans leur famille. On n'a pas d'ailleurs de preuves manifestes de leur rejet de la cellule familiale. Dans l'artisanat et le commerce se repèrent en outre des substituts au douaire. Les confréries et les statuts des métiers qui se précisent au cours du siècle font une obligation d'assurer les vieux jours de la veuve d'un confrère. Dans un certain nombre de métiers réservés aux hommes, on offre même à la veuve la possibilité d'exercer la profession du maître artisan, boucher, boulanger défunt. La place réservée à la veuve au siècle de Saint Louis est éminente. A cet égard, Marguerite de Provence et les autres veuves de sa famille sont un modèle qui se voit ainsi reproduit à de multiples exemplaires.

Ainsi le mariage monogamique évangélique, interprété par l'Eglise à la lumière paulinienne, conduit-il à la soumission de l'épouse à son conjoint et, en même temps, à l'obligation pour celui-ci d'un respect absolu envers elle. Dans ce cadre étroit de la cellule monogamique, cette contrainte de la femme, assortie des conséquences de fidélité, d'assurance de protection et de biens matériels, inversait l'inégalité initiale. La littérature comique du temps qui, selon les lois du genre, grossit à l'excès les caractères et les situations n'a pas manqué de faire rire aux dépens du mari si souvent berné, moqué, contraint à la soumission. Il suffit de rappeler ces fabliaux qui décrivent tant d'épouses arrogantes et sûres de leur fait. Leurs auteurs n'ont pas tout inventé. Un jour de l'an 1256, ce pauvre Henri III, d'ordinaire si patient, si soumis à Eléonore de Provence, n'a-t-il pas explosé contre l'orgueil de son épouse ?

En fait, l'obligation pour l'homme et la femme de rester ensemble toute leur vie suscitait une grande variété de comportements, dans l'aristocratie comme dans le peuple. A cet égard, le type de relations qui s'établit entre Marguerite et ses sœurs d'une part et leurs époux d'autre part peut apporter quelque lumière sur la situation des conjoints de leur temps. On a déjà vu que trois des quatre filles de Raimond Bérenger n'avaient rien à craindre quant à la fidélité de leurs époux.

Quant à savoir qui domine dans le ménage, si les fabliaux et un certain nombre de sermons semblent montrer que l'épouse décide, on ne peut oublier d'autres récits qui signalent le contraire. Qu'en est-il pour les quatre sœurs de Provence ? Eléonore écrase son mari ; Béatrice s'efface devant son impétueux époux ; quant à Sanchie, on la voit parfois résider en Angleterre tandis que Richard de Cornouailles est à la recherche de son évanescent royaume. Reste Marguerite, qui aime son époux, se soumet à ses décisions quand elle les juge acceptables, mais n'hésite pas à regimber et à faire revenir le roi de France sur des décisions qu'elle estime néfastes pour ses intérêts, pour ceux de ses enfants ou du royaume.

Le règne de Saint Louis voit le rôle de la femme exalté et glorifié. Cette constatation dépasse Marguerite de Provence et ses sœurs. Vincent de Beauvais, familier de la cour de France, ne consacre-t-il pas à l'éducation des filles un chapitre de *L'Education des enfants nobles* ? Un auteur anonyme écrit : « Ce qui est le plus

nécessaire aux filles des nobles, c'est d'être instruite des lettres... »
Des femmes lisent, achètent les manuscrits des romans de
chevalerie. Des chapitres de chanoinesses et des abbayes bénédic-
tines accueillent des demoiselles de la noblesse ou des filles de
commerçants prospères et leur inculquent au moins des rudiments
d'instruction. L'université de Paris et les écoles qui gravitent
autour d'elle n'ignorent pas la présence féminine[125]. La femme
triomphe et voilà qu'une réaction brutale, inouïe, remet tout en
question.

Saint Louis à peine mort, surgit l'une des plus violentes attaques
qu'ait connues la femme dans l'Histoire. Vers 1277, Jean de
Meung publie son *Roman de la Rose*. A la différence de Guillaume
de Lorris, il rabaisse la femme, ne voit en elle que lubricité et
volonté de séduire. Il se livre en outre à une critique féroce du
mariage. Cette œuvre voit le jour dans ce milieu littéraire parisien
que Marguerite de Provence avait tant aidé à se développer. Si
nous connaissons bien les débats passionnés que suscite cette
œuvre à la fin du Moyen Age, nous ne savons pas ce qu'en a pensé
l'épouse de Louis IX. Elle n'ignorait cependant pas que le succès
de son union matrimoniale et de bien d'autres femmes excédait
Jean de Meung. Cet auteur et ses émules admettaient la femme
comme mère, comme détentrice de grands biens, mais se refusaient à accepter que l'amour pût exister entre l'époux et son
épouse et que celle-ci fût « associée » à son mari dans tous les
domaines.

La renaissance du naturalisme explique-t-elle cette brusque et
violente fièvre de l'antiféminisme ? N'oublions pas que le naturalisme n'était pas moribond, comme le montraient les fabliaux et, à
l'autre extrémité des formes d'expression littéraire, les réflexions
de quelques intellectuels qui niaient le péché dans tout acte sexuel.
Il est toutefois exact que la glorification de l'instinct sexuel avait
été longtemps tenue en bride par la littérature courtoise qui
séparait amour et mariage. Ce bel amour chanté par les troubadours était en principe platonique, mais l'on devine combien une
telle attitude était dangereuse pour la solidité des couples, pouvait
inciter à l'adultère. Faut-il définitivement rayer de notre carte du
Tendre l'angélisme des troubadours, à la suite d'H. Marrou et

contre R. Pernoud ? Reste une certitude : dès le xiiie siècle, certains ont considéré comme une provocation la stratégie amoureuse entre conjoints et la glorification de l'amour mise en place par la littérature courtoise.

Comment pouvait-on imaginer cette rencontre de la sexualité et du mariage institutionnalisé ? N'était-ce pas un véritable défi ? Ainsi s'expliquerait cette résurgence du naturalisme. Tenu en laisse, mais non moribond, il surgit à nouveau en pleine lumière. Serait-il une sorte de défoulement, de soupape de sécurité ? Etienne Templier, évêque de Paris, ne l'admet pas et, en 1277, condamne l'œuvre d'André le Chapelain qui affirme que « la voix d'amour » ne peut être entendue que par la femme mariée qui prend plaisir à la cour que lui fait un autre homme que son époux. Cet évêque de Paris condamnait certes à tour de bras et n'épargnait ni Thomas d'Aquin ni les averroïstes panthéistes et partisans du naturalisme. Il souhaitait l'union de la sexualité et de l'amour dans le mariage et ne la jugeait pas impossible.

Louis IX et Marguerite de Provence ont réussi cette délicate entreprise et leurs deux personnalités s'unirent pour former un véritable couple. Ils vécurent l'idéal proposé par Pierre Lombard, un théologien du xiie siècle, encore lu et étudié au siècle suivant : la femme n'est pas « le maître ni l'esclave » de l'homme, mais « sa compagne et son amie ».

La condition féminine restait donc fragile. Mais, sans faire du siècle de Saint Louis une période qui ne connaîtrait que l'éloge de la femme, avouons cependant qu'il l'a le plus souvent tenue en haute estime. Même sur le plan juridique, sa position devient plus solide puisque les coutumes urbaines qui favorisèrent les premières l'égalité des sexes, en particulier en matière de successions, contaminent la masculinité des usages féodaux. Les circonstances s'y prêtent. Les privilèges du guerrier, seul capable autrefois de défendre le fief, tombent en désuétude quand le roi interdit les guerres privées. Déjà associée à son mari dans la gestion de ses affaires, la femme se voit reconnaître un certain droit à la fortune de ses parents. Autrefois, il fallait passer par les subterfuges de la solidarité paternelle ou parentale pour qu'elle ne fût pas privée de tout moyen de subsistance en cas d'absence ou de perte du douaire.

Ces dispositions allaient jouer à plein pour la fille qui ne se mariait pas. Mais cela ne va pas jusqu'à admettre la possession du fief principal à l'aînée d'une famille noble dont le cadet est un garçon. La tendance à admettre les filles nobles dans l'héritage devient donc plus nette, mais les limites en restent étroites [126].

Marguerite et ses sœurs se trouvent confrontées dans leur foyer à un certain nombre de situations que connaissent les femmes de leur siècle. Toutefois, il ne faut pas se méprendre : elles sont aussi reines et, à ce titre, échappent à la destinée féminine commune.

CHAPITRE VIII

LA PARTIALITÉ DE L'HISTOIRE ET LES FAITS

Les retrouvailles familiales de 1254 et la politique européenne

L'histoire a tranché : Marguerite de Provence fut une intrigante qui préconisa une virulente politique anglophile quitte à s'opposer à beaucoup, même à son époux. Ce point de vue est-il conforme à la réalité ?

A leur retour de la croisade, en 1254, le roi et la reine de France voulurent réunir leur famille. Marguerite de Provence n'avait pas revu ses sœurs Eléonore et Sanchie depuis tant d'années ! La séparation avec la jeune comtesse de Provence, Béatrice, avait été moins longue car celle-ci avait accompagné la reine Marguerite dans les débuts du voyage outre-mer, jusqu'en 1250. Louis IX avait renvoyé Charles d'Anjou pour s'occuper en priorité des affaires provençales. La suite, on la connaît. Le plus jeune frère du roi profite de son retour anticipé pour devenir comte de Hainaut. Ces événements expliquent que Béatrice n'ait pu accueillir sa sœur et son beau-frère lors de leur débarquement en Provence le 3 juillet 1254. A peine rentré à Paris au début du mois de septembre, Louis IX rappelle ses décisions à son frère et lui fait abandonner ses rêves hennuyers. Il lui intime même l'ordre de s'abstenir à l'avenir de se rendre en Flandre et en Hainaut. Béatrice revient à Paris avec son époux.

Pour les deux autres sœurs, les circonstances se prêtent à l'organisation d'une grande réunion familiale. Le roi d'Angleterre et Richard de Cornouailles se trouvaient en Aquitaine avec leurs épouses. Henri III avait débarqué à Bordeaux vers la mi-août 1253. Au lieu de partir en croisade, il avait profité de son séjour sur le continent pour écraser une rébellion gasconne et lancer quelques chevauchées de représailles contre les fidèles du roi de France. Il avait besoin d'argent et son épouse, qu'il avait désignée comme corégente avec Richard de Cornouailles, se mit en quête de fonds. Elle réunit en son nom l'assemblée de Westminster le 25 avril 1253. Malgré l'interdiction formelle d'Henri III, elle débarque à Bordeaux le 29 mai 1254 et séjourne une seconde fois en Aquitaine où elle s'était déjà rendue à la fin du mois de juin 1242. Le désir du roi d'Angleterre de répondre à la demande du pape Innocent IV qui voulait donner la couronne de Sicile à Edmond, second fils d'Henri III et, plus encore, le retour de Louis IX qui va renforcer la résistance des barons français, proches des fiefs anglais expliquent qu'il renonce, en 1254, à réclamer les territoires perdus depuis le début du siècle. Rien ne l'empêche donc de rencontrer le roi de France.

Selon Mathieu Paris, le roi d'Angleterre désirait ardemment revoir son beau-frère et sa belle-sœur et, par la même occasion, visiter les villes et les églises de France. Grand amateur d'art, il souhaitait visiter des édifices religieux aussi renommés que la Sainte-Chapelle. Il envoie donc des émissaires à Louis IX afin de lui demander la permission de traverser ses domaines. Le roi de France acquiesce et donne l'ordre aux citadins de nettoyer les rues, d'orner les façades des maisons et des églises, de suspendre des tapisseries, des feuillages et des fleurs partout où passera le cortège du roi d'Angleterre. Il demande aussi de faire sonner les cloches et engage tous ceux qui, revêtus d'habits de fête, iraient à sa rencontre, à exprimer leur joie.

Henri III et Eléonore, accompagnés de Richard de Cornouailles et de Sanchie qui les avaient rejoints en Aquitaine, se dirigent vers l'abbaye de Fontevrault. Dans l'abbatiale, Henri III se recueille devant le tombeau de Richard Cœur de Lion et y fait enterrer le corps de sa mère, Isabelle d'Angoulême, qui repose dans le cimetière voisin. Il se rend aussi à Pontivy, près de la châsse de saint Edmond, mort archevêque de Cantorbéry en 1240 et canonisé dès 1246. Il demande au saint de le guérir d'une maladie dont il souffre. Il se dirige ensuite vers Chartres pour contempler la célèbre cathédrale. Le roi de France l'y rejoint. Il ordonne de le défrayer de toutes ses dépenses, ce qui n'était pas un mince cadeau : mille chevaliers accompagnaient le roi d'Angleterre et de nombreux chariots et bêtes de somme fermaient son cortège. Marguerite de Provence, sa sœur Béatrice et leur mère Béatrice de Savoie viennent à leur rencontre. Entre Paris et Chartres, elles retrouvent ainsi Eléonore et Sanchie. Mathieu Paris signale leur joie et leurs entretiens familiers.

La suite des deux rois — que grossit une immense foule à mesure que l'on approche de Paris — pénètre dans la capitale. Les étudiants anglais de l'université parisienne abandonnent leurs cours, se cotisent pour acheter des cierges, des fleurs, des guirlandes des couronnes et font entendre leurs instruments de musique. Pendant plusieurs jours, écoliers et bourgeois parcourent la ville en chantant et, le soir venu, allument des flambeaux en signe d'allégresse. Pour fêter leurs retrouvailles, le roi et la reine reçoivent leurs hôtes avec faste. Louis IX offre à Henri III comme lieu de séjour le palais royal ou le Vieux Temple. Le roi d'Angleterre choisit le Vieux Temple qui disposait de bâtiments assez vastes car il ne voulait pas disperser son escorte à travers toute la ville. Les nombreux logements, suffisants pour les templiers quand ils réunissaient leur chapitre général, n'étaient cependant pas assez spacieux et beaucoup de gens du roi d'Angleterre doivent passer la nuit à la belle étoile en plein hiver.

Le lendemain de son arrivée, Henri III réunit un grand nombre de pauvres et leur donne à manger. Dans la grande salle royale du Vieux Temple, Louis IX et son épouse offrent le grand festin dont on a parlé plus haut. Les jours suivants, le roi d'Angleterre fait don aux seigneurs français de coupes en argent, de fermoirs en or, de ceintures de soie et d'autres présents qu'il ordonne de porter en leurs hôtels. Il visite la ville et s'émerveille à la vue de la Sainte-Chapelle. Au soir du fastueux banquet, le roi de France l'avait en effet instamment prié de venir résider quelque temps au palais. Henri III, qui ne pouvait plus refuser, traversa le quartier de la Grève et une partie de celui de Saint-Germain-l'Auxerrois, passa sur le grand pont pour arriver au palais royal. Au passage, il admire l'élégance des bâtiments, les maisons à trois arceaux et à quatre étages ou plus. Les Parisiens installés à leurs fenêtres le regardent passer tandis que d'autres affluent pour voir le cortège.

Le roi d'Angleterre séjourne huit jours à Paris. Les deux souverains ont des entretiens politiques. Louis IX propose une véritable alliance politique à son beau-frère. Il avait quelque mérite à le faire : Henri III n'avait-il pas profité de sa longue absence pour mettre fin à la rébellion des seigneurs gascons alliés à Gaston de Béarn ainsi qu'au roi de Castille, puis pour attaquer les barons du roi de France ? Ne s'était-il pas ensuite entendu avec le roi de Castille dont la sœur devait épouser le prince Edouard, héritier du trône anglais ? Habilement, Louis IX affirme d'emblée ne pouvoir rendre la Normandie, ses barons et les Normands s'y opposant catégoriquement. Voilà ce qu'il déclare si l'on en croit Mathieu Paris :

« N'avons-nous pas épousé les deux sœurs et nos frères les deux sœurs ? Tous les enfants, filles et garçons qui ont tiré ou tireront naissance d'elles seront comme frères et sœurs. Oh ! s'il y avait entre pauvres hommes que nous sommes pareille affinité ou consanguinité, combien ils se chériraient mutuellement, combien ils seraient unis au fond du cœur ! Je m'afflige, le Seigneur le sait, de ce que notre affliction réciproque ne puisse être parfaitement d'accord en tout. Mais l'opiniâtreté de mes barons ne se soumet pas à ma volonté, car ils disent que les Normands ne sauraient observer pacifiquement leurs bornes ou leurs limites sans les violer ; et ainsi tu ne peux recouvrer tes droits. »

Avec une grande habileté, Saint Louis déclare qu'il doit tenir compte des intérêts et de l'opinion publique de son royaume et montre les limites de l'entente. Il la désire mais beaucoup de ses sujets s'y opposent. Il serait donc faux de croire que les deux reines et leur mère aient réussi à faire envisager une alliance étroite entre France et Angleterre en 1254. Au plus Marguerite et Eléonore ont-elles pu encourager leurs époux à quelque effort en faveur de la paix. Selon Mathieu Paris, les sœurs parlèrent beaucoup entre elles, mais de problèmes familiaux. Elles se consolèrent mutuellement de leurs épreuves. Ont-elles même conçu le projet d'un renversement total d'alliances ? Le temps n'en était pas encore venu et tout au plus assiste-t-on dans les années suivantes à de meilleures relations franco-anglaises, mais les périodes de tension ne sont cependant pas exclues. A la vérité, on ne pouvait prévoir en 1254 les graves révoltes des barons anglais qui rendront indispensable un accord étroit entre France et Angleterre pour sauver le trône des Plantagenêts. Les deux reines ne sont pas maîtresses des événements qui y conduisent.

Pour le moment, les difficultés financières d'Henri III et le désir du roi de France d'avoir la paix afin de remettre en état son royaume si malmené pendant son absence suffisent à expliquer cette relative réconciliation. S'imaginer aussi que Marguerite et Eléonore aient alors voulu que leurs jeunes sœurs deviennent reines seraient encore davantage du domaine du rêve. Le seul royaume disponible, celui de Sicile, est destiné à Edmond, fils d'Eléonore. On ne la voit pas déposséder son fils pour faire plaisir à sa cadette Béatrice et à son époux Charles d'Anjou qu'elle accuse de captation d'héritage au sujet de la Provence. Quant au royaume électif, celui des « Romains », il vient d'être confié à Guillaume de Hollande et nul ne peut prévoir sa mort prochaine.

La réalité est plus prosaïque. Mathieu Paris nous la résume à sa manière. Un jour qu'il était en veine de confidences, le roi de France confia à Henri III les épreuves physiques et morales qui l'avaient ébranlé au temps de son voyage outre-mer et qui lui avaient permis de se mieux comprendre et de réviser ses conceptions :

« Je me réjouis plus de la patience que le Seigneur m'a donnée par ferveur spéciale que s'il m'eût accordé l'empire du monde entier. »

Saint Louis reconnaît donc ses échecs et ne pense pas alors à diriger l'Occident tout entier. Il accompagne ensuite la famille royale anglaise jusqu'à Boulogne-sur-Mer où il quitte le roi d'Angleterre. Après l'avoir embrassé, il lui déclare :

« Plût à Dieu que les douze pairs de France et le baronnage consentissent à mon désir : nous serions certes des amis indissolubles... »

La situation est claire. Louis IX veut l'entente, mais prend prétexte de l'opposition des barons (ne l'exagère-t-il pas, au moins dans les propos que lui prête Mathieu Paris ?) pour en montrer les limites.

Après le départ du roi de France, la flotte anglaise attend quelques jours de vents favorables. Henri III en profite pour visiter Sainte-Marie de Boulogne. Il ne débarque à Douvres que le 27 décembre 1254. Afin de garder le souvenir de ces jours heureux, le roi et la reine de France font parvenir aux souverains anglais de merveilleux cadeaux : Louis IX offre à son beau-frère un éléphant, ce qui étonne beaucoup les Anglais car Mathieu Paris affirme que ce type d'animal abordait sur l'île pour la première fois ; Marguerite de Provence donne au roi d'Angleterre « un paon », c'est-à-dire une aiguillère en argent en forme de paon, incrustée d'une pierre précieuse appelée « perle ». Des ornements en or et en argent ainsi que des zéphyrs figuraient les couleurs d'un vrai paon quand il faisait la roue. Cette magnifique pièce honorait l'orfèvrerie parisienne et les Anglais la considérèrent comme une innovation et comme une œuvre d'art admirable [127].

Deux destins politiques...

Un bref regard sur le destin politique de Marguerite et d'Eléonore permet de découvrir quelques fils directeurs dans l'écheveau des événements. De manière générale, l'influence politique d'Eléonore est reconnue avec une assez grande exactitude. Elle intervint assez vite dans le gouvernement de son royaume et a sa part de responsabilité dans les difficultés de son mari en contribuant avec tant d'allégresse à la dilapidation de sa fortune. A sa décharge, il faut reconnaître qu'elle avait engagé très tôt sa responsabilité afin de lui procurer de l'argent. Son impopularité, déjà manifeste, s'en était encore accrue. Dès 1250, ne l'accusait-on pas d'avoir usé de moyens malhonnêtes en extorquant par exemple une grosse somme à un financier juif anglais appelé Aaron ? Les conseillers du roi de France, qui n'aimaient pas Marguerite de Provence, attribuèrent à Eléonore une influence telle sur sa sœur que celle-ci serait devenue un jouet entre ses mains.

Trop souvent, l'Histoire affirme que Louis IX s'est rapproché de l'Angleterre à l'instigation de sa femme, dominée par Eléonore, et que, pour le reste, il s'est méfié des conseils de son épouse et l'a écartée du pouvoir. Jusque-là, ceux qui s'opposaient à Marguerite de Provence ne voyaient en elle qu'une intrigante ; désormais, ils la présentent aussi comme un agent de l'étranger. Voilà la reine exécutée sur le plan politique.

Dans quelle mesure la passion du pouvoir a-t-elle atteint Marguerite de Provence comme l'affirment ses détracteurs ? N'en fréquentait-elle pas les allées depuis sa plus tendre enfance et n'était-elle pas l'épouse de celui que tous — même les Asiatiques et un ennemi des Français tel que Mathieu Paris — considéraient alors comme le plus grand roi d'Occident. En outre, personne n'a jamais posé une autre question, essentielle cependant : dans quelle mesure Louis IX, devenu enfin souverain au plein sens du terme, lui a-t-il abandonné des parcelles de son pouvoir ? A vrai dire, l'interrogation doit aller plus loin : dans quelle mesure le roi de France n'a-t-il pas utilisé son épouse dans certaines voies complexes, voire tortueuses, de sa grande politique ?

Reconnaissons que la reine Marguerite, compatissante par nature et de surcroît encline à subir l'ascendant de sa cadette Eléonore, a parfois offert des arguments à ses ennemis en soutenant de toutes ses forces le parti de la reine d'Angleterre. Cependant, Marguerite de Provence ne devient franchement anglophile que lorsque sa sœur et la famille royale anglaise connaissent les pires difficultés. La stricte objectivité et l'examen des textes conduisent à se demander si l'intérêt du roi de France n'était pas de conseiller cette attitude à son épouse. En fait, Marguerite de Provence pouvait l'aider. En effet, sa position officielle s'était considérablement consolidée après le retour de la croisade. Les appellations protocolaires en témoignent. Désormais, elle est « la reine », la seule. Encore quelques années et la voilà « l'illustre reine de France » en 1269, et même « sérénissime reine de France ». Les textes officiels la gratifient de titres prestigieux tandis que Saint Louis n'hésite pas à employer des termes très affectueux et continue à voir en elle « sa très chère épouse » dans son testament de février 1270 [128]

De 1254 à 1270, le nom de la reine apparaît ainsi dans une vingtaine d'actes officiels. Quelques-uns sont relatifs à son douaire, aux mariages ou aux projets de mariage de ses enfants. Les divers impacts de son action ou de ses tentatives d'interventions politiques permettent d'en examiner d'autres. Des historiens, si soucieux de mettre sur le pavois Blanche de Castille lors de son retrait de la scène politique de 1242 à 1248, n'en ont pas trouvé autant. Ce qui ne les a pas empêchés de découvrir souvent et presque partout l'ombre de Blanche et d'oublier ainsi le rôle des conseillers de la Couronne, parfois même les premiers indices de l'influence personnelle de son fils. En ce qui concerne Marguerite de Provence une telle erreur est d'autant plus facile à éviter que le roi ne lui confie plus de responsabilité décisive après 1250. Elle n'intervient que dans la mesure où il a besoin d'elle. Admettons qu'une fois ou l'autre elle ait quelque peu amplifié l'intervention qu'il lui demandait ou qu'elle ait même anticipé, mais les textes sont formels : chaque fois, il lui avait laissé une certaine marge de manœuvre. Il ne s'agissait d'ailleurs que des questions de détail. Louis IX l'aurait-il écoutée parfois plus qu'on ne le pense ? Aucun texte ne permet de l'affirmer et, sur ce point, nous ne disposons pas de confidences de l'un ou l'autre époux.

Nous n'avons que deux certitudes : d'une part, Louis IX s'est toujours refusé à ce que la reine Marguerite soutienne officiellement, et sans son accord, une politique personnelle ; d'autre part, il a voulu au moins une fois lui faire plaisir dans ses affections savoyardes.

Le domaine réservé de Marguerite de Provence ?

La reine Marguerite considérait comme un devoir d'aider sa famille. Le roi veille cependant à ce que l'argent de son trésor ne file pas outre-Rhône. Son épouse peut demander autant de prières pour sa famille qu'elle veut, cela ne revient pas trop cher. En 1239 par exemple, elle en sollicite auprès du monastère de Cîteaux à la mort de son cher oncle Guillaume qui, las d'attendre l'évêché de

Valence ou un siège épiscopal anglais, était devenu évêque élu de Viterbe.

L'une de ses interventions est beaucoup plus considérable. Veuf de Jeanne, comtesse de Flandre et de Hainaut, Thomas était revenu en Savoie et gouvernait le comté au nom de son neveu Boniface. Prévoyant, il décida de rénover ses services en s'arrogeant une principauté dans la partie préalpine du Piémont. Il s'empara de Turin et s'attaqua à Asti dont les banquiers rayonnaient sur l'Europe. Le 23 novembre 1255, les Astesans le firent prisonnier dans Turin. C'est le début d'une « entreprise » familiale dont les séquelles ne s'effacent qu'en 1270. A l'exception de Béatrice de Provence et de son époux Charles d'Anjou, les membres du lignage agissent en sa faveur. Eléonore d'Angleterre, la comtesse douairière, l'oncle Philippe, archevêque de Lyon, et, en première ligne, la reine de France décident de l'aider. A son instigation, Louis IX fait arrêter les hommes d'affaires d'Asti présents en son royaume comme d'autres parents de Thomas le font dans leurs territoires, par exemple Béatrice de Savoie dans le comté de Forcalquier qu'elle avait reçu en usufruit. Seul Charles d'Anjou prend le parti des Astesans. A vrai dire, dans cette première phase, le roi de France et ceux qui l'imitent ne font pas une mauvaise affaire puisqu'ils s'emparent des biens, de l'argent et des créances que possédaient les Astesans dans leurs royaumes ou leurs principautés.

Louis IX autorise ensuite son épouse à se servir des sommes d'argent ainsi recueillies pour payer la rançon de son oncle. La commune d'Asti avait en effet négocié la libération de Thomas de Savoie contre une grosse somme d'argent, l'abandon de Turin et la promesse de libération des Astesans prisonniers en France, en Angleterre, dans l'archevêché de Lyon et dans le comté de Forcalquier. Cette affaire se termine vers 1256-1257 mais a des répercussions plus lointaines. En 1256, Louis IX s'entremet entre Charles d'Anjou et sa belle-mère qui s'était réfugiée près de la cour de France. Elle était en conflit avec Charles, entre autres au sujet des Astesans. Elle avait même accueilli dans sa terre de Forcalquier des adversaires du nouveau comte de Provence. Louis IX obtient de sa belle-mère la libération des Astesans qu'elle tenait prisonniers et son renoncement au comté de Forcalquier contre une rente annuelle et un capital de 5 000 livres tournois qu'elle ne consent à recevoir que du Trésor royal tellement sa confiance dans la solidité des finances de Charles d'Anjou et en ses promesses est maigre. Le comte de Provence s'engage aussi à verser 4 000 marcs d'argent au roi d'Angleterre comme prix de son renoncement aux quatre châteaux qu'il tenait en Provence. Au début de 1257, Charles d'Anjou se décide à accorder une amnistie aux fidèles de la comtesse douairière.

Mais l'affaire n'est pas terminée en ce qui concerne la France. Louis IX qui, par sa garantie accordée à la comtesse pour la rente et le capital que lui avait reconnus Charles d'Anjou, disposait de moyens de pression encore plus grands sur son frère, n'était pas pressé de rendre 10 000 livres à Asti qui tenait le château de Cavour en garantie. Le roi trouvait avantage à laisser traîner les affaires. N'avait-il pas à sa disposition cette énorme somme ? Pour emprunter l'équivalent il aurait dû verser chaque année un intérêt de 10 % à 12 %, soit 1 000 à 1 200 livres, c'est-à-dire les revenus d'un bon bailliage. Ce n'est qu'en 1270 que la royauté verse les 10 000 livres qu'elle doit encore à la commune d'Asti. Dans une lettre qu'il expédie en juin 1270, Philippe de Savoie, comte de Bourgogne, fait savoir qu'Asti, qui a enfin reçu ces 10 000 livres que détenait encore « la sérénissime reine de France », a remis le château Cavour à ses neveux Thomas et Amédée de Savoie.

Marguerite de Provence n'est pas responsable de ce retard. Le roi avait consenti à ce qu'elle intervienne en faveur de son oncle, mais il en avait tiré un énorme profit. Il avait bien des excuses... L'intérêt du royaume ne primait-il pas tout le reste ? N'y avait-il pas un danger à trop encourager son épouse dans sa bonté envers sa parenté savoyarde, si prolifique, toujours prête à se lancer dans des entreprises hasardeuses, qui ne concernaient d'ailleurs pas la France ? L'un des motifs de la volonté royale de limiter l'action politique de la reine ne se profile-t-il pas ainsi [129] ?

Sanchie devient « reine des Romains »

On a beau scruter les documents, on ne décèle en revanche aucune trace d'une intervention indiscutable de Marguerite de Provence en faveur de l'accession à la royauté du duc de Cornouailles, l'époux de Sanchie, troisième fille de Raimond Bérenger. On imagine que la reine Marguerite, si sentimentale, n'a pas manqué de se réjouir de la promotion de sa sœur au rang de reine puis de se désoler de la voir en profiter si peu. Louis IX, après avoir beaucoup tergiversé et même s'y être opposé à plusieurs reprises, n'accepte la couronne offerte à Richard de Cornouailles qu'avec l'assurance d'y trouver son propre avantage. Il veut bien faire plaisir à sa belle-sœur, mais prétend tirer son profit de l'affaire. Au lieu de se laisser mener par les « demoiselles » de Provence, c'est lui qui les utilise au mieux des intérêts du royaume. Ce renversement de situation vaut bien que l'on s'y attarde un instant.

L'affaire se déclenche de manière inopinée. Le 28 janvier 1256, Guillaume, comte de Hollande, trouve la mort au cours d'une expédition contre les Frisons révoltés. Guillaume avait été élu auparavant roi des Romains. Il était, par le fait même, héritier de l'Empire et, en principe, maître de la Germanie. Il faut donc procéder à une nouvelle élection. Successeur d'Innocent IV, décédé en 1255, le nouveau pape s'oppose à la désignation du jeune Conradin, fils de Conrad, mort en 1254 et petit-fils de l'empereur Frédéric II de Hohenstaufen. La papauté avait reconnu le bâtard de ce dernier, Manfred, comme régent de Sicile, mais il n'est pas question que les princes et prélats de l'Allemagne, électeurs du roi des Romains, fassent opposition à la volonté papale. La voie est donc libre pour les compétiteurs.

Louis IX élimine son propre frère, Charles d'Anjou, coupable d'avoir enfreint ses ordres. Alors que les pourparlers en vue de l'élection entrent dans leur dernière phase, Saint Louis lui porte le coup fatal par son « dit de Péronne » du 24 septembre 1256 qui maintient le Hainaut aux Avesnes. Charles doit donc restituer le comté. Il n'est plus prince de l'une des régions septentrionales de l'Empire et perd ainsi un sérieux atout dans la compétition. De plus, il ne peut compter sur l'appui du roi de France qui soutient Alphonse, roi de Castille, dont la fille a été fiancée à son fils Louis en novembre 1255. L'autre compétiteur, Richard de Cornouailles, était appuyé par Henri III et bon nombre de princes de la partie nord-occidentale de l'Empire, parmi lesquels Jean d'Avesnes, héritier du comté de Hainaut, et deux électeurs, le comte palatin et Conrad, archevêque de Cologne. Pour le roi de France, l'enjeu est considérable : le roi des Romains ne devient-il pas, par son élection, roi de Germanie et maître théorique du royaume d'Arles ? Louis IX soutient donc le roi de Castille. Alphonse X se montre encore plus généreux que Richard et distribue beaucoup d'argent. L'archevêque de Trèves puis les ducs de Brandebourg et de Saxe lui apportent leurs voix. Ottokar de Bohême, lui, ne se prononce pas et négocie avec les deux camps. Enfin, le 13 janvier 1257, les archevêques de Cologne et de Mayence ainsi que le comte palatin se déterminent pour Richard. Ottokar de Bohême se range finalement dans leur camp. Mais l'archevêque de Trèves et les ducs de Saxe et de Brandebourg persistent dans leur opposition : le 1er avril 1257, ils votent pour Alphonse de Castille.

Le 29 avril 1257, Richard, qui avait accepté la couronne, quitte l'Angleterre à Yarmouth. Cinquante navires l'escortent avec sa femme Sanchie, son fils aîné Henri et leur suite. Ils débarquent à Dordrecht et, le 17 mai 1257, jour de l'Ascension, l'archevêque de Cologne couronne Richard et Sanchie dans la cathédrale d'Aix-la-Chapelle. Voilà la troisième fille de Raimond Bérenger devenue reine, mais il restait à son époux à conquérir son royaume et à tenter de se faire couronner empereur dans l'autre capitale impériale, Rome.

Les débuts de son règne lui sont d'ailleurs favorables. Alphonse de Castille, qui craint de s'enfoncer dans l'intérieur de l'Europe, ne conteste pas l'élection de son adversaire. Le roi de France le soutient désormais sans grande conviction. Dès avril 1257, il saura trouver des compensations à cette élection en faisant payer très cher sa neutralité : Henri III lui promet de ne plus exiger la restitution de ses fiefs continentaux et Richard s'engage à rester tranquille sur la frontière nord-ouest du royaume. Louis IX règle aussi l'épineuse question du comté de Namur dont l'héritier du Hainaut, Jean d'Avesnes, était devenu suzerain en 1248. Après bien des tractations, Baudouin II, empereur de Constantinople qui était comte de Namur — malgré la cession qu'en avait faite Jean d'Avesnes à Henri de Luxembourg — abandonne son comté à Guy de Dampierre, héritier du comte de Flandre et fidèle vassal de Louis IX. Ainsi, dans la région mosane, le roi de France dispose désormais de deux alliés sûrs, Guy de Dampierre et le duc de Brabant. Ils sauront surveiller Jean d'Avesnes qui en veut à Louis IX d'avoir été évincé de la Flandre et dont Richard de Cornouailles avait fait son sénéchal. Enfin, le roi de France n'éloignait-il pas des rives méditerranéennes un dangereux adversaire des visées françaises en laissant Richard s'engager et s'empêtrer dans ce qui était un véritable cadeau empoisonné ?

A l'exception du Brabant, les principautés situées entre l'Escaut et le Bas-Rhin étaient en gros favorables à Richard. Les régions du Haut-Rhin, la Germanie intérieure et ses confins orientaux où se réfugiait le jeune Conradin lui étaient en revanche hostiles. Le nouveau roi ne fit même pas acte de présence au-delà des régions rhénanes. Peu après son couronnement, il commença à remonter le Rhin, mais l'hostilité de l'archevêque de Mayence et des cités épiscopales de Worms et de Spire lui firent rebrousser chemin. Il passe l'hiver dans les plaines du Bas-Rhin et de la Meuse, séjourne à Aix-la-Chapelle et à Liège, de novembre 1257 à mai 1258. Au cours de l'été suivant, il repart vers le Sud rhénan et soumet Worms le 25 juillet 1258. L'archevêque de Trèves et le duc de Brabant s'engagent à le reconnaître si Alphonse de Castille ne vient pas en personne en Allemagne. C'est à ce moment-là, que son pouvoir est le plus grand, mais son autorité ne dépasse pas les contrées rhénanes qu'il semble maîtriser du nord au sud puisqu'il va jusqu'à Bâle. Succès éphémère : dans cette ville, les princes allemands commencent à l'abandonner. Il n'a plus d'argent à leur donner et décide de retourner en Angleterre pour en trouver.

Au cours de l'hiver, il quitte les terres impériales à Cambrai et traverse le royaume de France. Il atteint Arras le 14 janvier 1259, puis Saint-Omer où l'attend une délégation de seigneurs anglais qui ne l'autorisent à rentrer en Angleterre qu'après lui avoir fait promettre d'observer les « Provisions d'Oxford » qui limitent le pouvoir royal. Richard débarque à Douvres le 29 janvier avec Sanchie et leur jeune fils Edmond, prête à Cantorbéry le serment promis et entre à Londres le 2 février. Les marchands l'accueillent avec grand honneur car il a favorisé leur négoce en leur ouvrant plus largement les régions rhénanes. Il reste plus d'un an dans l'île, fête Noël en Cornouailles et s'efforce de trouver l'argent d'autant plus indispensable qu'il songe au couronnement impérial. Depuis quelque temps, les cités de l'Italie du Nord, ennemies des Hohenstaufen, avaient noué des relations avec lui. Mais le pape Alexandre hésite car il ne veut pas vexer le roi de Castille. Comme ce dernier ne s'intéresse plus guère à l'Empire, on s'achemine peu à peu vers le couronnement et les Romains, en désignant Richard de Cornouailles sénateur à vie, montrent qu'ils l'ont admis. Richard retourne sur le continent, séjourne à Cambrai du 27 juin au 8 juillet 1260, et se rend en Allemagne.

La mort d'Alexandre IV, le 25 mai 1261, va le priver de sa meilleure chance d'être couronné. Le nouveau pape, Urbain IV, un Français plutôt favorable au roi de Castille, exige que les deux rivaux se présentent devant lui. Richard refuse de se rendre à cette sommation qu'il estime injurieuse. Quand, désespéré, il accepte l'arbitrage de Clément IV, un Français encore, qui a succédé à Urbain IV, la mort du pape retarde la décision. Son successeur, Grégoire X, pense lui donner satisfaction mais Richard meurt en avril 1272. Depuis longtemps, il n'était plus question de couronnement impérial pour Sanchie, décédée le 9 novembre 1261. Elle avait été enterrée à Hayles où fut aussi inhumé Richard de Cornouailles qui avait épousé en troisièmes noces Béatrice de Falkenstein, le 15 juin 1268 [130].

Sanchie n'avait été reine qu'un peu plus de quatre ans. Elle ne semble guère avoir fait preuve d'ambition ni montré de hâte à devenir impératrice. Eléonore et Henri III l'avaient aidée à devenir reine. Louis IX s'était rallié à son couronnement après avoir fait montre de beaucoup d'exigences. Mais ni les uns ni les autres n'appuyèrent sérieusement le projet de couronnement impérial. Les sœurs aînées de Sanchie et leurs époux voulaient bien en faire une reine, non une impératrice.

CHAPITRE IX

MARGUERITE DE PROVENCE ET LES RELATIONS FRANCO-ANGLAISES (1258-1268)

Le traité de 1259 et l'influence familiale

Tous les livres sur le règne de Saint Louis signalent l'intervention de son épouse dans les relations entre la France et l'Angleterre. Selon beaucoup de ces ouvrages, Marguerite serait devenue l'instigatrice d'un rapprochement franco-anglais qu'auraient accompagné de grandes renonciations de territoires sans contrepartie valable au traité de 1259. Ce qui reviendrait à dire qu'Eléonore, qui avait déjà une grande influence en Angleterre, aurait pesé d'un grand poids dans la politique internationale de la France. Certains des conseillers de la Couronne, ennemis de la reine Marguerite, n'hésitent pas à affirmer que Louis IX privilégiait l'entente familiale avec le roi et la reine d'Angleterre aux dépens des véritables intérêts du royaume.

Que valent ces accusations ? Une simple remarque au préalable : une ambiance cordiale n'implique pas nécessairement une identité des points de vue dans tous les domaines. A ce jeu, le roi et la reine de France risquaient d'être pris à contre-courant et de se laisser piéger dans une politique anglaise très fluctuante. Ils ont évité ce danger après le retour de la croisade. On vient de le voir : Louis IX fit payer très cher les couronnes royales de Sanchie et Richard. En outre, faut-il déplorer un accord familial qui favorise l'établissement de la paix ? Après tant d'années d'oppositions et de luttes parfois violentes, les royaumes de France et d'Angleterre avaient intérêt à s'entendre et à clarifier leur situation réciproque sur un certain nombre de revendications et de rancœurs qui ravivaient sans cesse leur rivalité. Malgré ses promesses, l'Angleterre n'avait jamais accepté la perte de ses fiefs français de l'Ouest et restait une menace permanente pour la France. Il était préférable de régler le contentieux une fois pour toutes et d'en finir avec ce qu'on a parfois appelé la première guerre de Cent Ans. Ce n'est pas seulement pour faire plaisir à sa femme que Louis IX se décide à faire la paix avec Henri III qui en avait encore un plus impérieux besoin : pouvait-il se permettre de continuer la guerre sur les frontières de l'Aquitaine quand il lui fallait tant d'argent ? Son épouse en réclamait, la lutte contre la révolte galloise en exigeait et, surtout, le succès de l'implantation de son fils comme roi de Sicile en dépendait : le pape Alexandre IV requérait l'envoi de troupes indispensables à l'achèvement de la conquête. Henri III fit donc appel à Marguerite de Provence pour qu'elle travaillât au rapprochement des deux royaumes. Mais l'intervention de la reine de France était-elle indispensable ? Louis IX désirait aussi la fin de la tension entre les deux royaumes.

L'accord exigea de longues tractations. Saint Louis n'hésita pas à les faire traîner dès qu'il sut le roi d'Angleterre aux abois. A la révolte galloise et aux exigences papales s'ajoutaient les inondations, des famines et le mécontentement croissant des barons anglais. Une première mission anglaise échoua en juin 1257. En septembre de la même année, cinq envoyés d'Henri III, parmi lesquels l'abbé de Westminster, Pierre de Savoie et Simon de Montfort, comte de Leicester, viennent réclamer une nouvelle fois les fiefs confisqués : Normandie, Anjou, Maine et Saintonge pour le roi d'Angleterre, le Poitou pour Richard de Cornouailles. Les négociations se multiplient au cours de l'hiver et, le 6 mai 1258, Henri III donne autorisation à ses représentants de conclure le processus engagé. C'est chose faite le 28 mai 1258 avec le traité de Paris que les deux rois ratifient le 4 décembre 1259.

Joinville exagère quand il écrit que le roi de France avait décidé cette paix contre son Conseil. Certains conseillers, certes, maintenaient la tradition d'opposition systématique à l'Angleterre mais d'autres, tels Eudes de Lorris, partisan d'une plus grande ouverture, et Eudes Rigault, archevêque de Rouen, principal responsable des négociations avec Raoul, archevêque de Tarentaise, étaient favorables à la paix. A vrai dire, Louis IX n'accepte de conclure le traité qu'après avoir obtenu ce qu'il voulait : la reconnaissance officielle des annexions capétiennes. Ce précieux avantage valait bien quelques concessions. L'opposition se braque d'ailleurs sur l'une d'elles, qui réglait une vieille affaire et déplaisait fort aux partisans forcenés de l'héritage toulousain : le traité reconnaît à Henri III ses droits sur l'Agenais et, après la mort de Jeanne de Toulouse, des droits sur le Quercy, part d'héritage d'une autre Jeanne, fille d'Henri II et épouse de Raimond VII de Toulouse qui l'avait confisquée à son profit. L'Agenais représentait la cession la plus considérable puisqu'il s'agissait de la cession d'un fief entier, mais le roi de France en gardait la suzeraineté, la propriété éminente, et avait prévu des enquêtes afin de déterminer les droits exacts du roi d'Angleterre. Louis IX préservait l'avenir grâce à cette procédure, source de multiples procès, en particulier en Limousin, en Périgord et dans le diocèse de Périgueux où il cédait en fiefs ses seigneuries. Il maintenait aussi l'inféodation directe des biens des évêques de Limoges, Cahors, Périgueux et ceux de ses frères Alphonse et Charles, tandis qu'il donnait aux autres vassaux le choix entre l'hommage au roi anglais et le maintien dans la mouvance royale française sans intermédiaire. Une situation identique se retrouvait dans la Saintonge promise à Henri III après la mort d'Alphonse de Poitiers. Enfin, Louis IX pouvait maintenir son sénéchal en Périgord et y créer des villes neuves.

En bref, le roi de France ne retirait que quelques seigneuries à son Domaine, ce qui était bien peu. Il cédait surtout des fiefs dont il gardait la suzeraineté et verrouillait avec soin la concession grâce à des enquêtes et à des procès en chaîne prévisibles. En revanche, il mettait fin à un lourd contentieux, la sécurité dans l'Ouest et le Sud-Ouest, ce qui lui permettait d'intervenir avec plus de liberté dans la politique européenne et de se poser davantage encore comme l'arbitre de la chrétienté. Et surtout, il avait l'assurance de l'hommage du roi anglais pour tous les fiefs que celui-ci détenait dans le royaume de France, la Guyenne entière comprise, ce qu'aucun roi de France n'avait réussi avant lui. Le traité mentionne en effet le retour de Bordeaux et l'entrée de toute la Gascogne et de Bayonne dans la mouvance française. Ces précisions interdisent désormais toute échappatoire quant à l'hommage que doit Henri III à son beau-frère. Le 11 novembre 1259, le roi d'Angleterre vient prêter hommage à Louis IX dans le jardin du palais royal, genou à terre. Le roi de France — qui acquiert ainsi la paix et la reconnaissance de sa suzeraineté dans toute l'ancienne *Francia occidentalis* — et son épouse peuvent alors recevoir avec faste Henri III, Eléonore, leurs enfants et leur suite après la ratification du traité en décembre 1259.

La controverse n'est pas close pour autant. Pour y mettre fin, Saint Louis résume tous les éléments de l'affaire et, selon Joinville, explique à ses conseillers récalcitrants pourquoi, bien que le roi d'Angleterre n'eût aucun droit sur ces territoires (ce qui était fort vite dit en fait), il les lui a cependant cédés :

« Car nous [les rois de France et d'Angleterre] avons pour femmes les deux sœurs et nos enfants sont cousins germains ; c'est pourquoi il importe bien que la paix soit entre eux. Il y a pour moi un très grand honneur dans la paix que je fais avec le roi d'Angleterre, c'est qu'il devient mon homme, ce qu'il n'était pas auparavant. »

Ainsi Louis IX dégage-t-il les deux motifs de sa décision : la volonté de faire la paix en premier lieu, et, en second, le désir de recevoir l'hommage du roi d'Angleterre pour tous ses fiefs continentaux. Mathieu Paris ne retient d'ailleurs que le premier mobile quand il met dans la bouche du roi de France les paroles suivantes :

« Il faut travailler de tous nos efforts à ce qu'une paix durable soit établie entre mes fils et les fils du roi d'Angleterre, qui sont cousins et qui régneront si Dieu le permet, afin qu'à l'avenir les deux royaumes ne se mordent plus (...), que les hommes ne pillent plus et ne se tuent plus réciproquement. »

Par la mise dans la pénombre de la seconde phase du diptyque, le chroniqueur anglais reconnaît implicitement combien l'Angleterre a dû s'incliner afin d'obtenir ce traité dont elle avait besoin. Louis IX tient à ce que l'on ne se méprenne pas sur ses intentions. Dans un autre passage, Joinville montre son insistance :

« Il me semble que ce que je lui donne [à Henri III], je l'emploie et que par là il entre dans mon hommage [131]. »

Saint Louis ne peut être plus net. Il n'exclut ni sa volonté de faire la paix ni l'influence familiale qui est un motif supplémentaire en faveur de l'accord, mais il insiste davantage sur la reconnaissance de sa suzeraineté dans tout le royaume. Quelques sacrifices pouvaient compenser ce succès diplomatique et Louis IX prend toute l'affaire sous sa responsabilité. Il protège ainsi son épouse contre ses conseillers anglophobes qui, dès lors, se méfieront encore plus d'elle. Il tient à la défendre pour lui permettre de jouer un rôle actif dans l'arbitrage que lui demandent les Anglais.

Marguerite de Provence et les difficultés du roi d'Angleterre

Dès l'élaboration des clauses du traité en mai 1258, Henri III se trouve en mauvaise posture. Les barons anglais comprennent vite à qui profite le traité de Paris et se rendent compte que leur roi a été berné. Celui-ci achève alors de perdre ce qui lui restait d'autorité. Les Anglais ont même l'impression que Louis IX a acheté leur roi avec quelques compensations financières : les frais de l'entretien de cinq cents chevaliers pendant deux ans et le paiement du revenu annuel de l'Agenais, soit 3 720 livres, jusqu'à la mort d'Alphonse de Poitiers. Les barons anglais réclament alors la convocation d'un Parlement afin de discuter de l'expédition prévue en Sicile. Dans ce Parlement réuni à Oxford le 17 juin 1258, ils mettent un terme à la tentative d'affermissement du pouvoir royal qui prétendait imiter celui de France avec l'ébauche d'administrations centrales dépendantes de lui. Ce que l'Histoire a retenu sous le nom de « Provisions d'Oxford » prévoit en particulier la convocation trois fois par an du Parlement, qui est loin de se limiter aux affaires judiciaires, ainsi que la suppression du droit du roi à nommer ses principaux officiers. Ainsi Henri III, qui s'imaginait avoir retrouvé un certain prestige avec le traité de Paris, se rend-il compte que cet accord est très mal reçu par les barons et par l'opinion publique qu'indignaient les abandons consentis par le roi [132].

La reine Eléonore ne s'opposa par immédiatement aux Provisions d'Oxford, puis elle comprit que les barons pouvaient les utiliser pour faire du tort à ses « parents », c'est-à-dire aux membres de son clan provenço-savoyard. La situation de son époux ne tarde pas alors à empirer. Il éloigne les Poitevins de sa cour pour satisfaire sa femme et, par le fait même, accroît la puissance du chef des barons, Simon de Montfort, comte de Leicester et époux de sa sœur, qui réclame avec force sa part d'héritage. Henri III demande alors de le délier du serment qui l'engage à observer les Provisions d'Oxford. Il obtient satisfaction le 14 avril 1261 mais les barons, mécontents, demandent l'arbitrage du roi de France.

S'ensuit une période de grands troubles qui mettent en danger le trône d'Angleterre. La reine Eléonore fait plusieurs fois preuve de courage et d'habileté. Souvent, Richard de Cornouailles l'aide, mais il doit parfois se rendre dans son royaume d'Allemagne sous peine de déchéance. Le 21 juin 1262 il quitte donc l'Angleterre jusqu'au 10 février 1263. A son retour, il est fait prisonnier avec son frère Henri III. Eléonore supporte alors tout le poids du pouvoir, organise la résistance et sauve la couronne de son époux contre Simon de Montfort-Leicester qui voudrait la donner à sa femme, fille de Jean sans Terre et d'Isabelle d'Angoulême. Eléonore avait auparavant apitoyé sur son sort sa sœur Marguerite de Provence qui plaidera sa cause auprès de Louis IX. Grâce à l'aide de ce dernier, elle finit par l'emporter sur les barons.

Louis IX n'ignorait pas combien sa position était délicate quand Henri III et son adversaire firent appel à son arbitrage. Il ne pouvait abandonner son beau-frère, mais son intérêt n'était-il pas d'avoir de l'autre côté de la Manche un roi affaibli ? Comment parvient-il à faire évoluer la situation en sa faveur ? Grâce à Marguerite de Provence : il n'hésite pas à lui confier les phases les plus subtiles de la négociation. Il peut ainsi se tenir en retrait et jouer sur deux tableaux : celui de la reine favorable au couple royal anglais et celui de ses conseillers qui désiraient l'affaiblissement du roi d'Angleterre. Pourquoi Saint Louis aurait-il oublié l'exemple de Philippe Auguste qui avait souvent à sa disposition une politique de rechange ? Pourquoi son petit-fils n'aurait-il pas eu lui aussi deux fers au feu pour parvenir à ses fins ? Peut-on, dans ces circonstances, continuer à considérer Marguerite de Provence comme un agent de l'Angleterre ou, pour le moins, comme un personnage influent dont l'unique souci aurait été d'intervenir en faveur de ce royaume ? C'est l'une des erreurs les plus manifestes de l'Histoire. Elle aurait été un bien piètre agent, aussi bien lors du traité de Paris qui se retourne contre Henri III qu'au temps de la révolte des barons où l'on voit les envoyés au roi d'Angleterre la rendre responsable de l'échec de l'un de leurs projets. Mais voici la preuve la plus éclatante de la fausseté des accusations portées contre elle : la reine Marguerite n'intervient qu'à la demande expresse de son époux. Saint Louis joue sur du velours : il connaît bien Marguerite, toujours prête à s'apitoyer sur les infortunés et à les secourir, de surcroît attachée à sa brillante cadette et toute disposée à l'aider. Mais, encore une fois, elle n'agit officiellement en sa faveur que dans la mesure où son mari fait appel à elle. Les textes le démontrent. Toutefois, les documents les plus décisifs (publiés par Rymer et surtout Boutaric) n'ont pas été exploités pour défendre sa mémoire.

Quand les barons anglais demandent l'intervention du roi de France, le 14 mars 1261, Henri III et ses vassaux comprennent qu'ils le placent dans une situation difficile. Ils admettent d'emblée que Louis IX ne veuille pas prendre sur lui la décision (ce qui prouve que le roi a déjà exprimé des réticences et suggéré une solution) et qu'il confie la négociation à « Madame la reine de France » et à Pierre le Chambellan (Pierre de Villebéon), l'un des meilleurs spécialistes de la diplomatie royale. Louis IX, qui connaît les dangers des affaires anglaises, abandonne cette tâche délicate à son épouse que vont aider Pierre le Chambellan et le duc de Bourgogne. Henri III accepte la médiation de la reine de France [133].

Marguerite de Provence, que le roi d'Angleterre supplie aussi d'intervenir auprès du pape Urbain IV en faveur de son fils Edmond, tente l'impossible pour apaiser la querelle anglaise, mais en vain [134]. Henri III, qui pressentait cet échec, avait confié en mai 1261 à la reine de France un certain nombre de bijoux, en particulier des bagues enfilées sur des bâtons : cent dix-huit bagues ornées de rubis, soixante-six ornées d'émeraudes, treize de topazes, ainsi qu'un « fermail » avec deux diamants, bijou que l'on ne connaissait guère encore en Occident. Marguerite de Provence en fait dresser l'inventaire et ordonne de les déposer au Temple. Elle les restituera en 1272 [135].

En 1262, le roi d'Angleterre était revenu en France. Il y séjourna plusieurs mois, résida au château de Saint-Germain-en-Laye où il tomba gravement malade. La reine de France fit prendre de ses nouvelles. A l'annonce de sa guérison, elle exprime sa joie :

« Par vos lettres qu'a obtenues pour nous, de votre part, le messager que vous avait envoyé notre seigneur le roi, nous avons appris que votre état de santé s'était amélioré. A l'annonce de votre heureuse convalescence, notre esprit qui était tombé dans la douleur et la tristesse à l'occasion de votre maladie a retrouvé sa joie [136]. »

Afin de parer à toute tentative de soulèvement des barons, Eléonore cherche des renforts de troupes en France, surtout par l'entremise de sa sœur Marguerite. Les lettres des deux reines et la correspondance qu'elles entretiennent avec Alphonse de Poitiers montrent qu'elles espèrent le gagner à la cause anglaise. Marguerite de Provence sait que son époux ne peut intervenir au grand jour dans la guerre civile anglaise qui s'annonce. Mais il lui confie le soin d'agir en faveur d'Henri III. Sa correspondance n'a rien de secret. Ainsi Louis IX ne se compromet-il pas. Il garde une entière liberté de manœuvre. Eléonore, qui comptait beaucoup sur l'aide de Gaston de Béarn, baron querelleur et bon chef de guerre, demande à Marguerite de le réconcilier avec Alphonse de Poitiers. L'épouse de Louis IX écrit à ce dernier :

« Marguerite, par la grâce de Dieu, reine de France, à son très cher Alphonse, comte de Poitiers et de Toulouse, frère du seigneur roi, salut et sincère amitié affectueuse. Nous vous présentons nos prières pour notre cher parent par le sang, le seigneur Gaston de Béarn, afin que, par amour pour nous et en égard à votre épouse qui lui est unie par les liens de la consanguinité, vous soyez favorable et bienveillant envers lui de telle sorte qu'on ne puisse rendre responsable ni vous ni les vôtres de la violente oppression dont il souffrirait [137]. »

Alphonse de Poitiers se montre réticent. Aux lettres de sa belle-sœur, il répond avec constance que le responsable de la querelle est Gaston de Béarn, lequel a envahi le comté de Comminges, fief tenu du comte de Toulouse. Celui-ci doit donc défendre son vassal [138].

Les camps anglais se préparaient à la guerre. En janvier 1263, Henri III envoie son Trésor à Paris ainsi que deux ambassadeurs auprès de Louis IX afin de lui rappeler sa promesse de le réconcilier avec le comte de Leicester qui s'y trouvait déjà. Comme le leur avait suggéré leur maître, les deux envoyés anglais, Jean de Clergshull et Imbert de Montferran, demandent une audience à la reine de France qui les reçoit le 4 février au château de Saint-Germain-en-Laye. Elle leur déconseille avec force de rencontrer son époux avant qu'elle ne soit retournée à Paris et qu'elle n'ait eu le temps de l'entretenir de l'affaire. Au moins une fois, elle prend donc l'initiative et semble vouloir amener le roi à sa manière de voir. Mais l'entreprise tourne mal. Louis IX reçoit les ambassadeurs anglais et, sur-le-champ, rencontre aussi le comte de Leicester qui ne veut plus entendre parler de réconciliation. Lors d'une nouvelle entrevue, les deux ambassadeurs, mécontents, accusent la reine d'être responsable de l'échec de la tentative d'accord. Pour une fois qu'elle semble donner raison à ses détracteurs français, voilà que les Anglais jugent que son initiative était dirigée contre eux. En fait l'affaire a simplement mal tourné et, une fois encore, la reine s'incline devant les décisions de son royal époux [139].

Simon de Leicester s'en retourne en Angleterre. L'arrogance des barons augmente : en mai 1263, ils exigent d'Henri III sa soumission aux Provisions d'Oxford. Leicester s'empare des ports de la Manche afin d'interdire l'arrivée des mercenaires recrutés sur le continent. Le jeune prince Edouard se réfugie à Windsor. A Londres, c'est le soulèvement. La reine Eléonore se réfugie dans la tour de Londres. Lorsqu'elle veut la quitter, les citoyens de la ville l'insultent et l'obligent à rebrousser chemin. Henri III se soumet, contraint Edouard à abandonner Windsor. La paix reste fragile. Les adversaires décident de nouvelles négociations et font encore appel à la médiation du roi de France.

En septembre 1263, Louis IX et son épouse accueillent Henri III, Eléonore et Simon de Leicester à Boulogne-sur-Mer. Margue-

rite est à nouveau chargée d'intervenir en faveur du roi d'Angleterre. Elle apprend à Alphonse de Poitiers la nouvelle conférence [140]. Elle précise que personne n'est dupe des barons anglais
et ajoute qu'il faut envisager le pire. Si les négociations échouent
comme cela est prévisible, le roi d'Angleterre aura besoin d'une
flotte solide. Elle supplie donc son beau-frère de mettre à sa
disposition les navires de La Rochelle et de ses autres ports si la
paix ne peut se consolider. Les armateurs, marins et marchands de
ses territoires d'Aunis et de Saintonge ne possèdent-ils pas de
nombreux vaisseaux qui commercent sur la façade atlantique ainsi
qu'en Manche et en mer du Nord ? Comme le roi de France juge
qu'il ne peut apporter une aide directe à Henri III (ce qui lui
interdirait toute possibilité d'arbitrage), la royauté anglaise ne peut
compter que sur la flotte d'Alphonse de Poitiers. Louis IX prend
une précaution supplémentaire. Afin que les barons anglais ne
puissent l'accuser d'intervenir de quelque manière que ce soit
contre eux, il préfère que ce soit sa femme qui en fasse la demande.
Ce qui lui permet de ne pas hypothéquer l'avenir et de garder les
mains libres pour une solution conforme aux intérêts du royaume.

Le scénario déjà décrit lors de la première négociation se
renouvelle. Marguerite accomplit les tâches que son mari ne veut
ou ne peut pas entreprendre. Elle lui permet de mener deux
politiques en même temps. Ce n'est pas un double jeu au sens strict
car Louis IX se doit de prévoir l'échec possible de la négociation
officielle. Il mène ici un jeu diplomatique très subtil et montre une
excellente connaissance des affaires internationales. On comprend
mieux que l'on fasse si souvent appel à lui comme négociateur.

Comme prévu, la conférence de Boulogne échoue. Sans passer
cette fois par sa sœur Marguerite dont elle rappelle cependant
l'intervention, Eléonore, le 15 octobre 1263, écrit à Alphonse de
Poitiers pour lui demander ses nefs et ses galères [141]. Alphonse
répond sèchement qu'il n'en a point de disponibles. On fait donc
appel une nouvelle fois à Marguerite qui, habilement, modifie les
propositions initiales. Dans une lettre expédiée de Saint-Germain-
en-Laye le 11 octobre 1263, elle suggère que le roi et la reine
d'Angleterre nolisent des bateaux et renoncent au prêt sans
garantie envisagé auparavant. Elle le sollicite aussi d'ordonner à ses

baillis de Poitiers et de La Rochelle d'aider de leurs conseils et de leur influence ses envoyés pour qu'ils aient à leur disposition les nefs et galères louées par la famille royale anglaise. Elle signale que le prince Edouard attend tous ses « amis » vers le 11 novembre prochain à Saint-Omer, afin de préparer le débarquement projeté [142].

En homme courtois, Alphonse de Poitiers répond à Marguerite de Provence dès le 5 novembre. Il lui rappelle qu'il ne peut engager des navires qu'il ne possède pas, mais il consent à ce que les hommes de La Rochelle louent leurs nefs et leurs galères. Il ne peut cependant les forcer car, s'il les contraignait, il commettrait un péché. C'est une réponse plus conciliante que les précédentes [143].

Faut-il déjà déceler un changement profond dans la politique d'Alphonse de Poitiers ? C'est trop tôt encore, car il n'oubliait pas l'aide qu'avait apportée Henri III à ses vassaux révoltés en 1241. Il n'ignorait pas non plus que les milieux marchands d'Aunis et de Saintonge restaient favorables à l'Angleterre et regrettaient sa domination qui facilita leur négoce. Il ne tenait donc pas à s'immiscer dans les affaires anglaises afin de ne pas donner au « parti anglais » un prétexte pour se soulever contre les Français.

Après avoir beaucoup hésité, Louis IX, qui désirait éviter que l'anarchie s'installe en Angleterre, obtient que les adversaires le prennent à nouveau comme arbitre en décembre 1263. On choisit Amiens comme lieu de rencontre. Le roi et la reine de France, entourés de conseillers, y retrouvent Henri III, son épouse et les délégués des barons dont le chef, Simon de Leicester, est absent. Le 23 janvier 1264, Saint Louis annule les Provisions d'Oxford. Les barons anglais n'acceptent pas cette décision et se soulèvent en masse sous la direction du comte de Leicester.

Inlassable, Marguerite de Provence intervient à nouveau afin de procurer des troupes à Henri III et à Eléonore qui comptent beaucoup sur Gaston de Béarn et son armée. Marguerite supplie donc Alphonse de Poitiers d'ordonner à son sénéchal d'Agen d'accorder une suspension d'armes dans la lutte contre Gaston de Béarn [144]. Alphonse remet les choses au point dans une lettre qu'il adresse à « sa sérénité » la reine de France : Gaston est bien l'agresseur. Afin de faire plaisir à la reine et d'éviter de nouvelles souffrances aux paysans, le comte de Poitiers accepte de tenter un nouvel effort en faveur de la paix, mais souhaite au préalable que sa belle-sœur fasse savoir à son protégé qu'il n'est pas content de son attitude [145].

Marguerite de Provence et la situation dramatique d'Henri III

Pendant ces tractactions, la situation du roi d'Angleterre s'est aggravée. Louis IX et son épouse demandent au pape Urbain IV d'intervenir. Ce dernier accepte et envoie le cardinal Guy Foulquoy qui charge Jean de Valenciennes de tenter de fléchir Simon de Leicester puisque tous deux s'étaient connus outre-mer. Cette démarche échoue. La guerre civile commence. Le 7 mai 1264, Eléonore, qui séjourne à Poissy, écrit à Alphonse de Poitiers pour lui demander de réquisitionner en sa faveur tous les navires qui se trouveraient dans ses ports. Le comte refuse et, seuls, les bateaux que loueraient ses sujets peuvent servir la cause anglaise [146].

C'est le désastre. Le 14 mai 1264, à Lewes, les barons anglais, sous les ordres de Simon Leicester, l'emportent et font prisonniers Henri III et son frère Richard. Afin d'éviter qu'ils soient massacrés, leurs fils Edouard et Henri d'Allemagne se livrent comme otages. Eléonore prend la tête du parti royal avec un courage exemplaire. Réfugiée en France, elle lève des mercenaires et loue des navires. Marguerite ne cesse de l'aider et, à sa requête, demande au comte de Poitiers d'arrêter plusieurs marchands de Bayonne, alliés des barons anglais, pendant qu'ils traversent ses terres. Alphonse acquiesce, mais Louis IX, qui apprend cette arrestation, ordonne à son frère d'envoyer les prisonniers à Paris. Telle est la teneur d'une lettre datée du 18 janvier 1265. Le roi de France voulait protéger ces marchands car il craignait qu'ils ne fussent molestés en Poitou, ce qui aurait pu entraîner des représailles sur les membres de la famille royale anglaise prisonniers ou gardés en otages. Apeuré, Henri III lui avait demandé, dans une lettre expédiée dès juillet 1264, d'interdire l'envoi d'une expédition en Angleterre afin de ne pas mettre leur vie en péril.

Eléonore ne tient pas compte des craintes de son mari, rassemble un corps d'expédition que commande Guillaume de Valence, un Lusignan, donc « un Poitevin », qui scelle ainsi un accord avec la reine d'Angleterre. Le prince Edouard réussit à se libérer, prend la tête d'une armée et, à Evesham, le 4 août 1265, écrase les troupes de Simon de Leicester qui est tué dans le combat.

Louis IX libère aussitôt les marchands de Bayonne. Le 29 août 1265, son épouse écrit à Alphonse de Poitiers :

« Marguerite, par la grâce de Dieu, reine de France, à son très cher Alphonse, frère du roi de France, comte de Poitiers et de Toulouse, salut et sincère témoignage d'affection. Vous savez que le seigneur notre roi a ordonné récemment de libérer les citoyens de Bayonne qui étaient retenus prisonniers à Paris. Comme leurs lettres nous l'ont appris, ils avaient provoqué beaucoup de frais et dommages à l'illustre roi d'Angleterre et à la reine, notre frère et sœur très chers ainsi qu'à Edouard, notre neveu si cher au plus profond de notre cœur, surtout en empêchant notre sœur de disposer à Bruges, où elle avait réuni son armée l'année précédente, de bateaux de Bayonne, ce qui l'empêcha de traverser la mer et, par le fait même, entraîna des dommages qui n'étaient pas médiocres. Comme vous nous avez accordé et comme vous nous accordez une confiance particulière, nous recherchons spécialement votre loyauté et nous vous demandons, pour notre amour, de ne pas permettre de recevoir dans votre terre et domination ces citoyens qui ont trahi, non pas une fois, mais plusieurs fois, leur seigneur et de leur interdire l'entrée [dans votre terre]...

« Donné à Vincennes, le lendemain de la Décollation de saint Jean-Baptiste (29 août 1265). »

A première vue, cette lettre semble offrir des arguments à ceux qui soutiennent que Marguerite de Provence contrarie son mari à tout propos. En fait, de quoi s'agit-il ? La reine veut sauver d'embarras Louis IX qui risquait d'apparaître bien versatile aux yeux de son frère. N'avait-il pas libéré les prisonniers qu'il avait réclamés ? Afin de prouver qu'il ne les excuse pas, son épouse suggère une punition de remplacement, l'interdiction de séjour et de déplacement dans les territoires d'Alphonse, ce qui va les gêner fort dans l'exercice de leur négoce. Un autre passage de la lettre montre qu'elle agit en conformité avec la volonté royale : elle demande à son beau-frère de bannir de ses terres Guillaume Arnaud Dupuy et sa compagnie de pirates qui « avaient provoqué beaucoup de ravages sur les côtes normandes et avaient nui au seigneur notre roi ».

Le comte de Poitiers répond favorablement et promet à la reine de bannir de ses territoires les négociants de Bayonne et Guillaume Arnaud Dupuy [147]. Y aurait-il eu un changement radical de sa part ? En vient-il à grossir les rangs du « parti anglophile » que soutenait Marguerite de Provence ? La situation est plus complexe que cela. Que cherchait le comte de Poitiers et de Toulouse ? La plus grande autonomie possible et la défense des intérêts des habitants de ses comtés. Il ne tenait donc pas à se laisser entraîner dans le sillage de la politique internationale de son frère. Il refusa la responsabilité de l'aide navale que son frère ne voulait pas endosser, mais, dans la crainte de trop déplaire à ce dernier qui avait placé auprès de lui plusieurs de ses administrateurs afin de le surveiller, il assouplit sa position et autorisa la location de bateaux de ses sujets. Toutefois, il resta longtemps en retrait, craignant d'être entraîné dans un tourbillon dont il ne maîtrisait pas toutes les données. Après la victoire du prince Edouard, la situation s'éclaircit et il acquiesça d'autant plus volontiers aux exigences de sa belle-sœur que celle-ci formulait des demandes mineures qui avaient même l'avantage d'éliminer une concurrence dangereuse pour ses propres négociants.

Louis IX, qui tenait à préserver l'avenir, ne voulait donc pas mécontenter davantage les barons anglais et libéra les marchands qui leur étaient favorables. Alphonse comprend encore mieux combien il a eu raison de rester si longtemps à l'écart des oscillations de la politique de son frère. Douterait-on de sa volonté d'être neutre si longtemps ? En voici une autre preuve. Le 28 mai 1263, le comte de Poitiers avait refusé de venir discuter à Paris des affaires normandes avec le roi qui le lui avait instamment demandé. Alphonse allégua qu'il avait pris rendez-vous avec Charles d'Anjou et plusieurs barons de l'Ouest pour en parler. Il ne donna donc pas suite au souhait de son frère qui sollicitait les pleins pouvoirs afin d'en terminer avec les affaires normandes, en particulier au sujet d'hommages de vassaux laissés en suspens depuis la conquête de Philippe Auguste. Alphonse de Poitiers répond par deux fois « qu'il ne veut pas charger la conscience du roi de France ».

Dans cette affaire qui manifeste déjà un parti des princes et barons de l'Ouest, soucieux de ne pas couper les liens avec l'Angleterre puisque la prospérité de leurs régions dépend en grande partie du négoce avec le royaume d'outre-Manche, le comte de Poitiers montre sa méfiance envers la politique si compliquée et si personnelle de son frère [148]. Mais l'on découvre encore mieux l'habileté de Saint Louis face au danger que représentait la possibilité de voir ses barons de l'Ouest prendre la défense des partisans de l'Angleterre. Avec son accord, et probablement à son instigation, Marguerite de Provence devint ainsi le chef de file des anglophiles, même si elle a choisi l'un des camps en lutte. Cela n'a guère d'importance puisque Louis IX, grâce aux prises de position de son épouse, réussit à ne pas se mettre à dos le parti des barons anglais opposés à leur roi.

La ligne qu'a suivie Marguerite de Provence est nette. La plupart de ses initiatives favorisent Henri III, son épouse et ses enfants. Surtout son neveu Edouard qu'elle qualifie de « neveu très cher » dans une lettre du 29 août 1265. Alphonse de Poitiers avait compris en 1264 que la politique pro-anglaise de sa belle-sœur était l'un des éléments de celle de Louis IX et qu'il n'encourrait pas les foudres de ce dernier en satisfaisant de temps à autre les vœux qu'exprimait la reine. L'affaire de Bergerac, qui traînait depuis une dizaine d'années devant les instances judiciaires royales, est un autre exemple de l'utilisation de Marguerite par son époux dans des phases délicates des relations franco-anglaises. En 1254, Henri Rudel, sire de Pons, marié à la fille du seigneur de Bergerac qui ne voulait pas céder Bergerac et Gensac à Edouard d'Angleterre, fut fait prisonnier par les soldats d'Henri III qui assiégèrent ensuite Bergerac. De retour d'outre-mer, Louis IX intervint et, par un ultimatum, força les assiégeants à lever le siège. L'affaire vint devant la *Curia* royale, traîna de session en session. Afin d'en finir, les adversaires choisirent la reine Marguerite comme arbitre ainsi que l'indique une décision royale du 31 mars

1264. Henri III et son fils prirent l'engagement d'accepter la décision de la reine de France. Celle-ci confirma la possession de Bergerac à Renaud de Pons mais lui prescrivit de payer 10 000 livres tournois à ses adversaires, qui furent ainsi déboutés de leur réclamation [149].

La victoire d'Evesham, le 4 août 1265, mit fin à la guerre entre les barons anglais et leur roi qui, vindicatif envers la famille du chef des révoltés, refusera encore en 1268, malgré l'insistance du roi de France, le retour en Angleterre du jeune Simon de Leicester, réfugié en France avec sa mère. Bien qu'il fût vainqueur, Henri III, par crainte de susciter de nouvelles rébellions, reconnut dès le 18 novembre 1265 les réformes qui limitaient son pouvoir, à savoir la Grande Charte de 1215 et les Provisions d'Oxford. Il admit le droit des villes et des bourgs d'envoyer des délégués ou « députés » dans les parlements anglais où les barons et les évêques avaient leur place. On y discutait des affaires du royaume, surtout des finances et des impôts.

Ainsi l'arbitrage qu'avait rendu le roi de France en faveur de Henri III a-t-il échoué. Certes, ce dernier conserve son royaume, mais les barons anglais maintiennent la royauté sous surveillance. C'est le seul échec de Saint Louis mais cet insuccès n'est-il pas la preuve de son habileté et de celle de ses diplomates puisqu'il sauvegarde les véritables intérêts de la France ? Après avoir tant tergiversé, le roi de France n'avait pu que rendre un avis favorable à son beau-frère, mais il ne tenait pas à donner au royaume d'outre-Manche un roi trop assuré de son pouvoir. Dans ce jeu diplomatique à double ou triple détente, véritable chef-d'œuvre du genre, le roi de France et ses conseillers ont évité ce danger sans susciter la colère d'Henri III ni celle des barons. Ils n'ont pu atteindre ce résultat qu'à l'aide de Marguerite de Provence qui a pris systématiquement le parti du roi d'Angleterre et d'Eléonore, sauvegardant la position du roi de France sur l'échiquier diplomatique et dans la subtile partie qu'il y menait. La reine préconisa longtemps les dispositions que ne pouvait prendre son époux sans perdre la confiance des barons anglais. N'a-t-elle pas ainsi permis d'endormir plus sûrement le roi et la reine d'Angleterre ?

La réponse est sans ambiguïté : Marguerite de Provence n'est pas tortueuse. Elle est heureuse de recevoir de son époux la tâche de défendre le roi d'Angleterre et plus encore sa sœur Eléonore qu'elle aime tant. Si elle n'est pas complice de son mari et de ses diplomates, serait-elle leur dupe ? Soyons rassurés sur ce point. Dans sa correspondance, elle fait savoir plusieurs fois qu'elle agit en accord avec son époux et sous son initiative, ce qui la couvre de tout côté et excuse à l'avance l'échec de ses interventions. De plus, si elle était dénuée de toute intelligence politique, pourquoi certains conseillers royaux se méfieraient-ils d'elle jusqu'à la fin du règne de Saint Louis ?

Elle l'aide d'ailleurs parfois dans ses responsabilités à l'intérieur du royaume, l'accompagnant dans certains de ses déplacements et le remplaçant même à l'occasion. Le registre des visites épiscopales d'Eudes Rigault, archevêque de Rouen, si riche de renseignements, nous apprend ainsi que, le 18 avril 1257, Marguerite de Provence vient rejoindre à Gisors le roi, qui, la veille encore, accompagnait seul le prélat dans l'inspection de son archidiocèse. Louis IX quitte alors le cortège et la reine le remplace. Le 27 avril, elle se trouve avec l'archevêque à Pont-de-l'Arche, le lendemain à Rouen et le 29 et 30 du même mois à Fresne-l'Archevêque puis à Notre-Dame d'Alliermont [150].

CHAPITRE X

MARGUERITE DE PROVENCE, LES AFFAIRES MÉDITERRANÉENNES ET LA MORT DU ROI

Béatrice de Provence devient reine et meurt

Dans les affaires méridionales, souvent, l'urgence commande moins que dans les relations franco-anglaises de la fin du règne. On travaille ici pour le long terme, on pose des jalons pour l'avenir. Avec le traité de Corbeil, conclu en 1259, s'était dessinée nettement la possibilité d'une revendication éventuelle à l'annexion du comté de Provence sous le couvert de la reconnaissance des droits de la reine Marguerite. Ce traité voulait mettre fin à des dominations théoriques, celle de la France sur la Catalogne et celle de la suzeraineté aragonaise et catalane sur une grande partie du midi de la France. Le projet d'Empire catalan était bien mort [151]. Il l'était d'autant plus qu'un acte distinct du 17 juillet 1258 enregistra un autre accord entre les rois d'Aragon et de France : Jacques d'Aragon céda à sa cousine, la reine de France, les droits à la succession du comté de Provence que Raimond Bérenger lui avait donnés dans son testament de 1238, au cas où Béatrice ou Sanchie n'auraient pas d'héritiers. Afin de garantir la nouvelle convention, Louis IX s'entoura à la hâte d'une précaution supplémentaire. La papauté décida qu'à l'avenir les droits ne pouvaient être atteints de quelque manière que ce fût, même par des bulles pontificales que le royauté aragonaise réussirait à obtenir [152].

Ces dispositions destinées à sauvegarder l'avenir sont d'autant plus nécessaires que Charles d'Anjou, maître de la Provence, refusait toujours de payer le solde de la dot de la reine Marguerite, qui n'avait reçu que 2 000 marcs sur les 10 000 promis. Le moment que choisit Louis IX pour rappeler les droits de son épouse est opportun car son frère Charles rencontre de sérieuses difficultés dans son comté provençal. Il veut y imposer son autorité et rencontre bien des oppositions parmi les nobles et les citadins. Les Marseillais sont les plus mécontents. Ils regrettent amèrement les libertés perdues et souffrent de la crise qui frappe le négoce sur le grand axe économique joignant l'Europe du Nord-Ouest au bassin oriental de la Méditerranée. Les Génois qui abaissent leurs tarifs d'affrètement dans des proportions redoutables font un tort considérable à Marseille dont une part importante de la flotte reste à quai. Des banquiers, des gros négociants marseillais et quelques nobles fomentent en 1262 une rébellion que Charles d'Anjou réprime avec une grande sévérité. Les querelles entre Béatrice de Savoie et son gendre ne firent rien pour arranger la situation. Malgré la réunion familiale de 1254, la rivalité qui les opposait reprit vite le dessus et leurs disputes firent écho dans tout l'Occident [153].

Qui avait donc intérêt à aggraver la situation de Charles d'Anjou en Provence ? On a vu que de nombreux Provençaux n'étaient pas satisfaits de leur comte. Parmi les puissances extérieures qui s'intéressent à la Provence, la maison catalono-aragonaise l'a éliminée de ses préoccupations, les héritiers de l'empereur Frédéric II de Hohenstaufen sont trop occupés par sa succession et le roi d'Angleterre se trouve en si fâcheuse posture avec la révolte baronale qu'on ne peut les suspecter d'avoir suscité ou soutenu les mécontents. Mais Saint Louis, et plus encore son épouse, n'auraient-ils pas été tentés de favoriser les diverses tentatives de rébellions provençales ? On sait seulement que le couple royal protège Béatrice de Savoie, toujours prête à aider les ennemis de son beau-fils Charles, qu'ils réclament le reste de la dot de la reine et font même connaître leurs doléances à la papauté. Le roi de France demande aux archevêques de Narbonne et d'Embrun de l'aider à régler cette affaire mais le comte refuse tout arrangement.

Doit-on alors interpréter l'autorisation que donne en 1263

Louis IX à son frère de devenir roi de Sicile comme un moyen de mettre la main sur la Provence ? Faisait-il une concession à son épouse ? Grâce au vaste champ ouvert à l'ambition de son rival, heureux maître de cette Provence qu'elle convoite tant, ne peut-elle espérer la récupérer du moins en partie ? Ambitieux satisfait, son beau-frère ne serait-il pas enclin à composer ? Si tel a été l'espoir de Marguerite de Provence, elle se leurre. Louis IX veut bien compliquer à l'excès les accords ou rappeler à l'occasion les droits de son épouse, par exemple dans le traité de Corbeil qui préserve l'avenir, mais il refuse de mêler les affaires du couple à celle de l'Etat. Il a une trop haute idée des devoirs de sa charge et des vrais intérêts du royaume pour céder à un chantage affectif ou à une scène de ménage supplémentaire. Voulait-il enfin laisser sa chance à ce frère dont il avait tant bridé auparavant l'appétit de pouvoir ? Ce serait là un argument bien mince. Les motivations de Louis IX dépassent largement les considérations familiales.

Rappelons que, depuis la mort de Frédéric II de Hohenstaufen en 1250, la papauté n'en finissait plus de chercher un candidat pour ce royaume de Sicile qu'elle ne voulait plus laisser aux mains des héritiers de l'empereur, tellement elle redoutait de voir Rome prise en tenailles entre leurs possessions septentrionales et méridionales. Innocent IV l'offrit d'abord à Richard de Cornouailles puis, en 1251, à Charles d'Anjou qui, effrayé par les exigences financières papales, préféra l'aventure hennuyère. La papauté songea ensuite au second fils d'Henri III, Edmond, un enfant de huit ans qui reçut l'investiture du royaume de Sicile à la fin de 1255. Mais le pape Alexandre IV redoutait Manfred, bâtard de l'empereur Frédéric II, qui s'était fait couronner roi de Sicile sur le faux bruit de la mort de Conradin élevé et protégé en Carinthie par les fidèles des Hohenstaufen. Manfred avait tissé un réseau d'alliances en Lombardie, et, d'une manière générale, avec les Gibelins de l'Italie du Nord, partisans de l'Empire, en particulier avec Sienne qui l'emporta en 1260, à Monperti, sur Florence alliée du pape. Le nouveau souverain pontife, Urbain IV, éconduit ensuite le roi d'Angleterre qui le supplie de ne pas oublier son fils Edmond mais ne peut lever le corps expéditionnaire requis contre Manfred. Le pape recherche un candidat sérieux et fait appel au roi de France qui hésite encore. Il considère en effet que les Hohenstaufen sont les possesseurs légitimes des territoires convoités. En 1263, il se décide enfin mais n'accepte pas le royaume pour lui ou l'un de ses enfants : il propose ce cadeau empoisonné à son frère Charles dont l'insatiable ambition le pousse à tenter l'aventure.

Comment s'explique cette décision de Louis IX qui apparaît comme un reniement de sa politique antérieure ? Faut-il y voir un plan du couple royal, soucieux de procurer un royaume à la quatrième fille de Raimond Bérenger ? Puisque Richard de Cournouailles et Sanchie avaient leur part dans les dépouilles septentrionales de Frédéric II, pourquoi Charles et Béatrice ne participeraient-ils pas à la curée dans le Sud, ce qui permettrait à la petite sœur de devenir enfin reine, de ne plus jalouser ses aînées et, par surcroît, d'éloigner son époux de la Provence ? En fait cette symétrie, si évidente à nos yeux, ne s'est inscrite dans la réalité que par une circonstance imprévue : la perte de l'Empire latin de Constantinople en 1261.

La nécessité commande, balaie les dernières hésitations du roi de France qui désire aider l'infortuné empereur Baudouin II de Courtenay. Ce motif est si impérieux qu'il revient un moment sur sa décision de laisser son frère devenir roi de Sicile en apprenant que Manfred veut soutenir Baudouin et qu'il se soumet au pape dans ce but. Mais Manfred tergiverse et Louis IX, en 1263, donne l'autorisation décisive à son frère avec d'autant moins de scrupules qu'il pense à une nouvelle croisade et que la Sicile lui assurerait un relais propice à son dessein. De laborieux pourparlers s'engagent. Le pape craint une trop grande puissance de Charles d'Anjou. Il lui accorde cependant une « décime » (le dixième des revenus ecclésiastiques) car il considère la conquête de la Sicile comme une croisade. Mais Charles doit renoncer à son titre de « sénateur » que lui avait donné le peuple de Rome et qui en faisait le maître de la ville.

Reste à Charles d'Anjou à conquérir son royaume. Il a l'intention de traverser l'Italie avec son armée, ce que ne voit pas d'un très mauvais œil le nouveau pape Clément IV, un Français ami et conseiller de Louis IX, de son vrai nom Guy Foulquoy, il était devenu prêtre après son veuvage et avait rapidement gravi les échelons jusqu'à la papauté. Charles envoie en Lombardie et en Piémont des émissaires chargés de faciliter son passage et de lui assurer des appuis auprès des villes guelfes favorables au pape. Mais il apprend que Manfred veut s'emparer de Rome. Il embarque alors en hâte avec une petite troupe et, le 21 juin 1265, devient maître de Rome. Les événements se précipitent. Les derniers obstacles à son couronnement s'évanouissent. Le pape décide d'annuler l'investiture d'Edmond, le fils d'Henri III. Le 24 juin, Manfred a l'audace de demander au peuple de Rome la couronne impériale, ce qui permet de légitimer la confiscation des fiefs tenus de la papauté par les Hohenstaufen. Le 29 juin, Charles d'Anjou et Béatrice de Provence sont couronnés roi et reine de Sicile.

Voici enfin comblés les vœux de Charles et de la dernière fille de Raimond Bérenger et de Béatrice de Savoie. Après une si longue attente, la « petite » sœur devient reine. Son mari obtient de traverser l'Italie en roi avec son armée. Le 2 février 1266, il pénètre dans la partie péninsulaire du royaume de Sicile et, le 26 février, l'emporte à Bénévent sur l'armée de Manfred qui est tué. Cette victoire lui livre tout son royaume, île comprise, qui se soumet sans résistance. Béatrice ne profitera de sa couronne qu'un peu plus d'une année : elle meurt à Nucera en juillet 1267. Elle avait eu le temps d'instituer son fils Charles comme héritier des comtés de Provence et Forcalquier dont son époux gardait l'usufruit. N'avait-elle cependant pas atteint le but de sa vie ? Sans s'attarder trop sur les destinées des quatre filles de la lignée provençale, le contraste est éclatant entre Marguerite et Eléonore, qui ont épousé des rois solidement ancrés en leur royaume, et leurs cadettes. Ces deux princesses qui attendent, l'une la trentaine, l'autre la quarantaine bien entamée pour accéder à la couronne, ne triomphent que peu de temps, la première quatre ans et la seconde deux années à peine, tandis que leurs sœurs, couronnées au seuil de l'adolescence, restent associées à leurs maris à la tête de leur royaume pendant plus de trente-cinq ans avant de devenir reines douairières pendant une vingtaine d'années.

Après la mort de son épouse, Charles d'Anjou doit lutter contre Conradin qui entre en Italie le 21 octobre 1267 malgré l'interdiction papale, pénètre dans Rome le 24 juillet 1268 et se dirige vers l'Italie du Sud. Mais, le 23 août, Charles l'emporte à Tagliacozzo, capture Conradin et fait décapiter ce jeune prince âgé de quatorze ans.

Le roi de Sicile dirige alors ses regards vers l'Empire byzantin. Baudouin II, l'empereur latin détrôné en 1261 par l'empereur grec Michel VIII, était venu chercher secours auprès de Louis IX. Celui-ci, qui lui avait déjà donné beaucoup d'argent, refusa de l'aider. Baudouin II se tourne alors vers Charles d'Anjou qui prétend récupérer les droits des anciens rois normands de Sicile dans les Balkans. Contre des secours, l'empereur déchu lui promet une grande partie de la Grèce. Désormais, la conquête de ces territoires retient toute l'attention de Charles d'Anjou qui n'apporte, à contrecœur, qu'un appui limité, tardif, à la croisade que projette son frère le roi de France.

La déception de Marguerite de Provence est encore plus vive. En 1263, le pape avait exigé de Charles d'Anjou, à qui il concédait le royaume de Sicile, une condition préalable : la réconciliation avec sa belle-sœur. Charles ne daigna pas l'écouter. Il pouvait se permettre ce refus puisque la papauté avait besoin de lui contre les Hohenstaufen. Mais le pape craint que, à la longue, la querelle ne ruine les efforts du nouveau roi de Sicile si le roi de France cessait de le soutenir. Cette peur est vaine : Louis IX comprend qu'il ne peut exiger sur-le-champ le paiement du reste de la dot étant donné les besoins d'argent criants de son frère. Le roi de France ne soutient donc plus officiellement son épouse qui continue à revendiquer ses droits et va utiliser toutes les occasions possibles pour susciter ou faire croître les difficultés de celui qu'elle considère toujours comme l'usurpateur. Ce qui laisse supposer qu'elle a encouragé le « parti français » en Provence depuis quelques années [154].

La mort de la comtesse douairière en 1266, puis celle de Béatrice de Provence en 1267 ne favorisent pas les partisans d'un accord. Le fossé se creuse entre Marguerite et Charles qui exige que les vassaux de Provence lui prêtent serment, ce qu'ils devaient seulement à son fils aîné Charles II. Le pape Clément IV proteste, bien qu'il espère l'appui du roi de Sicile pour imposer la politique du Saint-Siège qui veut éteindre toute velléité de résistance des cités gibelines. Louis IX se garde d'envenimer la querelle car il subordonne tout aux préparatifs de la croisade et veut détourner son frère de la tentation de conquête dans l'Empire byzantin [155]. Il lui suffit de laisser son épouse revendiquer ses droits et, une fois de plus, la reine Marguerite, avec son accord tacite, soutient seule une politique d'influence et d'annexion à long terme de son cher comté.

La persévérance de la reine de France envers sa Provence ne lui permet-elle pas déjà de grouper autour d'elle les grands et moyens vassaux du centre-est et du sud-est du royaume ainsi que des barons d'outre-Saône qui, eux, tenaient des fiefs impériaux ? On peut se poser la question. Tous ces personnages craignent une trop grande puissance de Charles d'Anjou et vont former sous Philippe III un parti très influent avec comme chef de file incontestable vers 1280 Marguerite de Provence. Ce clan anti-angevin semble alors si fort qu'on se prend à douter de sa naissance spontanée après la mort de Saint Louis. Comme tant d'autres mouvements qui semblent surgir au grand jour, il a pu très bien se préparer pendant quelques années et sans laisser de traces écrites puisque telle n'était pas la politique officielle. Quoi qu'il en soit, ceux qui redoutaient la reine Marguerite ne manquaient pas dans l'entourage du roi de France vers 1263 et dans les années suivantes.

Louis IX refuse la régence à Marguerite de Provence

Ouvrons les dossiers les plus délicats des rapports entre le roi et la reine de France : Louis IX refuse à son épouse toute possibilité de participation directe au pouvoir, et, après sa mort, tout projet gouvernemental. Il n'est plus question ici de querelles de ménage ni de scènes relatives à un vœu de pèlerinage, aux toilettes de la reine ou à son opposition à l'entrée de son mari dans un monastère. Quand le pouvoir et les intérêts du royaume sont en jeu, le roi ne transige pas. Et comme il exprime son refus à plusieurs reprises, on ne peut penser qu'il s'agisse d'une foucade.

Un document des archives vaticanes, inconnu de Le Nain de Tillemont et découvert depuis, nous révèle une étrange affaire. A la demande du roi de France, le pape Urbain IV, le 6 juin 1263, releva Philippe, héritier de la couronne de France, du serment solennel qu'il avait fait à sa mère de rester sous sa tutelle jusqu'à l'âge de trente ans, de ne prendre aucun conseiller qui lui fût hostile, de ne contracter aucune alliance avec Charles d'Anjou, de la renseigner sur tous les bruits qui auraient pu courir contre elle et de garder le silence sur ses promesses.

Contre sa femme qui voulait servir de mentor à l'héritier du royaume s'il venait à disparaître, Louis IX tranche de manière impitoyable, refuse l'éventualité d'une régence — même déguisée — de son épouse. Bien des historiens ont considéré que Saint Louis donnait là un témoignage indiscutable de sa méfiance envers les initiatives politiques de son épouse. Plus insidieux, certains y ont découvert la preuve que rien n'allait plus dans le couple royal : le roi n'allait-il pas jusqu'à humilier son épouse devant des tiers et à la faire condamner par le pape en personne ? Mieux encore, entre 1261 et 1264, Urbain IV accorde à Blanche, fille de Louis IX et de la reine Marguerite, le privilège de ne pas rester religieuse à vie si son père lui imposait ses vœux. Voilà une autre précaution contre un serment imposé que l'on imaginerait volontiers comme une vengeance de Marguerite de Provence qui répondrait ainsi à l'intervention de son mari. Malheureusement pour ce parallèle trop facile, aucun texte n'indique une quelconque intervention de la reine à ce sujet. Selon toute vraisemblance, Blanche, qui entrait alors dans son adolescence, avait suivi le conseil de son confesseur. On voit ainsi combien l'Eglise tenait à la liberté du choix entre la vie religieuse et le mariage. Blanche épouse d'ailleurs en 1269 Ferdinand de Castille et Louis IX, qui désirait tant que ses fils Jean-Tristan et Pierre deviennent, l'un dominicain, l'autre franciscain, ne les contraint pas à entrer dans les ordres. Il respecte donc le choix de ses enfants dont aucun n'entre dans les ordres. Mais, à supposer qu'il soit un jour prouvé que Marguerite ait poussé un jour sa fille Blanche à prendre ses précautions contre un éventuel serment forcé, cela tendrait seulement à prouver à quel point la reine aimait ses enfants, se souciait de leur avenir et n'était pas le personnage un peu falot et capricieux qu'on a parfois voulu en faire.

Faut-il apporter à ses détracteurs un argument supplémentaire qui n'a jamais été avancé ? Dans la même période, plusieurs lettres de Marguerite de Provence sont datées de Saint-Germain-en-Laye qui devient quelque temps sa résidence préférée. Une fois au moins, le roi était absent et travaillait à Paris. Faut-il bâtir un roman et imaginer que le roi et la reine de France vivaient séparés ? Ce serait méconnaître les usages et les nécessités de la vie royale qui imposaient à l'un et l'autre conjoint des tâches distinctes. On l'a vu lorsque la reine remplaçait son mari dans l'inspection des églises normandes. Peut-on supposer que le décès du fils préféré, en 1261, que tous deux ont si douloureusement ressenti, ait entraîné un certain éloignement des parents ? Si telle était l'explication, nous en aurions bien conservé quelques traces écrites. Au contraire, les témoignages d'affection et de respect de Saint Louis envers son épouse à la fin de sa vie ne manquent pas. Il ne faut pas davantage mal interpréter l'appel au pape qui, seul, pouvait délier d'un serment solennel tel que celui qu'avait prêté le jeune Philippe à l'instigation de sa mère [156].

En bref, le roi voulait ce qui lui semblait le meilleur pour son royaume. Il estime qu'il ne peut se laisser forcer la main par quiconque, serait-ce son épouse, quand il juge que les intérêts supérieurs du royaume l'exigent. La volonté de Louis IX d'écarter l'influence politique de son épouse sur son fils et sur le pouvoir est évidente. Celle de la reine de tenir son fils en tutelle ne l'est pas moins. Faut-il en conclure que Marguerite de Provence imite Blanche de Castille ? Ce n'est pas impossible, mais le jeu n'était pas égal entre les deux reines. Blanche de Castille avait reçu la régence de manière inopinée à la mort de Louis VIII en 1226, ce qui permettait d'évincer le comte de Boulogne, Philippe-Hurepel, bâtard légitimé de Philippe Auguste et « chevetain » des féodaux, bien décidé à interrompre le processus de restauration du pouvoir royal. En outre, les conseillers de la Couronne estimaient que la jeune veuve, désemparée et sans soutien, suivrait leurs directives. La situation de Marguerite de Provence est bien différente. Elle prend les devants car elle devine que le roi et ses conseillers les plus influents n'ont pas l'intention de lui abandonner la régence du royaume. On la craint. N'a-t-elle pas déjà prouvé, en Egypte, son aptitude à gouverner ? De plus, elle groupe autour d'elle un clan composé des Tourangeaux de la Chambre, des partisans de l'entente avec l'Angleterre et, peut-être déjà, des barons des confins du sud-est du royaume, inquiets des progrès de Charles d'Anjou. Marguerite de Provence, qui n'a pas oublié la douloureuse expérience de 1242, comprend qu'elle doit prendre ses précautions afin de ne pas être évincée à nouveau et d'éviter le triomphe d'une politique différente de celle qu'elle préconise en ce qui concerne la Provence. Ne demande-t-elle pas à son fils de ne pas conclure d'alliance avec Charles d'Anjou ?

De plus, il ne faut pas oublier que ses premiers soutiens ne plaisaient pas à beaucoup des membres de l'entourage royal. Les Tourangeaux s'étaient introduits dans l'Hôtel royal par l'humble porte de la garde et des services domestiques. Les frères de Brosse, chefs des Tourangeaux, ne furent-ils pas d'abord valet, garde et sergent ? Ces nouveaux venus, forts de la reconnaissance royale, profitent de l'étroit créneau qu'on leur laisse et poursuivent une lente ascension. Mais les conseillers de Louis IX, au retour de sa première croisade, se méfient de la reine. Un Picard comme Pierre de Fontaine, des Parisiens et des gens d'Ile-de-France comme Sarrasin, Villebéon ou Chambly, ainsi que des hommes venus d'autres horizons tels Eudes Rigault ou Guy Foulquoy, appuient à fond la politique du roi et veulent écarter toute déviation. Même les plus ardents partisans de l'ouverture, qui étaient à l'origine proches de la reine, s'en détachent. Citons Eudes de Lorris, l'un des meilleurs connaisseurs des affaires anglaises, anciennement au service de Charles d'Anjou, et Jean de Valenciennes, membre de l'entourage royal en Terre sainte, spécialiste des affaires financières et de la préparation de la nouvelle croisade, qui la considère bientôt avec méfiance à cause de sa haine envers le roi de Sicile.

Pierre de Brosse pénétra peu à peu dans ce milieu des clercs et chambellans de l'Hôtel royal, principal vivier des hautes charges de l'Etat. Il vivait dans l'entourage de Louis IX qui remarqua sa vive intelligence et son aptitude à l'administration. De plus en plus détaché des biens matériels, Saint Louis n'en admire peut-être que davantage cet homme parti de rien qui, grâce à son entregent et son habileté, accumule les seigneuries. Dès 1264, le roi en fait son chambellan. La disparition du prince Louis, en 1260, l'a propulsé vers les sommets. Philippe, le cadet, est loin d'avoir les qualités de l'aîné. Le roi et la reine jugent qu'il lui faut un solide conseiller. Sur son choix, leurs avis divergent. Marguerite de Provence s'estime capable de remplir ce rôle. Le roi en décide autrement et choisit Pierre de Brosse. Celui-ci renseigne désormais le roi sur ce qui se passe dans l'entourage du prince Philippe. Louis IX a la conscience tranquille puisqu'il lui donne comme conseiller un homme dont il admire les capacités et l'habileté. Il a la certitude d'être au courant de toute action secrète comme celle que la reine avait tentée. Se pose ainsi la question de savoir qui avait averti le roi du serment de son fils ? Ne serait-ce pas ceux en qui la reine a le plus confiance, ces Tourangeaux qui l'ont aidée autrefois. Et pourquoi pas leur chef ? Qui profite le plus de cette affaire, si ce n'est Pierre de Brosse, désormais bien placé pour s'emparer du pouvoir ? Il devient le conseiller d'un héritier incapable de prendre seul des décisions sérieuses et de gouverner. Le clan tourangeau s'éloigne de la reine, choisit la fidélité et l'obéissance au roi, s'attache à celui qui lui ouvre la direction de l'Etat. Pierre de Brosse risque-t-il une opposition de la part de la reine ? Il peut être rassuré. Marguerite de Provence n'a nulle intention de s'opposer à la volonté de son époux. Quand le roi la récuse comme conseillère de son fils, elle s'incline, acceptant ainsi que le roi commette la plus grave erreur politique de sa carrière : il n'a pas perçu le danger que fait courir à la royauté l'insatiable ambition de son chambellan préféré [157]. N'est-ce pas la reine qui a le mieux analysé la situation ?

Au moment de repartir outre-mer, Louis IX entreprend la dernière étape de la préparation à sa succession. En mars 1270, il ne confie pas la régence à sa femme, pas plus d'ailleurs qu'à Pierre de Brosse. Il choisit Mathieu de Vendôme, abbé de Saint-Denis, et Simon de Nesle ainsi que Philippe, évêque élu de Tours et Jean, comte de Ponthieu, pour remplacer les premiers en cas de décès. Mathieu de Vendôme et Simon de Nesle sont du clan opposé à celui de Marguerite : ils n'hésiteront pas à s'acharner comme des oiseaux de proie sur son douaire en apprenant la mort du roi.

Dans les derniers mois de sa vie, Saint Louis aurait-il eu quelque remords ? Aurait-il pressenti la nécessité d'équilibrer l'influence exclusive de Pierre de Brosse sur Philippe quand il écrit dans ses *Enseignements à son fils*, véritable testament spirituel :

« Je t'enseigne que tu aimes et honores ta mère et que tu retiennes volontiers et observes ses bons enseignements et sois enclin à croire ses bons conseils [158]. »

Ce sont là de bonnes paroles et des témoignages d'affection, mais le roi maintient l'exclusion de son épouse du conseil de régence. Ses motifs devaient être sérieux pour écarter une épouse qui avait sauvé l'expédition d'Egypte par ses sages décisions et par son courage. Marguerite de Provence avait des qualités pour gouverner, mais peut-être plus dans l'urgence et les situations difficiles que dans la conduite ordinaire des affaires et dans les relations diplomatiques courantes qui exigeaient beaucoup de souplesse. Il la jugeait sans nul doute trop tenace dans ses haines, trop unilatérale dans sa vision des choses, trop attachée à sa Provence et, en même temps, trop compatissante à l'égard de sa sœur Eléonore, en difficulté dans son royaume, pour changer son point de vue et renoncer à certains projets, amitiés ou inimitiés, si l'intérêt de la France l'exigeait. En clair, il l'aurait volontiers accusée de manquer d'intelligence politique, et taxée d'incapacité à percevoir toutes les données d'une situation.

Une autre considération est venue renforcer ce jugement. La royauté avait utilisé sans scrupules la reine et ses attachements afin de préserver l'avenir dans les affaires provençales et de préserver l'arbitrage royal entre Henri III et ses barons. Louis IX lui avait laissé la responsabilité de phases délicates de la négociation et elle lui avait rendu l'insigne service de devenir le porte-parole de la tendance opposée — ou pour le moins réfractaire — à la politique officielle du moment. Sous un roi fort, les opposants qui n'osaient se faire entendre au grand jour faisaient courir le risque de complots. Quand Alphonse de Poitiers prétextait d'un rendez-vous avec les grands de l'Ouest pour refuser de discuter à Paris avec le roi, n'y avait-il pas risque que l'un d'eux prenne la tête d'une soudaine révolte ? Dans ces conditions, il a paru utile que la reine fût considérée comme chef du clan pro-anglais même si ses préférences allaient à Henri III et que celles des vassaux de l'Ouest se tournaient plus souvent vers les barons anglais. Mais les services rendus concourent à ce que l'opinion publique considère encore davantage la reine comme une personne dont la vision politique reste étroite. Le rôle dévolu à Marguerite de Provence — et qui consistait à soutenir une politique, sinon souterraine, tout au moins différente de la politique officielle et qui correspondait à ses désirs les plus profonds — se retourne contre elle.

A ces motifs s'en ajoute un autre. Le roi prétend garder le pouvoir pour lui et n'en céder que ce qu'il veut. La cause est entendue. Et voilà qu'il désire maintenir les lignes directrices de sa politique après sa mort. Il avait certes élargi le domaine de l'action et de l'influence de la politique royale, fait preuve d'une plus grande ouverture aux problèmes extérieurs. Pourtant, il juge trop dangereux de se lancer dans les aventures alpines, les mirages méditerranéens ou dans une alliance trop étroite avec l'Angleterre, ce qui, entre parenthèses, suffirait à démontrer qu'il n'a pas été dupe d'une paix perpétuelle entre celle-ci et la France. Il décide donc de confier le pouvoir à ceux qui donnaient encore la priorité aux intérêts vitaux du royaume sur les frontières du Nord, de l'Ouest et du Sud-Ouest. Il tient à éviter des tensions insupporta-bles entre ces hommes et son épouse, trop attachée à l'entente avec le couple royal anglais, à sa parenté savoyarde et à sa Provence. Sur ce dernier point, les circonstances sont défavorables à l'extrême à la reine. Le roi, qui désirait tant le succès de sa nouvelle croisade, ne pouvait à l'évidence désigner son épouse comme régente. Cette décision aurait paru un défi à Charles d'Anjou dont il avait besoin pour la réussite de son entreprise.

D'autres considérations ont pu jouer. Louis IX a pu craindre l'éventualité d'une rivalité à venir entre Marguerite de Provence devenue reine douairière, appuyée par le parti des ambitieux, et Isabelle d'Aragon, épouse du prince Philippe. Enfin, Louis IX connaissait bien son épouse. Il la savait capable d'affronter les difficultés et les inimitiés, mais il avait compris combien elle était sensible, préférait la vie familiale et souffrait des oppositions. Mieux que quiconque, Saint Louis avait deviné qu'elle n'était pas assoiffée de pouvoir. Chaque fois qu'on lui a retiré ou refusé la direction des affaires publiques, elle s'est inclinée et s'est refusée à toute manifestation de colère ou d'amertume, à la différence de Blanche de Castille.

Malgré tout, les dispositions prises par Louis IX ne tiennent pas après sa mort et Pierre de Brosse prend le pouvoir. Marguerite de Provence avait-elle donc pressenti le danger que représentait ce personnage ? Elle n'a pas livré de confidences sur ce point. Mais son changement d'attitude en 1263 permet de poser cette question. Avant comme après 1263, elle n'apparaît sur le devant de la scène politique qu'en temps de graves difficultés et que si Louis IX, puis, après 1270, son fils Philippe III lui en font la demande. En s'imposant au prince héritier en 1263, n'a-t-elle pas souhaité éviter de graves dommages au royaume en écartant Pierre de Brosse comme conseiller tout-puissant ? Que vaudrait alors l'accusation portée contre elle de vouloir à tout prix le pouvoir grâce au serment imposé à son fils ? On est bien obligé de constater qu'elle ne proteste pas quand le roi demande au pape de délier Philippe de sa promesse. Elle ne regimbe pas plus quand son époux l'écarte du conseil de régence et elle n'essaie pas de s'imposer après la mort de son mari. Comme elle ne renouvelle pas sa tentative de se placer à la tête du gouvernement du royaume, il est probable qu'elle avait de plus sérieux motifs qu'une subite et ardente soif du pouvoir pour agir comme elle l'a fait en 1263.

Louis IX distinguait ses tâches familiales et celles de l'Etat. Avec ses conseillers et les théoriciens de la nouvelle théologie et de la pensée politique en ce début de la seconde partie du XIIIe siècle, il distinguait à la perfection les domaines de l'action publique, religieuse ou familiale. Pourquoi ne serions-nous pas capables de suivre cet exemple ? Doit-on imaginer que des divergences « politiques » aient profondément troublé le couple royal ? Marguerite de Provence et son époux ne l'ont pas compris ainsi.

La mort de Saint Louis

Louis IX, si soucieux de ne pas trop s'engager dans les mirages méditerranéens, se lance à nouveau en 1270 dans la grande aventure du voyage outre-mer. Sa foi très profonde explique cette contradiction. Elle lui fait un devoir d'entreprendre une croisade afin de sauver les Etats latins de Syrie-Palestine, en fâcheuse position. D'autres considérations se greffent vite sur ce projet initial, en particulier son souhait de détourner son frère Charles de son intention de s'implanter dans l'Empire byzantin.

Le 25 mars 1267, le roi de France « avait pris la croix » et s'était ainsi engagé au départ. Il prépara avec soin son expédition, contracta des affrètements de navires à Gênes et à Marseille. Il ne rencontre guère d'opposition. Son autorité est telle que personne, ou presque, n'ose lui présenter d'objections. Joinville, que Louis IX appelle à Paris, serait le seul à lui reprocher son vœu. Une fois de plus la reine Marguerite accepta sa décision. La « sérénissime », « l'illustre » reine de France poursuit ses tâches, en particulier sa correspondance avec la famille royale anglaise qui est si chère à son cœur. Elle écrit à Henri III, lui souhaite une bonne santé et s'enquiert des nouvelles des siens. Elle lui demande avec insistance de lui envoyer l'un de ses neveux, Edmond, duc de Cornouailles, fils de Richard et de Sanchie, afin qu'il achève auprès d'elle de se remettre d'une grave maladie pulmonaire, semble-t-il, et qu'il retrouve la santé plus vite qu'en restant isolé dans sa brumeuse contrée. Elle intervient aussi auprès d'Henri III en faveur de l'abbé de Cîteaux et le supplie de lui témoigner de la bienveillance « par amour pour elle »[159].

Avant de partir, Louis IX n'oublie pas « sa très chère épouse » à qui il lègue dans son testament, daté de février 1270, 4 000 livres, une somme considérable. Dans les conseils qu'il écrit à l'intention de son fils Philippe, il lui recommande d'honorer sa mère après lui avoir rappelé en 1269-1270 son douaire tel qu'il l'avait décidé en 1260. En 1270, il tient à ce que Thomas et Amédée de Savoie reconnaissent devoir à leur tante Marguerite 7 000 livres pour un prêt qu'elle leur avait consenti, mais le texte ne précise pas de lien entre cette avance et l'affaire d'Asti de 1255, qui se règle en juin 1270 comme on l'a vu[160]. Le roi se rend compte que son départ, et plus encore sa disparition, qu'il pressent, vont causer bien du chagrin à son épouse et il place au nombre des sacrifices qu'il fait à Dieu la douleur qu'il lui impose. Il recommande à son héritier de prendre soin de sa mère et d'adoucir sa peine [161]. Ces dispositions matérielles et affectives soulignent une fois de plus l'attachement du roi envers la reine Marguerite.

C'est dans les larmes que les deux époux se disent adieu à Vincennes le 16 mars 1270. Le 14, Louis IX s'était rendu à Saint-Denis où, selon le rituel capétien, il avait pris l'oriflamme et reçu le bourdon de pèlerin. Revenu à Paris, il quitte le lendemain le palais de la Cité, prie à Notre-Dame de Paris et gagne ensuite le château de Vincennes. Le chroniqueur Primat raconte que la reine Marguerite accompagne le roi à Vincennes au début « du voyage de Jérusalem ». Le 15 au soir, le roi et son épouse se dirigent vers l'une des chambres des appartements royaux afin d'y passer leur dernière nuit. Le 16 au matin, Louis IX quitte « la noble reine Marguerite sa femme ». Tandis qu'à travers ses larmes elle regarde s'éloigner son époux, Marguerite de Provence voit la fin de leurs trente-cinq ans de vie commune, des joies et des épreuves partagées.

La reine Marguerite étant absente de l'expédition, il ne convient pas d'en narrer les détails. Elle en avait cependant connu les principales étapes car les croisés expédiaient des lettres. Nous avons notamment gardé celles qu'envoyait à Paris Pierre de Condé, chapelain du roi. Comme en 1248, le roi n'avait pas fait connaître sa stratégie. Embarqué le 2 juillet à Aigues-Mortes, il arrive en Sardaigne le 8 juillet et, après avoir complété son ravitaillement, donne le 15 juillet l'ordre de départ pour Tunis. Afin d'expliquer l'échec de la croisade, le bruit courut vite que Charles d'Anjou était responsable du détournement de la croisade. Il n'en était rien. Dès 1267, Pierre de Villebéon et Jean de Valenciennes l'avait rencontré car Saint Louis voulait l'associer à son expédition et lui demandait son aide. En donnant comme but à la première phase de sa croisade le contrôle sur la Méditerranée centrale, Louis IX espérait couper l'une des voies de recrutement de soldats musulmans et, en même temps, éviter à son frère la tentation de faire des conquêtes dans l'Empire byzantin et probablement celle d'en devenir le maître. Si la mort avait arrêté la marche impériale de Sanchie et de Béatrice, Louis IX, comme Henri III, ne pouvait tolérer une couronne de si haut prestige pour son cadet. Charles d'Anjou, mécontent de devoir rappeler sa flotte de Morée, montre de la mauvaise volonté pour aider son frère et le supplie de ne pas combattre l'émir de Tunis, Al-Mostancir, avec lequel il entretenait de bonnes relations. Mais Louis IX cingle vers Tunis qu'il atteint le 17 juillet et débarque le premier le 18. Il est à la tête d'une troupe si nombreuse qu'on a du mal à croire qu'il espérait vraiment la conversion d'Al-Mostancir qu'une ambassade tunisienne venue à Paris et des dominicains arabisants en mission à Tunis avaient fait espérer.

A la vue d'une force de débarquement aussi imposante les sujets de l'émir prennent peur et s'enfuient. Le 24 juillet, les croisés s'emparent du château de Carthage. Les ennemis se contentent de harceler les soldats du roi de France. Mais l'eau rare, polluée, et la rapide décomposition des cadavres sous la chaleur provoquent une redoutable dysenterie. L'épidémie enlève d'abord Jean-Tristan qui était né à Damiette en 1250. Louis IX, atteint par la maladie avant la mort de son fils, résiste quelque temps, s'occupe encore de l'expédition, puis reçoit l'extrême-onction et s'affaiblit pendant quatre longues journées. Il regarde une grande croix dressée devant lui. Le dimanche 24 août, il se confesse, communie, se fait placer sur un lit de cendres, entre dans un coma dont il sort de temps à autre : il rappelle alors son désir d'aller à Jérusalem et prie afin que ceux qui l'ont accompagné puissent retourner chez eux. Le lundi 25 août, il reprend connaissance vers midi, prie à nouveau, fait avec beaucoup de difficultés le signe de la croix, met les mains sur sa poitrine et meurt vers trois heures de l'après-midi [162].

CHAPITRE XI

LE LONG VEUVAGE
DE MARGUERITE DE PROVENCE

Le cortège funèbre

Le roi de France venait d'expirer quand Charles d'Anjou, qui avait tant tardé à l'aider dans son expédition, débarqua enfin. On lui apprend aussitôt le décès de Louis IX et il se hâte vers la tente royale, exprime sa vive douleur. Il était bien temps et l'on comprend encore mieux la farouche opposition qu'il va rencontrer de la part de Marguerite de Provence qui l'aimait déjà si peu. A ses yeux, il devient celui qui a contribué à accroître les difficultés de son époux.

Le roi de Sicile met un terme à l'expédition qui tourne au désastre en raison de l'épidémie. Il conseille à son neveu Philippe, le nouveau roi de France, de revenir le plus vite possible dans son royaume. Pierre de Brosse ne le retient pas car il sait que le conseil de régence va prendre la direction des affaires et que la lutte pour le pouvoir doit se jouer à Paris. Charles d'Anjou clôt l'expédition à son avantage : il obtient d'Al-Mostancir la reconnaissance des privilèges commerciaux de son royaume au détriment de ceux d'Aragon, le solde de l'arriéré du tribut qu'il réclamait et le paiement de lourdes indemnités de guerre. Cet accord de novembre 1270 permet aux propagandistes de la royauté française d'accuser Charles du détournement de la croisade et de le rendre responsable de son échec, ce qui décharge la mémoire de Louis IX.

Tandis que les croisés voudraient conserver auprès d'eux le

corps du roi de France et celui de son fils, le roi de Sicile prend la décision de les rapatrier au plus vite. On les prépare pour le dernier voyage. Les entrailles et les chairs sont déposées dans un tombeau de la cathédrale de Montreale, en Sicile. Le cœur et les ossements sont destinés à la nécropole royale de Saint-Denis. Des tempêtes surviennent, provoquant la perte de nombreux navires, ce qui balaie les dernières hésitations et incite Philippe III à retourner en France. Le 15 novembre, le jeune roi débarque en Sicile, à Trapani, et peut accompagner les restes de son père et de son frère.

On ne sait quand la reine a appris le décès de son mari, peut-être dès la fin du mois de septembre 1270. Pourtant, les corps n'arrivent à Paris qu'au mois de mai 1271. De nouveaux deuils sont à déplorer. En Calabre, Isabelle d'Aragon, l'épouse du roi Philippe, fait une chute de cheval en traversant un torrent en janvier 1271. Enceinte, elle est transportée à Cosenza où elle accouche d'un enfant mort-né et meurt quelques jours plus tard. Thibaud, roi de Navarre et comte de Champagne, ainsi que sa femme Isabelle, fille de Saint Louis et de Marguerite de Provence, disparaissent aussi. Philippe III suit le cortège funèbre où se trouvent, avec les restes de son père, de sa femme et de son fils, trois autres cercueils de membres de la famille royale. Tout au long du chemin de retour, dès l'Italie, la population vient s'incliner devant les restes du roi Louis IX. Ces manifestations s'intensifient quand l'imposant convoi, après avoir franchi les Alpes au Mont-Cenis et être passé par Lyon, arrive dans le royaume de France. Partout, à Cluny, Troyes et dans d'autres villes ainsi que dans les bourgs et les villages, le peuple pleure son roi et voit déjà en lui un saint.

Le douloureux voyage s'achève le 21 mai 1271. Ce jour-là, Philippe III et sa suite entrent dans Paris. On procède dès le lendemain aux obsèques. On ne sait rien sur l'attitude, la douleur ou la résignation de Marguerite de Provence qui reçoit ainsi les dépouilles mortelles de son époux, d'un fils, d'une fille, d'un petit-fils, d'une bru et d'un gendre. Les funérailles solennelles, célébrées le 22 mai, ont pour cadre la cathédrale Notre-Dame de Paris. La nuit précédente, des gens de qualité en très grand nombre avaient veillé et prié les restes de Louis IX et des siens.

Après la cérémonie, Philippe III et Henri III ainsi que les grands officiers de la Couronne se relaient pour transporter le cercueil royal jusqu'à l'abbaye de Saint-Denis. Une seconde cérémonie mortuaire a lieu en présence de nombreux prélats, ducs, comtes et barons du royaume. Ensuite, le cercueil du défunt roi et celui de son fils Jean-Tristan prennent place dans leurs tombeaux. La volonté de Louis IX de ne placer que les corps des rois et reines de France dans la nécropole royale n'est donc pas respectée [163].

Chez les Capétiens, les deuils ne s'arrêtent pas là. Alphonse de Poitiers, qui avait reproché à son neveu Philippe sa décision de mettre fin à la croisade, reste en Italie et, tandis qu'il se dirige vers Gênes afin d'y chercher des bateaux, meurt à Savone le 21 août 1271. Son épouse décède le lendemain. En 1271, la veuve de Louis IX perd une autre de ses filles, Marguerite, la jeune épouse de Jean de Brabant. Ainsi, en une seule année, Marguerite de Provence a-t-elle vu disparaître neuf de ses proches et, parmi eux, son époux et trois de ses enfants.

Le deuil frappe aussi les Plantagenêts. En moins de seize mois, Eléonore, reine d'Angleterre, perd son époux, son beau-frère Richard de Cornouailles et l'un de ses neveux. Au cours de l'été 1271, le jeune Simon de Montfort fait assassiner à Viterbe Henri d'Allemagne, par vengeance, et sans se soucier de ce que le jeune prince voulait poursuivre la croisade aux côtés de son cousin Edouard d'Angleterre. Richard de Cornouailles, fort affecté par la mort de son fils aîné Henri, est frappé d'une congestion cérébrale dans la nuit du 12 au 13 décembre 1271. Le côté gauche paralysé, il succombe le 2 avril 1272. On l'enterre à Hayles, auprès de Sanchie. Le 15 novembre 1272 meurt le roi d'Angleterre Henri III. Son fils et héritier Edouard apprend la nouvelle quelques mois plus tard, alors qu'il passe l'hiver en Sicile, à son retour de Terre sainte qu'il avait quittée le 22 septembre 1272. Après avoir accompagné Saint Louis d'Aigues-Mortes à Tunis, il avait en effet décidé de poursuivre l'expédition et, au printemps 1271, il embarqua en Sicile, se dirigea vers Saint-Jean-d'Acre où il aborda en mai. Il obtint du sultan Baibars une trêve de dix ans qui accordait un dernier sursis aux Etats latins.

Le destin de Marguerite et celui d'Eléonore de Provence ont

d'étranges points communs. A deux ans d'intervalle, les voici veuves et reines douairières à quarante-neuf ans après avoir régné pendant la même durée ou presque (trente-cinq ans et trois mois pour la reine Marguerite, trente-six ans presque exactement — à deux jours près — pour la cadette). Leur foi et leur affection mutuelle les aident à surmonter leur douleur. Très vite aussi, elles doivent entamer de nouvelles luttes communes. Elles n'oublient pas leur désaccord avec Charles d'Anjou, d'autant plus que ce dernier hérite du Comtat Venaissin qui lui vient de Jeanne de Toulouse. Pour peu de temps il est vrai car Philippe III s'en empare en 1272 et le restitue au pape Grégoire X qui le revendiquait.

Bien que fort actives, les deux sœurs songent déjà à l'au-delà. La préparation à ce grand passage s'accompagne souvent en ce XIIIe siècle de l'entrée dans un couvent. Marguerite de Provence ne prend le voile de religieuse que quelques jours avant sa mort, en 1295. Eléonore elle, entre au monastère d'Amesbury le 3 juillet 1276. Les mauvaises langues, qui continuent à s'acharner sur elle, remarquent qu'elle n'avait pas renoncé à ses possessions en devenant nonne. Il est vrai qu'elle avait accumulé tant de dettes qu'elle se devait de les rembourser. Elle n'a d'ailleurs pas achevé de les payer à sa mort, en 1291, et son fils Edouard Ier acheva de rendre ce qu'elle devait. De son couvent, Eléonore continua aussi de s'occuper des affaires du royaume d'Angleterre. Elle aida son fils à l'occasion, ne se désintéressa pas de la Provence, poursuivit sa correspondance avec sa chère Marguerite qui, plus que jamais, favorisait la politique de rapprochement franco-anglais et la lutte contre Charles d'Anjou, l'usurpateur de leur héritage [164].

Marguerite reine douairière, la cour et le gouvernement au début du règne de Philippe III

La volonté de Saint Louis, qui n'avait pas été respectée au sujet des sépultures royales, ne l'est pas davantage dans le gouvernement du royaume après son décès. Le Conseil de régence s'efface peu après le retour de Philippe III qui confie la direction du royaume à son conseiller et confident Pierre de Brosse. Les grands s'inclinent et, en bons courtisans, s'empressent de lui offrir de somptueux cadeaux. Louis IX n'avait pu s'imaginer que le conseiller qu'il avait placé auprès de son fils inaugurerait ce que l'on pourrait appeler le premier ministériat de l'histoire capétienne, ni qu'un homme de médiocre naissance, peut-être même un roturier, considérerait comme quantité négligeable nobles et prélats qui adopteraient à son égard une attitude presque servile. Le passé n'offrait aucune expérience de ce genre. Les temps avaient changé. Le succès des réformes de Louis IX qui avait donné à l'Etat un solide noyau de services centraux permettait à celui qui connaissait bien le fonctionnement de leurs rouages de disposer du pouvoir à sa guise. Le favori du jeune roi Philippe, qui a toute sa confiance et qui possède les qualités politiques indispensables, peut devenir pratiquement maître du royaume sans susciter de véhémentes récriminations dans les premiers temps. Pierre de Brosse est d'ailleurs un remarquable administrateur. Il reprend en main un royaume désemparé et prétend faire respecter les droits du roi.

Marguerite de Provence ne proteste pas. Elle ne prend pas la tête d'un mouvement d'opposition et n'essaie pas de s'imposer, encore moins de soutenir le conseil de régence. N'en a-t-elle pas été exclue ? Se souvient-elle que Pierre de Brosse était de ces valets tourangeaux qui protégeaient ses rendez-vous de Pontoise ? A vrai dire, elle a un puissant motif d'en vouloir aux membres de conseil de régence : Mathieu de Vendôme, abbé de Saint-Denis et Simon de Nesle ont profité de la mort de son époux et de l'absence du nouveau roi pour ne pas lui reconnaître l'intégralité de son douaire et pour s'efforcer à la hâte, sans justification juridique, d'en reprendre une portion non négligeable.

Forte, tenace, courageuse, elle ne se laisse pas abattre par les deuils qui l'accablent. Elle réclame ce que son mari lui a promis. Elle doit d'ailleurs se hâter de réagir à cette insolite atteinte à ses droits les plus stricts : ses redoutables adversaires interprètent tout retard comme un prétexte supplémentaire à empiéter sur ses domaines. Marguerite de Provence en appelle à son fils de retour en France. Est-elle pour autant une veuve abusive ? Elle n'a jamais transigé sur ce qui lui était dû et, dans le cas présent, elle n'exige que le respect des engagements pris envers elle. En outre de gros revenus lui sont indispensables afin de tenir son rang et elle peut d'autant mieux justifier son attitude que ses seigneuries et châtellenies ne lui reviennent qu'à titre viager et qu'après sa mort elles doivent s'intéger à nouveau au Domaine royal. Enfin, n'est-ce pas son devoir de protéger ses biens qui présentent l'avantage supplémentaire d'offrir un refuge et les moyens de vivre à l'un ou l'autre de ses enfants en difficulté ? L'expérience lui a appris les retours de fortune et, quelques années plus tard, l'une de ses filles, Blanche, l'épouse de l'héritier de la couronne d'Aragon, se trouvera démunie après la mort de son époux. Mais Marguerite, qui redevient la seule reine de France dès janvier 1271 à la mort d'Isabelle d'Aragon, épouse de Philippe III, n'a nul besoin de cette ultime justification.

Tel que Louis IX l'avait reconstitué en 1260 et confirmé en 1270, le douaire de la reine mère reprenait en gros celui de Blanche de Castille, mais avec quelques retraits (Crépy-en-Valois par exemple) et quelques suppléments, en particulier les châtellenies de Poissy et Vernon. Marguerite de Provence disposait ainsi de Corbeil, Meulan, Vernon, Pontoise, Poissy et leurs dépendances, d'Asnières avec son parc, de Dourdan et de ses bois, d'Etampes et de La Ferté-Allais. Bien que Saint Louis en eût fixé les limites, les agents de la royauté profitent de l'absence de Philippe III, mordent sur les biens attribués à la reine et retirent plusieurs localités des châtellenies de Poissy, Meulan, Pontoise et Melun. Son fils revenu, elle lui écrit une lettre qui demande réparation :

« Nous, Marguerite, reine de France, supplions notre cher fils le roi qu'il nous délivre et nous fasse délivrer les appartenances de notre douaire selon la teneur des lettres de notre seigneur le roi de noble souvenir et de ses conseillers, car nous avons bonnement attendu la venue du devant dit notre fils quant à aucunes choses que ceux qui avaient son pouvoir disaient qu'elles étaient obscures, selon ce qu'il fut avis à plusieurs qu'elles étaient trop étendues ; cependant, ces châtellenies de notre douaire doivent être considérées selon leur totale étendue, doivent être bornées [165]... »

Marguerite de Provence écrit cette lettre en français (le texte donné ici a été modernisé) comme le reste de sa correspondance à partir du règne de Philippe III, tandis que ses missives antérieures utilisaient le latin. Cette promotion de la langue nationale dans certains actes de la vie publique et privée, parfois dans les relations internationales, éclaire le long et patient travail d'élaboration littéraire du règne de Louis IX. Le français commence à s'imposer comme langue de culture dans les élites, dans le royaume de France comme dans les pays voisins.

Ce douaire que la reine réclame avec tant d'insistance lui fournit les moyens de subvenir à sa dépense. Les comptes royaux n'enregistrent plus en effet des affectations de frais en son nom sous Philippe III le Hardi (1270-1285) comme dans les débuts du règne de Philippe IV le Bel. Dans sa lettre, elle requiert aussi des travaux indispensables aux châteaux, aux bâtiments d'exploitation. Elle veut que tout soit remis en état et qu'un inventaire sérieux précise les restaurations indispensables que doit prendre en charge la royauté. Elle s'engage à bien entretenir les constructions afin qu'elles puissent faire retour en bon état au roi après son décès. Soucieuse de ses droits, la reine est aussi attentive au respect de ses engagements envers autrui.

Pourtant, sa lettre insiste surtout sur le respect de l'intégralité de son douaire. Marguerite de Provence profère des accusations très nettes contre ceux qui exercent le pouvoir au nom du roi, à savoir les membres du conseil de régence et leurs subordonnés. Elle leur reproche d'avoir agi avant le retour de Philippe III et d'avoir procédé de manière insidieuse et habile. Bien entendu, les régents ont mis son douaire à sa disposition, mais ils ont empiété sans scrupules sur l'étendue des châtellenies concernées. Ce qui leur était d'autant plus aisé que les anciennes châtellenies du Domaine royal avaient perdu l'administration civile de leur ressort au profit des prévôtés dans la première moitié du règne de Louis IX. Ils pouvaient donc modeler à leur gré la superficie des châtellenies cédées à sa veuve. Ils se gardèrent bien cependant de lui laisser seulement le résidu que le langage administratif courant désignait encore comme châtellenie royale, c'est-à-dire la forteresse. C'eût été une preuve insigne de mauvaise foi puisque la châtellenie reprenait son ancien sens de territoire quand il s'agissait de douaire.

La reine douairière proteste avec vigueur contre ce procédé. Son indignation est si vive qu'elle confond d'abord les châtellenies qui faisaient partie du douaire de Blanche de Castille et les autres, Poissy et Vernon par exemple. Elle demande en effet les ensembles constitutifs de ses domaines tels que les bornes qu'avait fait planter Louis IX les délimitaient pour sa belle-mère. Puis elle change le dispositif de sa plainte et distingue mieux les châtellenies qui ne rentraient pas dans le douaire de la mère de son époux, aidée par des spécialistes, bien au courant de la géographie administrative de l'époque. Sa lettre insiste alors sur la châtellenie de Poissy dont ne disposait pas sa belle-mère. Elle en signale avec précision les limites puisqu'on ne peut la comparer avec une circonscription dont aurait joui Blanche de Castille. La reine Marguerite signale que la châtellenie s'étend bien jusqu'à Meulan et jusqu'au ruisseau proche de Saint-Germain-en-Laye. Elle ajoute qu'Aupec (actuellement Le Pecq) appartient bien à cette seigneurie de Poissy.

Marguerite de Provence obtient gain de cause. Philippe III, sans nul doute en accord avec Pierre de Brosse, le véritable maître du royaume sans lequel il ne décide rien, lui accorde la réparation des torts que lui avaient causés les membres du Conseil de régence. Ne découvre-t-on pas là une nouvelle raison de son silence face à l'usurpation du pouvoir de l'ancien chambellan de Louis IX ? Ce n'est pas elle qui prend la tête de l'opposition au parvenu. La nouvelle épouse de Philippe III, Marie, fille du duc de Brabant, va s'en charger.

Peu après son mariage, célébré en 1274, la jeune reine et ceux qui l'appuient s'opposent à Pierre de Brosse qui s'était imposé auprès de Philippe III, l'un des rois les plus effacés de notre histoire. Pourtant, Saint Louis et sa femme avaient pris grand soin de son éducation. Ils avaient demandé à Vincent de Beauvais, bibliothécaire et ami du roi, de composer pour leur fils son *De eruditione regiorum puerorum*, un manuel qui lui enseignait la Bible et l'histoire de l'Antiquité, grâce à des morceaux choisis. Simon, précepteur du jeune prince, présenta le manuscrit à sa mère. Philippe tira peu de profit de l'instruction reçue. Un moine de Saint-Denis écrit que le prince était « peu lettré »[166].

On sait par ailleurs que son intelligence était médiocre et sa faiblesse de caractère, notoire. Sans grande volonté, de nature soumise et influençable, il n'avait cependant pas que des défauts. Il était pieux, se mortifiait, était très généreux dans ses aumônes, faites parfois sans grand discernement il est vrai. De belle stature, il aimait la chasse, les tournois et les combats. Il ne manquait pas de courage et en donna la preuve lors de la guerre d'Aragon. Colérique et violent à l'occasion, il pardonnait les injures quand son courroux l'avait quitté. Il semble bien que sa moralité fût stricte et qu'on l'ait faussement accusé de mauvaises mœurs avec Pierre de Brosse. Mais les bruits qui en couraient agaçaient la reine Marie.

Pierre de Brosse, administrateur et politique avisé, n'hésita pas à placer dans les archives royales des documents relatifs à ses achats de seigneuries, au mariage de ses enfants, etc. Dans l'un ou l'autre de ses actes concernant ses biens fonciers, on relève quelques rapides indications qui tendraient à prouver — sans grand succès d'ailleurs — qu'il était d'ascendance noble, même s'il n'était question que d'une humble noblesse tourangelle. Le service des rois lui assura une promotion sociale considérable. Devenu sire de Nogent-l'Eremberg en 1264, puis chambellan de Louis IX en 1266, sa fortune foncière grandit après 1270. Philippe III le fait châtelain de Langeais en 1271, puis châtelain de Châtillon-sur-Indre et seigneur de Damville. Afin d'entrer dans ses bonnes grâces, le comte de Flandre, le comte d'Artois, l'archevêque de Reims et même Charles d'Anjou, roi de Sicile, le gratifient de terres et de rentes. Avec de l'argent qu'on l'accuse plus tard d'avoir puisé dans les caisses du royaume, il acquiert d'autres seigneuries et des rentes foncières en Touraine, en Béarn et en Saintonge. Il se livre à d'autres investissements. En 1271, il prête 1 800 livres à un bourgeois de Tours et engage plus de 10 000 livres dans une société qu'il constitue avec Jean Sarrasin, ancien responsable des finances de l'Hôtel royal devenu chambellan du roi et parfois considéré comme le second après Pierre de Brosse.

Celui-ci participait à tous les conseils du jeune roi qui suivait ses avis au détriment de ceux des conseillers chevronnés de la royauté. L'auteur d'une chronique anonyme du XIIIᵉ siècle le désigne comme le « gouverneur du royaume ». Pierre de Brosse fait désigner comme bailli de Bourges son ami Philippe Barbe, favorise l'élection d'un cousin de sa femme, Pierre de Benais, comme évêque de Bayeux, tandis que l'une de ses filles épouse le fils du seigneur de Beaugency et que sa sœur se marie avec Pierre de Villebéon, descendant d'un prestigieux lignage de chambellans et de grands commis royaux. Grâce à l'intervention et au consentement de Philippe III, il se fait même prêter hommage par des vassaux directs du roi [167].

Malgré la soumission de beaucoup de nobles qui continuent à le flatter, une telle impudence suscite des ennemis dont le nombre grandit vite. Remarié au mois d'août 1274, Philippe III est très attaché à sa jeune épouse, Marie de Brabant, autour de laquelle se regroupent les ducs de Brabant et de Bourgogne ainsi que le comte d'Artois. On reproche à Pierre de Brosse son avidité, son orgueil et même celui de sa femme. On murmure qu'il souffre beaucoup de l'affection que le roi porte à sa nouvelle épouse. Les grands font aussi grief au favori de limiter leurs dépenses et de s'opposer à leurs gaspillages des deniers de l'Etat [168].

Contre l'assaut qui le menace, le clan tourangeau oppose une assez longue résistance. En 1276, la mort subite de Louis, fils aîné de Philippe III et d'Isabelle d'Aragon, est l'occasion d'une lutte féroce pour le pouvoir. Pierre de Brosse et son cousin Pierre de Benais font courir le bruit que la reine et les femmes de son Hôtel ont empoisonné le jeune prince. D'autres ragots courent bientôt. Sur la foi de deux béguines de Liège, un chanoine de Laon affirme que le roi Philippe est coupable de vices cachés. On précise que le chanoine avait prédit la mort du jeune Louis si son père ne s'amendait pas. Courroucé, Philippe III réclame une enquête. Le chanoine de Laon affirme qu'il a seulement dit qu'il ne resterait rien au roi s'il ne changeait pas sa vie. Marguerite de Provence avait eu connaissance de cette lettre qui n'envisageait pas de manière indiscutable la mort de son petit-fils [169]. C'est la seule indication qui la concerne en cette pénible affaire dont l'issue, la chute de Pierre de Brosse, contribue à affirmer son influence. Pourtant, la disgrâce du puissant favori ne semble pas dépendre de son fait. A moins qu'elle n'ait agi dans le plus grand secret — ce qu'aucun document ne permet d'affirmer — tous les fils de l'intrigue finale sont tissés autour de la reine Marie par son clan brabançon auxquels se joignent d'autres grands, excédés par l'arrogance et l'incroyable fortune de Pierre de Brosse. Ce dernier et son cousin Pierre de Benais aident d'ailleurs les comploteurs en faussant les résultats des enquêtes successives que le roi ordonne auprès des béguines de Liège qui accuseraient à leur tour les femmes de l'entourage de la reine Marie d'avoir empoisonné le fils du roi. Mathieu de Vendôme se rend à Liège avec Pierre de Benais et constate que les béguines ne veulent s'entretenir qu'avec ce dernier. Philippe III se rend compte aussi que ce meurtre ne pouvait pas profiter à la reine Marie ou à sa descendance puisqu'il avait deux autres fils de son premier mariage.

Le filet se resserre autour du favori du roi. On l'accuse aussi d'être responsable de l'échec de la campagne prévue pour envahir l'Aragon. Don Fernando de la Cerda, époux de Blanche, fille de la reine Marguerite, avait trouvé la mort au mois d'août 1275 dans une expédition contre les musulmans qui étaient encore maîtres d'une partie de la péninsule Ibérique. En dépit de l'accord conclu avec Louis IX, le roi de Castille Alphonse X, père de don Fernando, ne désigna pas comme héritiers les fils de Blanche, les « infants de la Cerda », mais choisit comme successeur son second fils, don Sanche. Blanche doit se réfugier en France et ne reçoit ni douaire ni rente. Après l'avoir autorisée à quitter la Castille, Alphonse X change d'avis et donne l'ordre d'arrêter le convoi que dirige Jean d'Acre, ambassadeur du roi de France. Malgré l'échec de cette tentative, Philippe III ne peut laisser impunis ce défi et cette insulte. Une expédition se prépare, mais elle échoue piteusement, faute de vivres. En 1276, l'armée du roi de France doit s'arrêter à Sauveterre. Des hommes et des chevaux meurent de faim. La rumeur rend Pierre de Brosse coupable de cet échec et l'accuse même d'avoir trahi. Jusque-là, il avait réussi dans ses entreprises, assuré la poursuite des réformes de Louis IX, maintenu une bonne administration, fait reconnaître le royaume de Navarre à Jeanne de Navarre-Champagne et à son époux, le comte d'Artois, malgré les visées de Jacques d'Aragon qu'aidait le roi de Castille.

Après le cuisant revers de l'expédition contre la Castille, et malgré une reconnaissance bien théorique des droits des fils de Blanche à la succession de Castille, en novembre 1276, la cabale s'enfle. A la fin de 1277, le roi de France reçoit des lettres qui « accusent » Pierre de Brosse, sans doute de concussions et de malversations financières. Ses adversaires ne laissent pas à Philippe III le temps de réfléchir ni d'entendre son favori. Celui-ci est emprisonné en janvier 1278 dans la tour de Janville, en Beauce. Guillaume de Chambly, archidiacre de Meaux, et frère Arnould de Visemale mènent une rapide enquête à l'issue de laquelle Pierre de Brosse est ramené à Paris. Sans procès officiel, on le pend au gibet des « larrons », le 30 juin 1278. Ses ennemis les plus farouches, les ducs de Brabant et de Bourgogne, le comte d'Artois et une dizaine de barons le conduisent eux-mêmes au supplice.

Le clan brabançon l'emporte mais, dans les années qui suivent, plusieurs « partis » ont une existence quasi officielle, dont celui de Marguerite de Provence. Vers 1280, Philippe III et ses conseillers soutiennent ses revendications sur la Provence. Ils n'agissent pas dans le but de satisfaire ce qui devient chez elle une véritable passion, mais ils estiment que ses réclamations aident la politique royale du moment. A nouveau, la reine Marguerite sert le royaume qui est devenu le sien [170].

Avant d'étudier son nouvel engagement dans les affaires publiques, il convient de préciser qu'elle gère avec soin son douaire. Cette tâche qui lui prend beaucoup de temps l'aide à patienter quand le pouvoir royal n'a pas besoin d'elle, ce qui, à quatre ou cinq ans près, est la règle quasi générale durant ses vingt-cinq ans de veuvage. La documentation relative à l'administration de son douaire n'est guère abondante dans les archives, mais les pièces qui subsistent sont éloquentes. Le 1er mai 1280, de son château de Poissy, elle confirme la donation d'une maison et de quatre arpents de terre à Ghislain Huelin, de Pontoise. Ces biens, situés dans la paroisse d'Ablieges (Val-d'Oise) étaient revenus à la reine Marguerite à la mort du tenancier, Guillaume Maluin, qui était un bâtard et ne pouvait en faire hériter sa famille. La reine les cède donc mais réserve le douaire de la veuve de Maluin. Grâce à cet usufruit, elle assure les vieux jours de la veuve [171]. Procédurière, elle défend avec âpreté ses terres et ses droits. Elle entre en conflit avec l'abbaye de Sainte-Wandrille. A une date indéterminée, le pouvoir royal donna l'ordre au bailli de la mère du roi de se soumettre à l'arrêt d'une session judiciaire ou « parlement » de la *Curia* royale sur la justice de Chaussy (Loiret). Comme cet arrêt est favorable à l'abbaye, on peut en conclure que la reine douairière avait outrepassé ses droits et empiété sur la justice abbatiale. Enfin, l'abbaye Saint-Denis de France obtient que certains de ses biens restent distincts de ceux de la reine mère [172].

Pendant les premières années du règne de Philippe III, Marguerite de Provence ne prit pas une part active au gouvernement du royaume. Pierre de Brosse commandait et n'aurait pas toléré son intrusion. En plus, elle ne pouvait exiger son héritage provençal car la politique étrangère de la royauté, opposée à Jacques d'Aragon qui voulait s'emparer de la Navarre et aux menées d'Alphonse de Castille, ne pouvait s'offrir le luxe d'une provocation envers Charles d'Anjou qui risquait de devenir un adversaire supplémentaire. On ne l'aurait pas écoutée d'autant plus que, en 1271, Charles d'Anjou avait été favorable au projet d'élection de Philippe III comme empereur de l'Empire romain germanique, projet qui, du reste, n'eut pas de suite.

Marguerite, Éléonore et la Provence

Patiente, Marguerite de Provence met donc en sourdine ses revendications qui auraient gêné la politique de son fils. Elle poursuit sa correspondance avec la famille royale anglaise. A la mort d'Henri III, en 1272, elle resserre encore ses liens avec sa sœur Eléonore. Elle correspond aussi avec le nouveau roi d'Angleterre, Edouard, son neveu qui lui est si cher. Elle s'informe de sa santé, lui présente quelques requêtes et lui recommande des personnes qu'elle protège. Elle le supplie d'accorder ses faveurs au neveu de son chapelain, de faire rendre justice à un clerc dépossédé de son héritage, de se montrer bienveillant envers Gaston de Béarn et deux bourgeois dont les Anglais avaient saisi les marchandises et qui réclamaient en vain l'argent avancé à la reine Eléonore au temps de la révolte des barons. Compatissante, Marguerite de Provence manifeste sa très grande bonté quand elle prie le jeune roi Edouard de pardonner aux fils de Simon de Montfort-Leicester et de les admettre à nouveau dans son entourage. Elle oublie ainsi l'opposition si déterminée de leur père à ses propres initiatives [173]. A une date que sa lettre ne permet pas de préciser, elle intervient en faveur de l'un des « parents », Hugues des Baux, que « le roi de Sicile » a dépossédé de sa terre, et le recommande à la protection d'Edouard [174].

Il faut attendre 1274 pour qu'elle recommence à s'occuper de ses intérêts provençaux. Elle demande justice à Rodolphe de Habsbourg que le pape Grégoire X venait de reconnaître comme roi des Romains. Il se peut que Rodolphe lui ait concédé l'investiture du comté de Provence, car, dans deux de ses lettres, elle fait allusion à cette cession. Mais, ce faisant, elle ne manque pas de causer quelque inquiétude à Edouard Ier, qui penchait plutôt pour le rival de Rodolphe, Alphonse de Castille.

Les liens qui se nouent entre la reine Marguerite et Rodolphe de Habsbourg, ainsi que l'action de Grégoire X en faveur de la paix, concourent à la réconciliation entre les Habsbourg et l'Angleterre : un mariage est projeté entre Hartman, fils de Rodolphe, et Jeanne, fille d'Edouard Ier. Rodolphe de Habsbourg envisage de donner à Hartman le titre de roi d'Arles et de Vienne qu'il tiendrait en fief de l'Empire, ce qui affaiblirait la position de Charles d'Anjou, comte de Provence, car celui-ci ne serait plus alors qu'un arrière-vassal de l'empereur. Les négociations en prévision du mariage s'achèvent en 1278 mais d'autres combinaisons diplomatiques retardent le mariage. Le projet d'une dynastie anglo-allemande dans le royaume d'Arles effraie fort Charles d'Anjou qui se soumet alors au nouveau pape Nicolas III, renonce à sa charge de sénateur de Rome et au vicariat de l'Empire en Toscane. Le pape le réconcilie alors avec Rodolphe.

La situation se renverse. Le roi des Romains ne soutient plus les revendications de la reine Marguerite et, au printemps 1280, investit Charles d'Anjou des comtés de Provence et de Forcalquier. Un nouveau projet matrimonial apparaît bientôt : Charles, petit-fils de Charles d'Anjou, doit épouser l'une des filles de Rodolphe de Habsbourg qui entend réserver le royaume d'Arles et de Vienne à son futur gendre. La mort d'Hartman, à qui l'on avait d'abord destiné ce royaume, balaie les dernières difficultés qui s'opposaient encore à la réalisation du nouveau projet.

Déçues, les reines Marguerite et Eléonore voient s'écrouler leurs tentatives de récupération de la Provence, la première comme comtesse, la seconde par personne interposée, grâce à sa petite-fille Jeanne d'Angleterre qui aurait pu devenir reine d'Arles, et, par le fait même, suzeraine de la Provence. Mais elles n'abandonnent pas la partie et se lancent dans une action commune. La reine douairière de France prend les devants, soutenue cette fois par le roi et ses conseillers. Les circonstances seules expliquent la prise en compte de ses revendications. Le gouvernement de la France ne pouvait laisser se constituer une puissante domination angevine et impériale qui se serait étendue du Rhône aux Alpes, des rives du lac Léman à la Méditerranée et qui aurait englobé la Provence et bien d'autres territoires. Une fois de plus, les intérêts français placent en première ligne Marguerite de Provence qui, par la même occasion, aide ses neveux, les princes savoyards, si souvent opposés aux Habsbourg et aux Angevins. Comme autrefois, on lui laisse prendre la responsabilité de positions diplomatiques que le pouvoir royal n'ose pleinement assumer, ce qui lui donne la possibilité de se retirer, le moment venu, sans paraître se renier.

La reine Marguerite avait d'ailleurs réduit ses exigences : sa revendication se limitait à sa part d'héritage, la « quarte part » ou quart de la Provence. Elle consent à ne plus réclamer tout le comté en tant qu'aînée et laisse leur lot à Eléonore et aux enfants de Sanchie et de Béatrice. Elle espère obtenir ainsi plus facilement l'accord de l'Angleterre. En outre, elle a l'appui du clergé de l'ancien royaume d'Arles, inquiet de l'attitude de la maison angevine, souvent peu soucieuse des intérêts des hommes d'Eglise. Charles d'Anjou, qui craint la levée d'une armée française, essaie alors de se rapprocher de Philippe III et parvient à faire de son propre fils, le prince de Salerne, le négociateur de la paix entre la France et la Castille dans les premiers mois de 1280. Peu à peu, cependant, les diplomates français, qui se méfient du roi de Sicile, se montrent de plus en plus bienveillants envers la reine Marguerite et sa politique. Alerté par Eléonore qui lui rappelle avec insistance le projet de mariage entre le petit-fils de Charles d'Anjou et la fille du roi des Romains, le roi d'Angleterre sollicite Rodolphe de Habsbourg de donner suite aux demandes des deux reines douairières [175].

La cour de France devient donc franchement anti-angevine. Mais d'autres clans que celui de Marguerite de Provence agissent auprès du roi de France. Ch.-V. Langlois les a étudiés autrefois. Le parti brabançon, qui groupait autour de la reine Marie Jean, duc de Brabant, le jeune comte d'Artois et beaucoup de féodaux, pouvait tirer grand profit de l'épouse de Philippe III qui avait un grand ascendant sur le roi depuis la mort de Pierre de Brosse. Toutefois, ces grands seigneurs s'appliquaient beaucoup plus aux tournois, et à la vie de cour qu'aux grandes manœuvres politiques ou diplomatiques. Se présentait ensuite le clan des chambellans de l'Hôtel royal avec les Chambly, les Villebéon, les Machaut. On y trouvait aussi les Poucin, des Tourangeaux qui avaient survécu à la disparition de leur chef de file. Aucun d'entre eux ne réussit à remplacer Pierre de Brosse auprès du roi. Ils cherchent à consolider leur fortune, mais n'oublient pas les intérêts du royaume. A cet égard, ils respectent les décisions des détenteurs du pouvoir et n'entrent pas avec eux dans un conflit qu'ils estiment dangereux.

Qui sont donc ceux qui déterminent la politique royale ? Leur chef est Mathieu de Vendôme, abbé de Saint-Denis, que Saint Louis avait placé dans le Conseil de régence et que Pierre de Brosse avait écarté du pouvoir. Après la disparition du favori royal, il prend sa revanche et Guillaume de Nangis relate qu'il s'occupe des affaires du royaume. Un chroniqueur normand précise que cet abbé de Saint-Denis « régnait en France ; tout se faisait à sa volonté ; il élevait et abaissait les hommes à son gré [176] ». Il a autour de lui Pierre de Laon qui devient précepteur des enfants du roi, Geoffroy du Temple, Pierre de Condé qui avait accompagné Saint Louis à Tunis et les gardes des Sceaux, Pierre, doyen de Saint-Martin de Tours, et Henry de Vézelay. Pierre Vigier et Gilles Gamelin, anciens conseillers d'Alphonse de Poitiers, complètent ce petit groupe d'hommes qui, à l'occasion, utilisent le parti de la reine douairière quand ils le jugent utile.

Parmi ceux qui soutiennent Marguerite de Provence, on remarque les comtes de Vienne, de Savoie et de la Bourgogne impériale, le duc de Bourgogne ainsi que son propre fils, Pierre, comte d'Alençon et Edmond de Lancastre, époux de Jeanne, fille de Robert d'Artois, comtesse de Champagne et reine de Navarre. A l'exception de Pierre d'Alençon et d'Edmond de Lancastre, fils d'Henri III et d'Eléonore, qui restait très attaché à son Angleterre natale, mais n'oubliait pas ce royaume de Sicile dont, enfant, il avait reçu l'investiture, ce « parti » était composé de chefs territoriaux de la partie du royaume et de la zone impériale proches de ce « royaume d'Arles » que l'on prétendait ressusciter au profit d'un descendant de Charles d'Anjou et qui les menaçait tous.

Mathieu de Vendôme et les autres conseillers royaux craignent aussi ce projet impérial et angevin. Si les rois de France et d'Angleterre se sont réconciliés en 1279, ce n'est pas pour faire plaisir à leurs mères, mais bien à cause de cette menace contre la France et contre l'exclusion d'une princesse ou d'un prince anglais à la tête du royaume d'Arles. La royauté française a d'ailleurs hésité avant d'infléchir sa politique avec netteté contre les Angevins de Naples-Sicile vers 1280. On a vu que cette année-là, Philippe III acceptait comme médiateur entre lui et le roi de Castille le propre fils de Charles d'Anjou[177]. En clair, le parti anglophile et anti-angevin fait adopter son point de vue parce que la politique d'alliance du roi de Sicile avec Rodolphe de Habsbourg devient très dangereuse pour le royaume de France, avec ce projet d'une vaste domination territoriale angevine à l'est du Rhône. Le pouvoir royal utilise donc à nouveau Marguerite de Provence puisque, en un secteur bien délimité, la politique qu'elle préconise convient au royaume. Il lui laisse prendre la tête de la lutte contre Charles d'Anjou. Philippe III va même plus loin : il permet à sa mère de lever une armée.

Guillaume de Beaufort l'aide dans sa tâche. Dans une lettre du 4 août 1280 adressée au roi d'Angleterre, elle rappelle qu'elle lui a envoyé ce clerc pour lui apprendre qu'elle avait prêté à Rodolphe de Habsbourg l'hommage « pour la terre de Provence qui appartient à nous et à notre très chère sœur ». Elle réclame son appui, le remercie du bon conseil donné et de son approbation des « trois voies » ou trois moyens qu'elle préconise. La première voie consiste à obtenir l'aide de son fils, le roi de France, la seconde, son accord en faveur d'une alliance avec des « amis », et la troisième — dont elle n'a pas encore parlé à Philippe — est la défense de ses droits contre ceux qui lui nuisent. Elle ne doute pas de la volonté de son fils de la soutenir. Force-t-elle ainsi son accord ? Elle l'anticipe certes, mais le roi avait-il intérêt à s'engager officiellement avant d'avoir obtenu l'appui anglais [178]. Le pape s'offre comme arbitre entre elle et Charles. Elle envoie des messagers à Rome avec le concours du Conseil de France et en accord avec la volonté royale. Aucun doute ne subsiste : les dirigeants du royaume ne considèrent plus ses revendications comme inopportunes. Les envoyés de Marguerite reviennent de Rome sans avoir conclu la paix : le roi de Sicile refuse sous prétexte qu'on ne lui présente rien de convenable en dédommagement de la perte de la Provence [179].

La reine Marguerite, qui doutait fort du succès de la médiation du prince de Salerne entre la France et la Castille, souligne que le roi d'Angleterre avait d'abord reçu pour mission de concilier les deux adversaires. Ce qui était exact, comme en témoignait le choix de Bordeaux comme lieu des entrevues en 1279. Mais cela ne se fit pas et, en juillet 1280, le roi de France s'installe à Mont-de-Marsan, le roi de Castille à Bayonne et le prince de Salerne à Dax. Le médiateur se dirige tout d'abord vers Bayonne où il intervient en faveur des « infans de la Cerda », les enfants de Blanche, fille de la reine Marguerite, qui étaient toujours prisonniers en Espagne. Malgré les promesses antérieures, le prince de Salerne n'obtient pour eux que le royaume de Jaën — et encore le tiendraient-ils en fief de don Sanche, choisi comme héritier de Castille à leur détriment. Déçu, Philippe III estime impossible d'engager de véritables négociations, déserte Mont-de-Marsan et se dirige vers Toulouse.

Le 26 août 1280, la reine Eléonore qui, l'année précédente, avait écrit à son fils Edouard pour lui rappeler que le projet de mariage entre la fille de Rodolphe de Habsbourg et le petit-fils du roi de Sicile allait la priver de ses droits sur la Provence, lui expédie une nouvelle missive. Le 20 septembre, il lui promet de l'aider et d'imiter ainsi l'action de Philippe III en faveur de sa mère. La poursuite des conversations préliminaires entre France et Castille interdit cependant toute intervention immédiate. Mais, en janvier 1281, le refus d'Alphonse X de libérer les enfants de Blanche provoque l'échec des pourparlers. Le prince de Salerne (qui avait continué à faire la navette entre les rois de Castille et de France) ainsi que Philippe III quittent alors Toulouse. La voie est libre pour Marguerite de Provence[180].

Avec l'accord du roi de France, elle convoque ses partisans à Mâcon pour le mois de septembre 1281. Edouard Ier lui envoie Jean de Grailly, son sénéchal de Gascogne, afin de l'aider de ses conseils. Vers la mi-septembre, elle demande par courrier au roi d'Angleterre de garder auprès d'elle, plus longtemps qu'il n'était prévu, cet homme brave et prudent. Elle explique qu'elle n'a pu arriver aussi vite à Mâcon qu'elle ne l'aurait voulu à cause « de la pesanteur de son corps ». Ainsi, à l'approche de la soixantaine, elle semble éprouver quelques ennuis de santé dont elle ne précise pas la nature exacte[181]. Quelques jours plus tard, elle expédie à son neveu la missive suivante :

« A très haut et très excellent prince, son très cher et très aimé neveu Edouard, par la grâce de Dieu, roi d'Angleterre, Marguerite, par cette même grâce, reine de France, salut et vrai amour. Très cher neveu, comme nous avons toujours désiré et travaillé selon notre pouvoir pour qu'une bonne paix et un bon amour fussent gardés entre votre bon père et notre seigneur le roi de France et nos enfants, et que Notre-Seigneur, par sa pitié, nous en ait donné grâce en notre temps, nous regardons une voie par laquelle nous entendons, si elle se faisait, que votre cœur et celui de notre fils puissent être joints ensemble par bon amour et que toute manière de contestation puisse être enlevée, c'est à savoir que ce mariage se fît entre votre fils et l'une des filles du roi notre fils ; et nous travaillerons très volontiers pour ce but si nous apprenons qu'il vous plaît. Nous vous prions de nous faire savoir votre volonté et, sitôt que nous le connaîtrons, nous la suivrons volontiers. De notre santé, nous vous faisons savoir qu'elle est assez bonne, Dieu merci. Que Notre-Seigneur vous garde.

« Donné à Sens, en Bourgogne, le lendemain de la fête saint Mathieu [22 septembre 1281][182]. »

Le 10 octobre, de Winchester, le roi d'Angleterre lui répond. Il l'autorise à garder auprès d'elle son sénéchal, mais ne peut donner de réponse définitive quant au projet de mariage car il n'a pas son conseil auprès de lui pour prendre la décision. L'affaire est d'importance, mais le cher neveu éconduit sa tante, avec une exquise politesse d'ailleurs, puisqu'il lui indique que la décision ne dépend pas de lui. La raison d'Etat l'emporte et il ne peut se laisser influencer par une pression trop forte, même affectueuse. A vrai dire, la reine Marguerite n'agissait pas de son propre chef. Son fils l'avait mandatée pour les premières ouvertures. Edouard préfère ne pas prendre une décision qui risque de trop resserrer les liens entre les deux royaumes.

Avec quelque retard, les partisans de Marguerite de Provence se réunissent à Mâcon. Parmi eux, les comtes de Savoie, de Champagne, d'Alençon et de la Bourgogne impériale, le duc de Bourgogne, Thomas de Savoie, ancien comte de Flandre, d'autres nobles ainsi que l'archevêque de Lyon et l'évêque d'Autun. Tous s'engagent à l'aider, par la force s'il en est besoin, à récupérer son héritage. Décision est prise de réunir une armée à Lyon en mai 1282. Marguerite s'empresse d'annoncer la nouvelle à Edouard Ier et lui demande ce qu'il compte entreprendre. Elle le prie une fois de plus de lui laisser le sénéchal de Gascogne et confie la lettre à l'un de ses clercs, Pierre de Frez. Le royal neveu lui promet d'envoyer des troupes à Lyon la première semaine de mai, mais lui annonce en même temps qu'il lance un nouvel appel au roi de Sicile afin de trouver un terrain d'entente.

Le roi d'Angleterre engage alors une véritable course diplomatique en faveur de la paix. Il écrit au pape Martin IV, l'ancien légat Simon de Brie, au roi de Sicile et à son héritier, Charles, prince de Salerne, à qui il expose sa position difficile, entre sa mère et sa tante d'une part, et Charles d'Anjou d'autre part. Il précise qu'il a promis son aide à « Madame de France », sa tante qui est aussi tante du prince de Salerne, et qu'il ne peut oublier l'affection qu'elle lui a toujours portée ni les ennuis qu'elle a encourus pour l'aider. Il ne peut davantage abandonner sa mère dont il est le seul secours depuis la mort de son père.

La réponse de Charles d'Anjou est négative. Il ne veut rien donner et le pape Martin IV ne transmet que de vagues promesses. La reine de Marguerite espère toujours une issue grâce à l'expédition projetée. Une partie de l'opinion l'appuie. L'archevêque de Lyon et le chapitre cathédral de Vienne expriment leurs craintes : l'arrivée d'un Angevin à la tête du royaume d'Arles serait fatale aux droits, juridictions et possessions de l'Eglise. Marguerite de Provence doit bientôt renoncer au secours des soldats anglais. Les Gallois se soulèvent et l'armée du roi d'Angleterre doit intervenir contre eux [183]. La « Dame de France » envoie alors à son neveu une lettre très digne où elle affirme qu'il doit veiller d'abord à la défense de ses propres intérêts. Comme elle expédie cette missive de Mâcon, le 9 mai 1282, précisément à la date où les troupes anglaises devaient arriver en renfort, on ne peut que mesurer le sacrifice de la reine douairière. Après tant de récriminations et d'appels à la lutte contre son beau-frère, cette lettre éclaire l'autre face de Marguerite de Provence qui s'efface quand il le faut et pense aux autres avant de songer à elle-même. Avant comme après la mort de son époux, cet aspect de sa personnalité domine. Elle n'a pas pleuré quand on l'a écartée du pouvoir. Elle ne pleure pas davantage quand commence à s'évanouir son dernier espoir de récupérer au moins une partie de la Provence. Ce message, qui fait mieux comprendre celle que l'on appelle alors la « Dame de France », vaut la peine d'être cité :

« Très cher neveu, comme vous nous avez fait savoir que vous vouliez que nous vous excusions de ce que vous ne pouvez nous aider en notre besogne de Provence, comme vous nous l'aviez toujours courtoisement promis, à cause de vos difficultés dans le pays de Galles, sachez que nous vous excusons et que nous vous prions seulement, quand le lieu et le temps seront venus, de la bonne promesse que vous nous avez toujours faite... Et sachez que nous avons grand chagrin de cœur à cause du dommage que le prince de Galles et ses frères vous ont fait et font encore comme si vos difficultés étaient nôtres et que nous mettrions volontiers tout le meilleur conseil que nous pourrons placer en vos affaires. Faites-nous savoir si nous pouvons vous conseiller en cette besogne et nous vous offrons notre présence et ce que nous avons car nous voulons faire votre plaisir. Bien que nous sachions, beau neveu, que vous êtes plus efficace et plus sage que nous le sommes ; toutefois, nous vous donnons avis et nous vous prions que vous restiez sage en cette affaire et que vous soient épargnés les cas et les aventures qui advinrent en l'autre guerre, celle de Simon de Leicester. Pour Dieu, beau neveu, faites-nous savoir l'état de votre santé et celui de vos affaires car nous serons beaucoup réconfortée toutes les fois que nous pourrons en apprendre de bonnes nouvelles.

« Que Notre-Seigneur vous garde. Donné à Mâcon, le mardi après la Pentecôte [9 mai 1282][184]. »

A soixante ans passés, Marguerite de Provence est encore impulsive, attachante, affectueuse, spontanée et franche, en ses lettres comme en ses paroles. Quitte à négliger ses propres intérêts, elle pense d'abord aux autres dès qu'ils sont dans le malheur. Malgré ses épreuves et ses deuils, elle ne s'aigrit pas en vieillissant. Cette dernière lettre nous fait mieux découvrir encore sa grande finesse psychologique. Elle connaît les ressorts psychologiques des grands, même de ceux qui lui sont le plus chers. Elle a deviné combien son beau neveu était devenu fier de son pouvoir. Elle ose lui offrir ses conseils, mais, avec humilité et habileté, elle reconnaît que son correspondant est « plus sage » qu'elle. Ce qui ne l'empêche pas de rappeler le passé et ses malheurs au temps de la réforme baronale. Ne lui remet-elle pas en mémoire l'aide qu'elle a apportée autrefois au jeune roi et à ses parents ? N'est-ce pas le meilleur procédé pour qu'il n'oublie pas de l'aider en retour dès que les circonstances redeviendront favorables ? Femme qui s'efface quand il le faut, Marguerite n'en abdique pas pour autant ses droits, pas plus devant son neveu et son fils qu'elle ne l'avait fait devant son mari quand il vivait encore ! Sans rien retirer à Saint Louis, reconnaissons que cette lettre achève de nous convaincre qu'il a bien eu la femme qu'il lui fallait [185]...

La réconciliation de Marguerite de Provence et de Charles d'Anjou

La lettre qu'elle expédie au roi d'Angleterre en ce mois de mai 1282 sonne le glas de la grande espérance de sa vie. Se referme aussi — et de manière définitive cette fois — la page entrouverte à nouveau de la vie politique active. Les événements se sont précipités les mois précédents : la situation était devenue très dangereuse pour le roi de Sicile. Les rois de France et d'Angleterre qui soutenaient les revendications de leurs mères sur la Provence n'étaient pas seuls à s'opposer à lui. Depuis la mort de son père Jacques Ier en 1276, Pierre III, roi d'Aragon, avait des visées sur la Sicile et sur Naples. Il s'était allié aux Gibelins d'Italie, partisans des Impériaux et adversaires de la papauté et de ses alliés du moment, les Angevins. Charles d'Anjou rêvait surtout de Constantinople et poursuivait ses préparatifs en vue de la conquête de l'Empire byzantin. Il négligeait le danger des deux fronts qui risquaient de se dresser contre lui en Occident. Survient alors un désastre. Le lundi de Pâques, 30 mars 1282, à l'heure des vêpres, au cours de l'après-midi donc, une population exaspérée massacra des Français. Une nouvelle rixe entre de jeunes citadins et des sergents du roi de Sicile fut l'occasion de la tuerie. Les habitants de Palerme rejettent Charles d'Anjou et forment une commune ; la révolte gagne l'ensemble de la Sicile. A la fin du mois d'avril, les Angevins évacuent l'île. Pourtant le pape Martin IV, qui leur reste favorable, refuse de se charger du gouvernement de la Sicile.

Devant cet effondrement, le prince de Salerne, qui doit hériter de la Provence au nom de sa mère Béatrice, comprend qu'il est grand temps d'accepter une négociation sérieuse et de composer. Il s'efforce de faire entendre raison à son père et demande au pape de joindre ses efforts aux siens. Le 20 juin 1282, il envoie une lettre à Philippe III pour lui annoncer qu'il est disposé à rechercher « une voie de paix » afin de mettre fin au conflit qui oppose son père et sa tante au sujet des comtés de Provence et de Forcalquier.

Après avoir échoué en juillet dans la reconquête de la Sicile, Charles d'Anjou devient moins intraitable. Les rebelles font appel à son adversaire, Pierre III d'Aragon, qui débarque au mois d'août. Dans une lettre datée du 9 juin, Charles d'Anjou avait demandé à Philippe III d'envoyer le comte d'Artois et cinq cents hommes d'armes à son secours. Le roi de France, qui avait appris dès la fin du mois de mai le massacre des « vêpres siciliennes », accepte. Robert d'Artois et ses compagnons se dirigent donc au cours de l'été vers l'Italie. Une partie des chevaliers, barons et princes que Marguerite de Provence avait rassemblés à Mâcon pour en découdre avec son beau-frère volent au secours de ce dernier. Le propre fils de la reine, Pierre d'Alençon, accompagné du prince de Salerne, passe à Florence en octobre et se dirige vers Naples. C'est la fin des espérances de la Dame de France. Comme son fils n'est pas parti vers l'Italie sans son accord, on ne peut que respecter cette femme qui sacrifie ses droits à la nécessité jugée plus urgente de défendre Charles d'Anjou, si longtemps son ennemi.

Avec le comte d'Alençon et avec le comte de Bourgogne, un autre de ses partisans, se dirigent aussi vers le sud de la péninsule les comtes de Boulogne et de Dammartin. L'armée qu'avait rassemblée Marguerite de Provence n'est donc pas seule à partir au secours des Angevins de Naples, mais elle constitue une part importante du corps expéditionnaire. Devant cette aide inespérée qui se révèle bientôt vaine, Charles d'Anjou accepte enfin d'entrer en pourparlers avec sa belle-sœur qui, en novembre 1283, désigne pour la représenter Girard, abbé de Saint-Pierre de Dijon, et Pierre Le Blanc, l'un de ses clercs. Charles d'Anjou choisit Guillaume de Farouville, un prieur douaisien, et Henri de Châlons afin de discuter et de s'engager en son nom au sujet de la Provence. Philippe III est l'arbitre : la décision finale lui revient, ce qui signifie que le roi de Sicile est prêt à reconnaître les droits de la reine Marguerite. Il doit y consentir, ayant un impérieux besoin des forces royales françaises dans sa lutte contre le roi d'Aragon.

Il prépare avec soin sa vengeance. Il obtient du pape Martin IV une sentence d'excommunication et même de déchéance contre Pierre d'Aragon, coupable de s'être emparé de la Sicile, fief du Saint-Siège. Charles prépare une grande expédition qui revêt le caractère d'une croisade puisqu'elle est destinée à lutter contre un excommunié. Il se propose de placer à la tête des territoires aragonais Charles, comte de Valois, fils cadet du roi de France. Celui-ci essaie en vain de rétablir la paix. Il échafaude un étrange projet de « duel » entre cent champions de chaque camp. Le roi d'Aragon se dérobe et ne vient pas à Bordeaux où devait avoir lieu ce tournoi à mort, fruit de l'imagination de « rois chevaleresques » comme Philippe III et son oncle Charles d'Anjou. Le cardinal Jean Cholet, légat du pape, vient alors proposer officiellement à Philippe III le royaume d'Aragon et le comté de Barcelone pour l'un de ses fils. Le roi de France consent alors à diriger l'expédition.

Il prend la croix avec ses enfants Philippe et Charles. La mort de Charles d'Anjou à Foggia, le 7 janvier 1285, ne l'arrête pas. En mars 1285, il prend l'oriflamme royale à l'abbaye Saint-Denis et son armée s'ébranle. Depuis deux ans, la royauté avait rassemblé d'énormes approvisionnements dans le Midi en vue de cette expédition. La triste expérience du projet de 1276, mort-né à cause de l'insuffisance des vivres, était dans toutes les mémoires. En mai 1285, le roi de France pénètre en Roussillon. Il envahit ensuite le comté de Barcelone et, le 27 juin, entreprend le siège de Gérone qui capitule le 7 septembre après la proclamation de Charles de Valois comme roi d'Aragon. Mais, dès le 4 septembre, l'amiral aragonais Roger de Lauria avait anéanti, au large de Palamos, la flotte qui transportait le ravitaillement et les renforts français. Après son succès, Lauria débarque à Rosas et le roi de France — qui avait fait preuve d'un grand courage au cours de cette guerre et mérité le surnom de Hardi — doit ordonner la retraite et abandonner Gérone à peine conquise. Une grave épidémie de fièvre se répand dans l'armée qu'elle décime. Philippe III en est atteint. Le retour est pénible. Le 5 octobre, à Perpignan, le roi de France succombe ainsi que son adversaire, Pierre d'Aragon, qui meurt le 10 octobre [186].

Philippe le Bel et Marguerite de Provence

L'héritier de Philippe III le Hardi, son fils Philippe IV le Bel (1285-1314), décide de tirer un trait sur cette croisade manquée. Sa méfiance envers les mirages méditerranéens est grande. Il estime que la défense des frontières septentrionales importe beaucoup plus au royaume. Il rejette avec vigueur les visées de sa grand-mère Marguerite sur la Provence qu'il juge au moins prématurées. La veuve de Saint Louis n'insiste pas et comprend que son rôle politique s'achève là. Pourtant, Philippe le Bel et ses conseillers veulent tirer profit des difficultés du lignage angevin, dont les folles ambitions avaient connu de si grands revers. Les réclamations de la reine Marguerite à l'égard de la Provence vont encore servir le royaume, mais d'une tout autre manière qu'elle n'aurait pu le prévoir. Philippe le Bel abandonne la Provence à Charles le Boiteux, fils de Charles d'Anjou, pour l'échanger en quelque sorte contre l'apanage angevin qu'il fait céder à l'une de ses nièces dans une première étape. Avant de mourir, Philippe III, désigné comme arbitre dans la querelle entre sa mère et son oncle, lui avait ouvert la voie car il avait assigné à sa mère, dans le comté d'Anjou, des terres dont le revenu s'élevait à 2 000 livres tournois. Le temps lui avait manqué pour faire exécuter sa décision et il revient à son fils d'y procéder. Philippe le Bel attribue ainsi à sa grand-mère les châtellenies angevines de Beaufort et Beaugé en 1287. Dans une seconde phase, le nouveau roi obtient davantage par une habile alliance matrimoniale. En 1290, son frère Charles de Valois épouse Marguerite, fille de Charles II, qui lui donne en dot tout le comté d'Anjou[187].

Ainsi Philippe le Bel a-t-il utilisé au mieux l'action de Marguerite de Provence. Il s'en sert comme d'une monnaie d'échange afin d'accroître son pouvoir dans le royaume. Bien entendu, l'Anjou ne s'intègre pas pour autant dans le Domaine royal, mais une dynastie devenue étrangère ne le tient plus en main et l'on sait que, depuis Saint Louis, la royauté s'arrangeait pour contrôler avec efficacité les apanages des princes royaux ainsi que les biens qu'ils possédaient grâce à leur mariage. Le petit-fils de Marguerite estime préférable de faire céder l'Anjou à l'un de ses proches plutôt que d'exiger la Provence ou l'une de ses parties et d'étendre le royaume outre-Rhône. Une nouvelle fois, la reine Marguerite se soumet sans protester. Peut-être espère-t-elle que son cher comté rejoindra quand même un jour le royaume de France ? Pour le moment, la royauté, après l'avoir placée à l'avant-garde de l'opposition à Charles d'Anjou, se désintéresse de ses revendications sur la Provence dès que disparaît le danger d'une grande principauté entre le Rhône, les Alpes et la Méditerranée. Mais l'épouse de Saint Louis n'en est-elle pas en partie responsable puisqu'elle a consenti à arrêter net son opposition à son beau-frère dès qu'elle a appris ses malheurs ?

Son attitude reste digne et c'est sans bruit ni plainte intempestive que la reine douairière abandonne la vie politique. Son petit-fils gouverne et, avec ses conseillers, se refusera à toute déviation de ses projets et à toute tentative de pression. Sage, Marguerite de Provence, au seuil de la vieillesse, ne modifie pas sa ligne de conduite habituelle. Elle s'incline devant la volonté royale qu'elle a toujours fait respecter, pendant le règne de son époux et celui de son fils. Pourquoi modifierait-elle sa position sous le règne de son petit-fils ? Elle avait compris qu'elle devait subordonner ses réclamations sur la Provence aux intérêts du royaume. Dès que cette concordance cesse, elle cesse de les faire valoir, du moins en public.

CHAPITRE XII

DANS LE SOUVENIR
DE L'ÉPOUX TENDREMENT AIMÉ...

L'entourage

Pendant le règne de Philippe III, on a vu qu'un parti puissant se regroupe autour de Marguerite de Provence. Elle dispose ainsi de plusieurs clercs qu'elle envoie auprès du pape ou du roi d'Angleterre. Que deviennent ce clan et « ce secrétariat politique » quand la royauté les écarte ? Des grands vont servir ailleurs les intérêts du royaume, mais elle garde auprès d'elle des clercs ou administrateurs pendant tout son veuvage. Elle s'est retirée sans éclats de la scène politique quand on n'a plus eu besoin d'elle : il ne devait donc pas être trop compromettant de rester parmi ses amis. Et puis, ne revenait-elle pas de temps à autre au premier rang ? Ces retours périodiques à une activité officielle reconnue ne faisaient-ils pas de Marguerite de Provence une personne beaucoup plus habile qu'on ne le dit à l'ordinaire, beaucoup plus douée d'intelligence politique qu'on ne l'imagine ? A l'évidence, il n'est pas aisé de « durer » aussi longtemps dans une royauté sans soulever trop de contestations. Elle y a réussi beaucoup mieux que sa sœur Eléonore. Mais cette longue « survie » politique a eu comme rançon de longues périodes de retrait. Loin de lui être douloureuses, elles lui apparaissent même parfois comme un soulagement. Ne la voit-on pas prendre le premier prétexte venu pour renoncer au projet de lutte contre Charles d'Anjou en 1282 ?

En outre, Marguerite reste attachée près d'un demi-siècle à ses revendications provençales et plusieurs dizaines d'années au rapprochement franco-anglais. Sans remettre en cause cette constante fidélité à ses principes, la quasi-impossibilité d'envisager d'autres thèmes à partir de 1254 permet d'affirmer que l'attrait du pouvoir ne la déterminait pas. S'il en était autrement, elle aurait adopté les moyens nécessaires pour rester sur le devant de la scène. La facilité évidente qu'elle avait de s'attacher des partisans ne pouvait que l'aider à s'y maintenir plus longtemps. Elle ne l'a pas fait, ce qui témoigne soit de son manque d'aptitude relative à la vie politique, soit de son peu d'attirance pour une participation décisive et directe à la vie politique. Le second facteur paraît plus déterminant, mais il est vraisemblable que les deux se conjuguent et expliquent sa véritable personnalité, celle d'une femme qui veut conduire au mieux sa vie de reine, de femme, de mère, d'épouse, puis, à la fin de sa vie, d'aïeule. Aurait-on sinon continué à l'appeler la Dame de France ? Aurait-elle été entourée de tant de respect à la fin de sa vie si elle s'était mêlée à tout propos d'intervenir dans les affaires publiques ?

Dans ses dernières années, on l'a vu, elle s'occupe fort de son Hôtel et de la gestion de ses biens. Son train de vie est grand et ses auxiliaires, nombreux. Un bailli est responsable de l'administration de son douaire et, outre des chapelains, elle dispose d'un confesseur, Guillaume de Saint-Pathus, un franciscain. La reine mère imite donc Saint Louis qui avait un confesseur personnel, qui tient les rôles de confident et de directeur de conscience. Il se peut d'ailleurs que Marguerite de Provence ait été la première femme à avoir son confesseur particulier. Enfin, un personnel de service assez considérable avec ses cuisiniers, ses valets d'écurie et de chars, etc., fait fonctionner sa maison.

Elle n'impose pas inutilement sa présence à la cour de son fils et encore moins à celle de son petit-fils Philippe le Bel. Plusieurs de ses lettres sont rédigées à Poissy, qui semble devenir sa résidence préférée. Ce château avait l'avantage de ne pas être trop éloigné de Paris sans avoir l'inconvénient d'une trop grande proximité. La reine Marguerite se déplace aussi dans le royaume, en particulier à Mâcon lors de la phase ultime de sa querelle avec Charles d'Anjou [188]. Mère affectueuse, elle prend grand soin de ses enfants, en particulier de celle qui connaît le plus d'épreuves, Blanche. Elle se préoccupe aussi beaucoup de ses petits-enfants. Enfin, elle conserve pieusement le souvenir de son époux bien-aimé et se prépare avec grand sérieux à la mort.

Marguerite de Provence, grand-mère et arrière-grand-mère

Quand la Dame de France devient veuve à quarante-neuf ans, l'aînée de ses enfants, Isabelle, reine de Navarre, est âgée de vingt-huit ans. Sa plus jeune fille, Agnès, n'a que dix ans et deux autres enfants, Pierre et Robert, âgés respectivement de dix-neuf et quatorze ans, sont encore célibataires en 1270.

En septembre 1270, restaient à régler les derniers accords au sujet de la dot de la jeune Marguerite qui avait épousé Jean de Brabant. La jeune duchesse meurt en couches en 1271[189]. Pierre, qui avait reçu en apanage les comtés d'Alençon et du Perche, épouse en 1272 Jeanne, fille et héritière de Jean de Châtillon, comte de Blois et Chartres, seigneur de Guise et de la terre impériale d'Avesnes. Ainsi s'évanouit pour un temps le danger que représentait ce lignage. Mais Pierre meurt en 1283, sans postérité, et son épouse Jeanne disparaît en 1289 après avoir cédé en 1289 la plupart de ses terres à son cousin Hugues de Châtillon, comte de Saint-Pol. Le prince Robert, qui avait reçu en apanage le comté de Clermont-en-Beauvaisis, épouse en 1287 Béatrice de Bourbon, fille d'Agnès de Bourbon et de Jean de Bourgogne. Elle est l'héritière de cette terre de Bourbon qui est ensuite rattachée à la lignée issue du dernier fils de Saint Louis et de Marguerite de Provence. Agnès, le dernier enfant du couple royal, épouse le duc Robert de Bourgogne en 1279[190].

Marguerite de Provence devient grand-mère. Bien qu'aucun de ses enfants ne soit entré dans le clergé séculier ou régulier et que huit enfants sur onze se soient mariés (les trois autres sont morts avant d'avoir atteint l'âge nubile), seuls quatre eurent une postérité. Le premier des petits-enfants de Saint Louis et de son épouse vient au monde vers 1266. C'est le fils de l'héritier Philippe, le jeune prince Louis dont la mort, en 1276, provoque tant de troubles à la cour de France. Le second est Philippe, né en 1268. On le connaît dans l'histoire sous le nom de Philippe IV le Bel. Il a deux frères : Charles, comte de Valois, et Louis, comte d'Evreux, nés en 1270 et 1276. Sans passer tous les petits-enfants en revue, mentionnons que Blanche, épouse de Ferdinand de la Cerda, eut trois enfants : une fille, doña Juana, et deux fils, Alphonse et Ferdinand qui, malgré les promesses, ne régnèrent pas sur la Castille.

Robert de Clermont et son épouse, Béatrice de Bourgogne, dame de Bourbon, eurent six enfants dont l'aîné, Louis Ier, duc de Bourbon, naquit en 1279. Agnès, la cadette, épouse du duc Robert de Bourgogne, donna naissance à huit enfants dont six naquirent avant la mort de Marguerite de Provence : Louis, qui meurt en bas âge, Hugues, l'héritier du titre ducal, Blanche, qui se marie avec Edouard, comte de Savoie, Marguerite, épouse de Louis X le Hutin, fils de Philippe le Bel, roi de Navarre et Jeanne, mariée à Philippe de Valois. La destinée de ces deux sœurs est bien différente. Marguerite, reine de Navarre, accusée d'adultère, est enfermée au Château-Gaillard en mai 1314 et meurt d'une pleurésie au cours de l'hiver suivant. Son époux était devenu roi de France à la mort de son père, Philippe le Bel, le 29 novembre 1314. Sa sœur Jeanne, qui ne pouvait au départ espérer devenir reine de France puisqu'elle avait épousé Philippe de Valois, lequel, neveu de Philippe le Bel, n'entrait pas dans la ligne directe de succession, coiffe cependant la couronne quand son époux devient roi de France, en 1328, en l'absence de descendance masculine des trois rois « maudits », les fils de Philippe le Bel. Elle meurt en 1348, en portant secours aux victimes de la redoutable épidémie de peste noire.

Marguerite de Provence a connu plusieurs de ses arrière-petits-enfants. Citons ceux qui sont devenus rois : Louis X le Hutin, né en 1289, roi de France de 1314 à 1316, son frère Philippe V le Long, né en 1294, roi de France de 1316 à 1322. Le fils cadet de Philippe le Bel, Charles IV le Bel, roi de 1322 à 1328, était né en 1295, l'année de la mort de son arrière-grand-mère. L'année précédente était venu au monde le fils de Charles de Valois et de Jeanne d'Anjou, Philippe de Valois, roi de France de 1328 à 1350.

A deux reprises au moins au cours de son veuvage, Marguerite de Provence intervient dans les choix matrimoniaux. On a vu son échec dans son projet de mariage entre Edouard Ier et la fille de Philippe le Bel. *La Chronique anonyme des rois de France* et Guillaume de Nangis, dans sa *Vie de Philippe III*, lui attribuent en revanche le remariage de Blanche, fille de Robert d'Artois, qui était devenue reine de Navarre grâce à son mariage avec Henri, comte de Champagne et roi de Navarre. Après la mort de ce dernier en 1274, elle épouse en 1277 Edmond de Lancastre, second fils d'Eléonore et d'Henri III.

Veuve pendant vingt-cinq ans, elle connut bien des deuils. Rappelons seulement les décès de trois de ses enfants : Isabelle et Marguerite en 1271, son fils Philippe III en 1285 et son petit-fils Louis, le fils aîné de Philippe, en 1276[191].

Marguerite de Provence et la canonisation de Saint Louis

L'un des grands sujets de préoccupation de la famille royale fut le procès de canonisation de l'époux de Marguerite de Provence qui mourra en 1295, deux ans avant qu'il ne soit porté sur les autels. Au moment de disparaître à son tour, la reine Marguerite confia d'ailleurs à sa fille Blanche le soin de veiller sur sa mémoire. Faut-il pour autant envisager la canonisation de Louis IX comme une entreprise capétienne ou comme l'aboutissement d'une campagne qu'aurait lancée sa veuve ? L'Eglise a mené avec grand sérieux le procès de canonisation du roi. Elle utilisa la procédure inquisitoriale et rendit un véritable jugement après avoir entendu les défenseurs et les adversaires de sa cause. On ne peut accuser la papauté, ni le pouvoir royal, ni à plus forte raison Marguerite de Provence d'avoir fait accélérer l'issue du procès : une bonne quinzaine d'années s'écoula en effet entre son ouverture officielle en 1282 par le pape Martin IV qui désigna à cet effet trois cardinaux et sa conclusion en 1297, alors que la durée moyenne des « pétitions » ou « postulations » était de deux ans seulement[192].

Peut-on envisager cette canonisation comme une affaire familiale ? Constatons d'abord que le nom de Marguerite de Provence n'apparaît jamais dans ce qui reste du dossier, dont une grosse partie a d'ailleurs disparu. Ce n'est qu'en 1297 que le pape Boniface VIII cite rapidement son nom lors du second sermon qu'il prononce à l'occasion de la cérémonie de canonisation. La reine douairière avait cependant donné des renseignements de première main. Guillaume de Saint-Pathus qui fut son confesseur de 1277 à 1295 ne nous livre que les bons aspects de Louis IX dans sa *Vie de Monseigneur Saint Louis,* mais il ne la rédige qu'après la canonisation du roi, en 1302 et 1303, sur la demande expresse de Blanche de France, la veuve de l'héritier de Castille. C'est à l'évidence un ouvrage d'édification comme le sont tant de vie de saints. Avant de mourir en 1305, Jeanne de Navarre, épouse de Philippe le Bel, avait aussi commandé un livre de souvenirs à Joinville qui ne l'acheva qu'en 1309. Le sénéchal de Champagne, qui avait écrit avec une entière liberté, reconnaît que Louis IX était un homme juste, bon chrétien, mais non dépourvu de défauts. Joinville, qui était son ami avant son ascension spirituelle, accepte pourtant de le considérer comme un saint puisque l'Eglise l'admet comme tel. Il donne sur la fin de la vie du roi des exemples de très grande charité et de piété qu'il emprunte à l'ouvrage de Saint-Pathus. On ne saurait y voir une concession faite à la demande de la famille, mais la preuve de son honnêteté, car il ne décrit que ce qu'il a vécu dans l'entourage royal. Après un tel témoignage, peut-on encore douter de la profonde transformation de la personnalité de Louis IX après 1254 ?

La famille royale n'a pas commandé les autres écrits sur la vie et le règne de Saint Louis. Le grand laboratoire de l'historiographie royale qui fonctionne à l'abbaye Saint-Denis poursuit la rédaction des chroniques des rois puisque telle est sa tâche. Guillaume de Nangis, garde des archives de Saint-Denis de 1285 à 1300, après sa Chronique latine (*Chronicon*) et une chronique abrégée, écrit une *Vie de Saint Louis.* Citons également Yves de Saint-Denis, auteur des *Gesta,* une petite chronique, Primat, etc. Les moines de la grande abbaye royale ont bien et beaucoup travaillé sur le règne de Louis IX, mais à part la *Vie* de Guillaume de Nangis, qui ressort du genre hagiographique, et les *Gesta,* ils se contentèrent en règle générale de remplir leurs strictes fonctions d'historiens officiels [193].

La *Vita... Ludovici* du franciscain Geoffroy de Beaulieu, qui fut le confesseur du roi pendant les vingt dernières années de sa vie, n'est pas davantage le fruit d'une commande de la famille royale. Il l'a composée à la demande expresse du pape Grégoire X. Beaulieu est d'ailleurs le plus mal à l'aise de tous ceux qui ont écrit sur le roi. Tenu, par sa fonction et le secret de la confession, à beaucoup de réserves, il ne cite que les manifestations extérieures de la piété de son pénitent. Le pape n'a d'ailleurs commandé cet ouvrage qu'en raison de la grande vénération populaire envers le roi défunt qui se faisait jour. La rumeur publique signale en effet que des miracles se sont produits dès 1271 lors du transport de ses restes de la Sicile à Paris et ensuite dans l'abbatiale de Saint-Denis, près du tombeau que Louis IX avait fait construire de son vivant et que l'on remplace entre 1274 et 1280 par un autre monument, magnifique celui-là, en or et en argent.

La piété populaire est donc bien à l'origine de cette canonisation. Elle s'amplifie encore avec les miracles qui se succèdent et divers écrits qui entretiennent cette vénération. Guillaume de Chartres poursuit l'œuvre de ce dernier. Signalons aussi les anecdotes d'Etienne de Bourbon et des traductions en français (par Guillaume de Chartres) des Vies qu'avaient composées en latin Geoffroy de Beaulieu. L'évolution et la promotion de la langue française, le plus grand nombre de lettrés, favorisent l'inscription dans la mémoire collective du souvenir de l'époux de Marguerite. Faut-il en faire grief à l'Eglise et à la famille royale ? Après la canonisation, Jean de Vignay traduit la chronique de Primat, à la demande de Jeanne de Bourgogne, une autre petite-fille de Saint Louis, et Joinville écrit directement en français. L'influence des descendants de Saint Louis ne se manifeste donc qu'après sa canonisation. Auparavant, les deux phases successives de la marche vers la canonisation telle que l'a conçue l'Eglise sont bien perceptibles : une phase de piété populaire et une ratification par la papauté après un minutieux procès[194].

Par crainte d'un culte illégal, le pape n'avait pas hésité à prendre l'initiative dès 1272, à mesure que la vénération du peuple grandissait... Les miracles attribués à l'intercession du roi l'amplifiaient. Malgré la perte d'une grande partie du procès de canonisation, on en a conservé quelques traces avec la déposition de Charles d'Anjou et un écrit de Guillaume de Saint-Pathus qui livre deux enquêtes, dont l'une concerne l'exposé, l'analyse et la critique des miracles proposés comme preuves tangibles de la sainteté du roi Louis. Précisons tout de suite qu'il n'en a pas accompli de son vivant. Bien entendu, il a guéri les écrouelles mais d'autres rois beaucoup moins vertueux que lui avaient procédé aussi à ces guérisons à l'occasion des principales cérémonies de la liturgie capétienne et Louis IX s'était contenté d'ajouter au cérémonial archaïque le signe de la croix et quelques prières. Il a donc épargné à sa femme le souci supplémentaire d'avoir à vivre avec un mari thaumaturge. Après la mort du roi et avant sa canonisation, les enquêteurs consultent trois cent soixante-huit témoins sur ses miracles *post mortem,* les seuls valables dans un procès. Trois cents personnes les attestent et l'Eglise en retint soixante-cinq tandis qu'elle en laissait tomber soixante-quinze en raison de l'absence de témoins valables ou du temps nécessaire aux vérifications. Il est vrai que quatre autres miracles vinrent s'ajouter à la liste que donna Saint-Pathus. Reconnaissons que Marguerite de Provence n'en peut mais si l'un des miracles retenus concerne l'un de ses valets de char, devenu sourd et muet, puis guéri par l'intercession du roi. On ne demande d'ailleurs pas à la reine de témoigner sur ces guérisons miraculeuses.

A côté de cette enquête sur les miracles qui dure de mai 1282 à mai 1283, une autre a pour cadre l'abbaye Saint-Denis de France, du 12 juin au 20 août 1282. Jean de Samois, ancien évêque de Lisieux, procurateur spécial ou postulateur de la cause, et frère Jean, pénitencier du pape, représentant de la partie adverse envoyé par Rome, sont les responsables officiels. Les archevêques de Reims et Rouen, les évêques de Senlis, Evreux, Auxerre et Spolète, Mathieu de Vendôme, abbé de Saint-Denis, Philippe, roi de France et Charles, roi de Sicile, sont les témoins des dépositions. Le nom de Marguerite de Provence n'est même pas évoqué. Trente-cinq personnes qui, en règle générale, ont bien connu le roi comparaissent devant les commissions. Citons parmi eux Jean de Joinville, Pierre de Condé, l'un de ses chapelains, mître Jean de Béthisy, son chirurgien, Pierre de Chambly et Herbert de

Villébéon, ses chambellans, Ysambert, l'un de ses serviteurs[195].

Dans ces enquêtes, personne n'a fait appel au témoignage de l'épouse de Louis IX. La perte de la plupart des pièces du dossier ne permet cependant pas de conclure à une exclusion totale, officielle et délibérée de Marguerite de Provence dans le procès. Elle a cependant donné à son confesseur, Guillaume de Saint-Pathus, de très précieux renseignements sur le roi, sur le couple qu'ils ont formé et sur leur vie familiale. Elle ne fait rien publier de son vivant. Discrète, elle s'efface, dans ses Mémoires (par personne interposée, en l'occurrence son confesseur) comme dans sa vie. On constate d'ailleurs que le plus prolixe à son sujet est Joinville qui n'a pas à craindre ses récriminations puisqu'il écrit après la mort de la reine. D'autres motifs peuvent aussi expliquer la discrétion de la reine Marguerite. Elle ne tient pas à exposer dans un livre destiné au public ce qu'elle a connu de plus cher. Elle témoigne aussi d'une certaine prudence car elle sait que l'Eglise répugne aux interventions trop bruyantes, trop intempestives des familles dans un procès en cours. Elle laisse donc à sa fille Blanche le soin de faire publier ce qu'a consigné son confesseur et confident. Blanche n'en fait d'ailleurs la demande expresse qu'après la proclamation de la canonisation de Louis IX en 1297 par le pape Boniface VIII qui, pour la première fois dans l'histoire, utilise l'expression *super homo*, surhomme, pour le défunt roi[196]. Enfin, si Guillaume de Saint-Pathus parle si peu de Marguerite de Provence, c'est aussi parce que son but est d'écrire une hagiographie et qu'il n'a donc pas à s'étendre sur les proches du saint.

La reine Marguerite ne s'est pas permis d'anticiper sur le jugement de l'Eglise. Elle continue d'ailleurs à prier pour son époux et, en 1287, crée une fondation destinée à assurer des prières pour le repos de son âme. Des esprits chagrins ne vont-ils pas saisir l'occasion pour affirmer que Marguerite de Provence ne voyait pas en son mari un saint ? N'exagérons quand même pas : la prudence, les usages et l'affection commandaient une telle précaution. A l'inverse, ne vivrait-elle pas ses dernières années dans le souvenir de son bien-aimé dont elle ne voudrait retenir que les qualités ? N'aurait-elle pas caché quelques-uns de ses défauts afin de faciliter l'heureux dénouement du procès de canonisation ? S'agissant d'un homme comme Louis IX qui, dans les dernières années de sa vie, fut un homme de très grande foi, d'une extrême charité et d'un indiscutable attachement à sa charge, soucieux d'éviter à ses sujets les abus de l'Etat et de ses commis, on peut avoir tendance à s'en souvenir comme d'un saint. Mais on a vu que le mouvement n'était parti ni de sa femme ni de ses enfants. Marguerite de Provence était absente du cortège qui ramenait le corps de son mari. Le peuple, en Italie d'abord, puis en France, s'agenouillait devant le cercueil. A leur tour, sa veuve et ses enfants vénérèrent le défunt roi. Marguerite de Provence donna donc de bons renseignements sur son époux. Elle était d'ailleurs seule à en connaître un certain nombre, mais elle se refusa à devancer le jugement ecclésiastique. Rien ne prouve d'ailleurs qu'elle n'ait pas parlé des défauts de son mari à son confesseur. Nous avons vu que, au moins sur un point très intime, celui concernant la difficulté de son époux à se maîtriser sur le plan sexuel, elle n'a rien caché. En ce qui concerne Joinville, il écrit aussi après la mort de Marguerite de Provence qui n'est plus là pour remettre les choses au point et expliquer par exemple qu'elle n'avait plus eu à subir, dans les toutes dernières années du règne de son mari, ce qui avait pu apparaître auparavant comme des humiliations. En outre, la reine Marguerite n'avait pas l'habitude de se plaindre. Cette constatation suffirait à expliquer certains de ses silences sans avoir recours à l'élimination qu'aurait faite Saint-Pathus de son témoignage sur des questions difficiles ou pénibles [197].

La canonisation de Saint Louis contribue à rehausser le lignage capétien. Désormais, le grand « ancêtre », le roi modèle, n'est plus Charlemagne, mais Louis IX [198]. Marguerite de Provence n'aurait-elle pas contribué dans la coulisse, et plus que les textes ne le disent, à la glorification de son époux afin de favoriser ce clan capétien dans lequel elle a été finalement admise ? La dynastie capétienne était fortement implantée dans le royaume depuis Philippe Auguste, elle n'avait point besoin de la canonisation de Louis IX pour être définitivement reconnue.

Marguerite de Provence n'a pas cheminé par des voies tortueuses qui auraient facilité la canonisation de son mari. Franche, spontanée, quitte à paraître manquer à l'occasion de subtilité d'esprit, elle n'a pas changé de caractère dans les dernières années de sa vie. Elle achève ses jours dans le souvenir de l'époux tendrement aimé. Le beau chevalier qu'elle a épousé en son adolescence s'est transformé, l'âge mûr venu, en un saint, mais, finalement, elle a admis cette mutation, ce véritable retournement de personnalité. Son époux était un « homme officiel », un homme public et le plus grand de tous puisqu'il était roi. Les joies de l'épouse, comme ses peines et ses deuils familiaux ont été parfois des affaires d'Etat, toujours des affaires publiques. Pourtant, les documents manifestent à l'évidence que son rôle de reine n'a pas étouffé celui d'épouse, de mère, de sœur et de tante. Qu'elle soit restée une véritable femme malgré la « cour », les flatteries des courtisans, les honneurs qui l'entouraient suffit à la mettre en valeur. Ses toilettes et ses bijoux, qu'on lui a reprochés, ne l'ont-ils pas aidée à vivre au milieu de tant de difficultés ? Son devoir n'était-il pas d'être élégante et de tenir son rang quand le roi voulait vivre comme un pauvre parmi les pauvres à la fin de son règne ? Elle reste pleine de tendresse et attentionnée dans sa vieillesse et n'hésite pas à sacrifier ses légitimes revendications pour rendre service à d'autres. On imagine mal qu'elle ait pu changer de psychologie et garder rancune à son mari disparu. Veuve, reine douairière accablée de malheurs, elle reste digne et profondément humaine.

La fin de Marguerite de Provence

Dans ses dernières années, son retrait de la vie politique du royaume est total. Elle ne manifeste aucune amertume, n'exprime aucune plainte. Philippe le Bel et ses légistes l'auraient-ils admis ? Il n'est plus question de lui demander la moindre participation à la vie publique. Ne s'est-elle pas battue pour le rapprochement avec l'Angleterre et la défense des intérêts du royaume dans le secteur méditerranéen ? Les hommes au pouvoir tiennent alors ces aspects pour secondaires ou néfastes.

La vie politique n'est pas seule à l'abandonner. Eléonore, reine mère d'Angleterre, la dernière sœur qui lui restait, meurt le 25 juin

1291 dans son couvent d'Amesbury. Ses funérailles sont célébrées le 9 septembre au cours d'une cérémonie grandiose à laquelle assistent son fils, le roi Edouard, et beaucoup de nobles et de prélats. Ce jour-là, les Anglais oublient leurs griefs contre elle et ne se souviennent que de son action envers le lignage royal et l'Angleterre. Peut-être même lui rendent-ils justice en se rappelant que le manque d'autorité de son époux, Henri III, par ailleurs homme d'une grande valeur morale et ami des arts, avait facilité et même rendu nécessaire sa très grande participation au pouvoir. Il est vrai que son tempérament actif et autoritaire l'y inclinait : la différence était grande avec sa sœur Marguerite, plus sensible, moins attachée au pouvoir et épouse d'un roi qui tenait fermement les rênes de l'Etat et n'était pas disposé à lui abandonner des parcelles de son autorité, sauf quand l'urgence commandait. Les deux reines penchaient vers la prodigalité, mais le roi de France, soucieux des deniers de l'Etat, limitait la propension à la dépense de l'aînée tandis que la cadette et son époux étaient aussi incapables l'un que l'autre de refréner leurs dépenses affolantes. A l'actif des deux sœurs, il ne faut pas oublier qu'une partie de l'argent qu'elles dépensaient servait le royaume. La réputation de rapacité que l'on fit à Eléonore était souvent à mettre au compte de sa recherche forcenée de l'argent indispensable à la sauvegarde des intérêts du royaume. Marguerite, quant à elle, a réussi à maintenir le prestige du cadre royal. Fort attachées à la paix entre la France et l'Angleterre et à leur rapprochement, elles ne subordonnèrent cependant jamais les intérêts fondamentaux de leur royaume à leurs relations familiales.

Eléonore meurt à soixante-sept ans, quatre années avant son aînée, qui, âgée de soixante-neuf ans, reste la seule fille vivante de Raimond Bérenger et de Béatrice de Savoie. Il reste à Marguerite à se préparer à la mort. Elle s'occupe de bonnes œuvres, fait des dons aux établissements religieux et n'oublie pas les défunts de sa famille. Le 26 mars 1287, elle fonde à Saint-Denis trois chapelles pour le repos de l'âme de son mari et de ses enfants décédés [199]. Elle constitue des donations destinées à fournir les revenus de trois chapelains chargés de prier pour les disparus. Elle crée aussi une chapelle dans le couvent de Saint-Marcel « près de Paris » [200].

A l'exemple de Blanche de Castille et d'autres dames de la noblesse, elle a fondé en effet un couvent de sœurs de l'ordre des frères mineurs, plus exactement un couvent de ces religieuses groupées à l'origine autour de sainte Claire et rattachées à l'ordre des frères de saint François. Elle imite ainsi son époux qui avait tant fait pour les disciples du « petit pauvre » d'Assise. De temps à autre, elle y séjourne, avec sa fille Blanche. Les deux veuves s'y livrent à de longues dévotions. Quand ses forces déclinent et qu'elle devine sa fin prochaine, Marguerite de Provence s'y retire pour attendre la mort qui survient le 30 décembre 1295, dans sa soixante-quinzième année[201]. Ainsi disparaît de ce monde cette reine de France. Née au temps de Philippe Auguste, aïeul de son mari, elle meurt sous le règne de son petit-fils, Philippe le Bel.

En France, son décès semble accueilli par l'indifférence générale. Les chroniques se contentent de le signaler avec une extrême concision. Il apparaît comme un événement mineur tellement les soucis de Philippe le Bel et de son royaume sont grands. La France et l'Angleterre s'opposent à nouveau ; sur ce point, la mort de Marguerite de Provence qui a été le symbole du rapprochement des deux royaumes survient au pire moment. Le roi et ses conseillers préparent les négociations prévues pour janvier 1296 avec Edouard Ier, roi d'Angleterre. En effet, en 1295, l'armée royale, commandée par Charles de Valois et renforcée par les troupes de Guy de Dampierre, comte de Flandre, a occupé une grande partie de la Guyenne afin de contraindre son duc, c'est-à-dire le roi d'Angleterre, au respect de ses engagements et à une plus stricte fidélité[202].

Edouard, qui désigne le 1er janvier 1296 ses plénipotentiaires afin de négocier la trêve, exprime sa grande douleur dans les jours qui suivent la mort de sa tante. Il veut que son royaume participe à son deuil et ordonne des prières dans toute l'Angleterre pour le repos de son âme[203]. Il témoigne ainsi sa reconnaissance envers celle qui l'a aidé quand il était prisonnier des barons anglais. Mais il rappelle ainsi le désir profond de la Dame de France d'une alliance entre la France et l'Angleterre. Ne rend-il pas ainsi un mauvais service au souvenir de sa tante dans le royaume de France ? Il serait sans doute mesquin de justifier que Philippe le

Bel n'ait pas ordonné des prières dans toutes les églises de France par le fait que sa grand-mère avait été le porte-parole du parti pro-anglais alors que sa politique extérieure s'était nettement orientée contre l'Angleterre depuis 1293 et que la guerre de Guyenne n'était même pas achevée. Les graves soucis du roi de France en ces derniers jours de l'année 1295 et dans les premiers de la suivante suffisent à éclairer son attitude.

Philippe le Bel souhaita d'ailleurs que les funérailles de Margue-rite de Provence fussent dignes de celles d'une reine de France. Son corps fut inhumé en grande solennité dans l'église abbatiale Saint-Denis, dans cette nécropole royale dont Saint Louis avait voulu régler l'ordonnance. Cette fois, on respecte sa décision de placer les tombeaux des rois et des reines de France dans la croisée des transepts, comme l'a signalé J. Le Goff[204]. Louis IX avait voulu que son tombeau, avec ceux de Philippe Auguste et de Louis VIII, prît place devant le grand autel ou autel de la Trinité. Philippe le Bel et ses conseillers tiennent à ce que le tombeau de Marguerite de Provence soit situé près de celui de son époux, et c'est devant le grand autel qu'elle repose, comme le fait remarquer le chroniqueur Girard de Frachet[205]. Philippe le Bel aurait-il voulu un tel honneur pour sa grand-mère si elle n'avait pas vécu en grande et digne reine ?

En dehors de l'église du monastère Saint-Denis, des habitants du royaume de France ont aussi prié pour elle et ont gardé son souvenir. Louis IX avait fait des donations pour des obits et des prières en sa faveur et en celle de son épouse. Pour sa part, Marguerite avait fondé ce couvent de Saint-Marcel dont les religieuses, selon l'usage, prièrent pour leur bienfaitrice après sa mort. L'obituaire de l'église cathédrale d'Evreux mentionne aussi son nom[206]. Sa famille surtout ne l'oublie pas. Deux actes des archives royales en donnent la preuve. Au mois de mars 1314, sa fille Blanche de France, qui vient d'atteindre la soixantaine et poursuit son long veuvage commencé à vingt-deux ans, est prise de scrupules. Elle croit avoir oublié de payer à sa mère 400 livres sous forme d'une rente amortie à percevoir chaque année au 1er novem-bre au Temple de Paris ou au futur emplacement du Trésor royal. Cette indication signale qu'il s'agissait là d'une disposition testamentaire qu'avait prise Marguerite de Provence puisque, au cours de l'automne 1295, quelques mois avant sa mort, Philippe le Bel avait retiré le Trésor royal du Temple pour le placer au Louvre et substituer ses propres spécialistes des finances aux templiers dans la gestion de ce Trésor. Blanche nous fait connaître chemin faisant les deux exécuteurs testamentaires choisis par sa mère, maître Raoul de Pacy, chantre du chapitre cathédral de Meaux, et frère Guillaume de Saint-Pathus, son propre confesseur. Blanche leur assigne une somme de 323 livres 15 sous tournois qu'elle avait acquise de la dame de Sully de Loire (sans doute contre la vente d'un bien). Ce capital donnait chaque année une rente de 32 livres 10 sous. Sur cette rente, on aurait dû prélever les 20 livres annuelles destinées aux prières pour le repos de l'âme de la reine Marguerite, à la Toussaint. Blanche fait d'ailleurs une bonne affaire puisque, au capital primitif de 400 livres, elle substitue 323 livres 15 sous, le taux de la rente s'étant élevé de 5 % à 6 % entre 1295 et 1314.

La princesse Blanche donne ensuite l'ordre aux exécuteurs testamentaires d'assigner ces 20 livres de rente aux religieux de Saint-Denis et de leur demander de célébrer le 30 décembre, jour anniversaire de la mort de sa mère, un office pour elle et pour ses enfants enterrés dans la nécropole royale, Jean-Tristan et Philippe III. Elle ne demande pas de prières pour son père puisqu'il a été proclamé saint, ni pour les autres enfants de la reine Marguerite, déjà décédés mais inhumés ailleurs. La première Blanche et ses frères morts jeunes, Jean et Louis, avaient été enterrés à Royaumont et les autres, Pierre d'Alençon, Marguerite de Brabant et Isabelle de Champagne-Navarre, dans leur comté, duché ou royaume. L'office demandé revêt la forme d'un obit solennel. Sur les 20 livres de rente, 8 doivent servir au luminaire tandis que Blanche destine le reste, soit 12 livres, à la pitance des moines. Enfin, Blanche de France supplie le roi Philippe le Bel, son neveu, de ratifier cette seconde assignation. Elle profite de cette occasion pour lui rappeler qu'il avait déjà amorti une autre somme de 200 livres « prises sur Jean, comte de Forez ». Un second acte, daté du 22 mars 1314 et rédigé à Paris, mentionne que le roi accepte la demande et confirme les modalités que lui avaient précisées sa tante Blanche [207].

C'en est fini des actes officiels relatifs à Marguerite de Provence dans les archives du royaume. Son souvenir demeure cependant vivant dans la mémoire collective. Son rôle d'épouse de l'un de nos rois les plus populaires y a contribué. Dès la fin de sa vie et dans les années qui suivent son décès, les filles du lignage capétien comme celles de la noblesse reçoivent le prénom de Marguerite beaucoup plus souvent qu'autrefois. Il suffit de regarder les index de la collection des *Recueils des historiens de la Gaule et de la France*. En outre, comment pourrait-on oublier cette reine de France qui reste présente dans sa postérité, sa très vaste postérité [208] ?

Avant de refermer ce mémorial sur Marguerite de Provence, faut-il se demander si ce livre n'a pas trop embelli son souvenir ? La reine n'apparaît-elle pas plus patiente et plus humble que son époux ? N'a-t-elle pas montré plus d'attention envers lui qu'il n'a été indulgent envers elle en plusieurs occasions ? Certes, mais n'oublions cependant pas que la coquetterie et les dépenses en toilettes de sa femme ont parfois excédé à juste titre Louis IX. Sur ce sujet comme sur tant d'autres, les sources permettent donc de nuancer des points de vue trop abrupts. Le refus d'éliminer les textes gênants éclaire un couple qui a connu des scènes de ménage. Il les a surmontées et, après les épreuves, a montré une entente exceptionnelle grâce à des compromis entre un époux qui avait choisi les âpres sentiers d'une haute spiritualité et une épouse qui, en honnête femme, épouse affectueuse et bonne mère, se contente d'être une chrétienne de son temps.

Celle que les textes appellent la jeune reine, puis la reine de France et, enfin, la Dame de France, fut la seule femme de l'Histoire chargée de la responsabilité d'une croisade. Louis IX, puis Philippe III l'utilisent plusieurs fois pour défendre au grand jour des points de vue qui concordent mal avec ceux de la politique officielle ou même pour prendre des initiatives que la royauté ne peut assumer. Elle accepte ainsi de servir le royaume qui est devenu le sien et d'aller sur le devant de la scène chaque fois qu'il en est besoin.

Si les politiques qu'elle soutint se révèlent néfastes, dangereuses ou prématurées, elle se retire et retourne dans la coulisse sans exprimer sa rancœur. Quand il lui refuse la régence, Saint Louis a bien compris que la passion du pouvoir n'a pas atteint son épouse et qu'il lui évite de souffrir trop longtemps des attaques que ne manquent pas de subir ceux qui tiennent les rênes de l'Etat. Elle l'a servi quand il en avait besoin et ces passages épisodiques sur le devant de la scène politique la mirent très au fait des rapports franco-anglais et des questions provençales. Ses contemporains, et beaucoup d'autres après eux, l'ont jugée incapable d'avoir d'autres objectifs politiques. L'Histoire n'est pas tendre pour ceux qui ne s'affirment pas de manière durable ou décisive dans les affaires publiques. Elle n'aime pas davantage ceux qui, en avance sur leur temps, préconisent une politique que les dirigeants n'envisagent pas encore. Ne faut-il pas attendre 1481 pour voir enfin l'annexion de cette Provence que la reine Marguerite regrettait tant ?

Notes

Abréviations :

A.E.S.C. : Annales, Economies, Sociétés, Civilisations.
A.D.B.N. : Archives départementales, Bouches-du-Rhône.
A.N. : Archives nationales.
B.N. : Bibliothèque nationale.
JO. I : JOINVILLE, *Histoire... de Saint Louis*, éd. de Wailly.
JO. II : *ibid.*, éd. La Pléiade.
La. I : *Layettes*, t. I.
M.P.L. : MATHIEU PARIS, *Chronica majora*, éd. Luard.
M.P.H. : *ibid.*, éd. Huillard-Breholles.
N.B.E. : *Dictionnary of National Biography of England*.
R.H.F. : *Recueil des historiens des Gaules et de France*.
R. h. dr. fr. ét. : *Revue historique de droit français et étranger*.
R. quest. his. : *Revue des questions historiques*.

1. F. BENOÎT, *Recueil... Provence*, t. II, p. 120, n° 36 bis.
2. *Id.*, p. 125, n° 43.
3. *Id.*, p. 127, n° 47, p. 125, 1, p. 295 *sq.*, n°s 194, 263, 381, 270.
4. *Id.*, t. I, p. X *sq.*; *Art de vérifier les dates*, t. VI, p. 343 *sq.*; E. BARATIER, *Histoire...*, p. 123 *sq.*; R. PERNOUD, *Les Statuts municipaux de Marseille*; BOURILLY et BUSQUET, *... Institutions*.
5. F. BENOÎT, t. I, p. 122 *sq.*; *cf.* C. ARDISSON, *Etude sur l'entourage des comtes de Provence de la maison de Barcelone*, D.E.S. dact., Aix, 1967 (étude sur la cour comtale en 1226).
6. F. BENOÎT, t. II, p. 125, n° 43, p. 127, n° 47 et *sq.*
7. *Id.*, p. 11, p. 383 (1232, 1241).
8. La. IV, p. 464 et *cf. infra*, ch. VIII; J. HEERS, *Le clan...*

9. E. BOUTARIC, « Marguerite... », *R. ques. his.*, 1867, pp. 417-458; V. LE CLERCQ, *Hist. litt. de la France*, t. XXI, p. 832 *sq.* ; E. BROWN, « Royal lineage », *Le Médiéviste et l'ordinateur*, n° 11, 1984, pp. 9-12; N.B.E.

10. R. BARATIER, p. 159 *sq.* ; J. LINSKILL, *Raimbaut de Vaqueiras*, La Haye, 1964; *Art de vérifier les dates;* N.B.E.

11. DANTE, *Paradis*, VI, v. 133-135; LE NAIN DE TILLEMONT, *Histoire...*, t. II, p. 194, M.P.H., t. IV, p. 131 *sq.* et *infra* n. 13.

12. BARATIER, p. 131 sq. ; BENOÎT, I, p. XII *sq.*, XVIII *sq.*

13. MOUSKET, *Chronique rimée*, R.H.F., t. XXIII, pp. 21-22 v. 28, 692 *sq.* ; G. DE NANGIS, R.H.F., t. XX, p. 322.

14. LE NAIN..., t. I, p. 31; NANGIS, R.H.F., t. XX, p. 322.

15. GUILLAUME DE SAINT-PATHUS, *Vie...*, éd. de Laborde, p. 13.

16. La. II, a. 1234 (*cf.* 2275); G. SIVÉRY, *Saint Louis...*, p. 144; P. FOURNIER, *Le royaume d'Arles.*

17. La. II, p. 258, n° 2263; E. BERGER, *Blanche...*, p. 222 *sq.* ; H. WALLON, *Saint Louis...*, t. I; R. PERNOUD, *La reine Blanche.*

18. La. II, n°s 2264, 2269, 2270 et *infra* notes précédentes.

19. *Ibid.*, n° 2275.

20. R.H.F., t. XX, p. 765.

21. A.N., JJ 7, 8, 23, 26; B.N., ms. lat. 9978; G. SIVÉRY, p. 241 *sq.*, 225 *sq.*, 659 *sq.* et *op. cit. infra* n. 12 et *sq.*

22. DANTE, *Paradis*, VI, v. 141 *sq.* : BENOÎT, t. I, p. X *sq.*

23. *Id.*, p. XII *sq.*, t. II, p. 383 *sq.*

24. MOUSKET, R.H.F., t. XXIII, p. 32 *sq.*, *cf.* v. 28692, 28703; G. DE NANGIS, *ibid.*, t. XX, p. 203 *sq.*, 322 et *supra* n. 20.

25. R.H.F., t. XXI, p. 240.

26. *Ibid.*, p. 232.

27. BENOÎT, t. II, p. 300 *sq.* ; A.N., J 610, n° 1.

28. *Id.*, p. 301; A.D.B.N., fonds arch. Aix, G. 1 fol I (dot), *ibid.* B 325 (promesse) renseignement communiqué par Mlle Saulnier.

29. BENOÎT, t. II, p. 322, n° 292; BOUTARIC, « Marguerite... », p. 422 *sq.*

30. CHIFFLET, *Histoire de Tournus*, 1664, p. 622; LE NAIN DE TILLEMONT, t. II, p. 203 *sq.;* R.H.F., t. XXI, p. 246.

31. LE NAIN DE TILLEMONT, t. II, p. 205 *sq.*

32. R.H.F., t. XXI, p. 241 *sq.* ; E. BERGER, p. 224 *sq.* ; H. WALLON, t. I, p. 32 *sq.* ; *cf.* R. DELORT, *Le Commerce des fourrures en Occident à la fin du Moyen Age*, Paris, 1978.

33. R.H.F., p. 247.

34. *Ibid.*, p. 244.

35. A.N., JJ 30 A, fol. 138ro; MARTENNE, *Thesaurus anecdotorum*, t. I, p. 987; E. BERGER, p. 225; LE NAIN, t. II, p. 247.

36. G. DE NANGIS, R.H.F., t. XX, p. 322; E. BERGER, p. 226; R.H.F., t. XXI (pour la réfection des anneaux, etc., *cf.* p. 246); je remercie Mlle Saulnier, conservateur des musées de Sens, pour les renseignements sur le mariage, le

sacre, le couronnement ; on trouvera la mise au point sur ces questions dans L. SAULNIER, B. MAURICE, *Le Mariage...*, p. 37 *sq.* (avec l'indication complète des sources et la bibliothèque correspondante) ; signalons LERO-QUAIS, *Les Pontificaux manuscrits des bibliothèques publiques de France*, t. I, pp. 223-231 ; pour le Pontifical de Paris, *cf.* Bibl. fac. Médecine, Montpellier, ms. 399 ; J.-B. MOLIN, « La liturgie du mariage dans l'ancien diocèse de Sens », *Bul. S. Hist. du diocèse de Meaux*, 1968, pp. 8-32 et « L'iconographie des rites nuptiaux », *102e Congrès des soc. savantes*, 1977, pp. 176-180 ; E. CHARTRAIRE, *Cartulaire du chapitre de Sens*, Sens, 1904, pp. 176-180, avait aussi donné un sommaire du Pontifical perdu de Gauthier Cornut ; pour la question des anneaux, notons que la médaille d'or frappée pour le septième centenaire de la mort de Saint Louis porte au revers l'inscription : « hors cet annel, point d'amour » que, selon P. DONCŒUR, *Retours en Chrétienté*, Saint Louis aurait fait graver sur l'anneau donné à Marguerite de Provence ; cet anneau, fait d'une guirlande de lys et de marguerites, portait au chaton un crucifix et la devise « de hors cet annel, pourrions-nous avoir amour », *cf.* D. ROPS, *L'Eglise de la chrétienté et de la croisade*, Paris, Fayard, 1952, pp. 370-371 et *Ecclesia*, 1951, pp. 17-24 ; cet anneau, comme celui du roi, a disparu ; pour le sacre et le couronnement, *cf.* SAULNIER..., p. 77 *sq.* ; l'*Ordo* ou cérémonial du sacre vers 1200 (B.N., ms. lat. 1246) a été publié par T. et D. GODEFROY, *Le Cérémonial français*, t. I, Paris, 1949, p. 377 *sq.* ; *cf.* J. DU PANGE, *Le Roi très chrétien*, Paris, 1949, p. 377 *sq.* ; F. BARRY, *Les Droits de la reine*, Lille, 1932 ; le cérémonial composé au temps de Saint Louis n'a pas servi pour le couronnement de son épouse (Catalogue de l'exposition *La France sous Saint Louis*, Paris, 1970, p. 110), R. PERNOUD, *La Reine Blanche.*

37. R.H.F., t. XXI, p. 245 *sq.* ; BORELLI, *Recherches*, t. I, p. 43 ; M.P.H., t. VI, pp. 233-234 (plaintes de Charles d'Anjou).

38. *Ibid.*, p. 72.

39. J. GUEROUT, « Le palais de la Cité des origines à 1417 », *Paris et Ile-de-France*, 1949, 1950, 1951 ; J.-P. BABELON, « Saint Louis dans son palais de Paris », *Le Siècle de Saint Louis*, pp. 45-54.

40. G. DE SAINT-PATHUS, éd. Delaborde, p. 129.

41. LE NAIN, t. II, p. 498 ; *cf.* DUCHESNE, *Historiae Francorum scriptores...*, t. I, 1636, p. 406.

42. J. LE GOFF, « Les corps royaux », *Le Temps et la réflexion*, Paris, 1982, pp. 255-284 ; A. ERLANDE-BRANDENBURG, *Le Roi est mort...*

43. Duc de CASTRIES, *Rois et reines de France* ; G. SIVÉRY, p. 36 *sq.*

44. E. DE BOURBON, *Tractibus de diveris materiis praedicalibus*, B.N. ms lat. 15970, fol. 178vo ; *cf.* A. LECOY DE LA MARCHE, « Saint Louis, sa famille... » et *infra* n. 62.

45. *Cf. op. cit. supra* n. 43.

46. J. LEVRON, *Saint Louis*, p. 121-122.

47. J.-P. BABELON, *op. cit.*

48. R.H.F., t. XXII, p. 591 *sq.* (1239); t. XXI, p. 230 *sq.* (1233), t. XXII, p. 581 *sq.* (1237), La. II, an. 1237; BERGER, p. 16 *sq.*, 260 *sq.*, 286 *sq.*

49. BERGER, p. 11 *sq.*; SIVÉRY, p. 20 *sq.*; MOUSKET, R.H.F., t. XXII, p. 39, v. 27293; LE NAIN DE TILLEMONT, t. I, p. 421.

50. JO. II, p. 224; M.P.L., t. VI, pp. 583-585; M.P.H., t. VI, p. 383; SIVÉRY, p. 406 *sq.*

51. LE NAIN DE TILLEMONT, t. II, p. 202 *sq.*, La. II, a. 123 *sq.*; J. RICHARD, *Saint Louis*, p. 112; G. SIVÉRY, p. 324 *sq.*

52. P. FOURNIER, *Le Royaume d'Arles*; N.B.E.; RYMER, *Foedoera...*, t. I, pp. 341, 344-346; M.P.L., t. III, p. 334, M.P.H., t. IV, pp. 130-137; FAURIEL (STRICLAND), *Lives of queens of England*; Ch. PETIT-DUTAILLIS, *La Monarchie féodale en France et en Angleterre*, éd. 1971, p. 333 *sq.*

53. On l'appelle la « jeune reine » en 1234, 1237-1239, R.H.F., t. XXI, p. 247, t. XXII, pp. 581, 582, 601, 608, 610, 620; BERGER, p. 256, n. 6.

54. R. LEJEUNE, « La courtoisie et la littérature au temps de Blanche de Castille et de Louis IX », *Le Siècle de Saint Louis*, pp. 181-196; P. ZUMTHOR, « Les deux romans de la Rose », *La littérature française*, t. I, Paris, 1967, p. 31 *sq.*; *Le Roman de la Rose*, éd. E. LANGLOIS; G. DUBY, *Le chevalier...*, p. 223 *sq.*; JO. II, p. 254.

55. JO. I, p. 404 *sq.*

56. R.H.F., t. XXI, p. 408 *sq.* *(mansiones...)*.

57. *Id.*, pp. 406-407.

58. B.N., ms lat. 16481 (sermons du XIIIᵉ siècle), *cf.* A. LECOY DE LA MARCHE, « Saint Louis... » (*cf.* p. 483).

59. LE NAIN, t. II, p. 393; DUCHESNE, p. 406; B. NEVEU, « Le Nain de Tillemont et la vie de Saint Louis », *7ᵉ centenaire*, pp. 315-330; *Chronique anonyme*, R.H.F., t. XXI, p. 81; sur la longue période sans enfants, *cf.* JORDAN, *Louis IX...*, p. 5, n. 11.

60. LECOY DE LA MARCHE, p. 478; LE NAIN, t. III, p. 71; Ch. BREMOND, J. LE GOFF, J.-Cl. SCHMITT, *L'Exemplum...*

61. JO. II, p. 224.

62. La. II, a. 1237, n° 2562; BOUGENOT, « Comptes des dépenses de Blanche de Castille en 1241 », *Bul. hist. et philolog.*, 1889, n°ˢ 1 et 2.

63. B.N., ms. lat. 9017, fol. 55 *sq.*; R.H.F., t. XXI, p. 261 *sq.*

64. H. WALLON, *Saint Louis...*, p. 121 *sq.*

65. F. BENOÎT, t. I, t. II, p. 393 *sq.*; BARATIER, *op. cit.*, BERGER, p. 323 *sq.*

66. A.N. J 403, La. II, p. 446, n° 2901.

67. LE NAIN, t. II, p. 421 *sq.*, 496 *sq.*; MOUSKET, v. 3142; M.P.L., t. III, p. 87 *sq.*, t. IV, p. 86, 158 *sq.*, M.P.H., t. IV, pp. 207-208, 246 *sq.*, t. V, p. 354 *sq.*, t. VI, p. 382 *sq.*; N.B.E., H. KOCH, *Richard von Cornwall*, t. I (1209-1257), Strasbourg, 1888; MOUSKET, R.H.F., t. XXII, p. 81.

68. La. II, A. 1246; Ch. DUVIVIER, *La querelle des Avesnes et des Dampierre...*, Bruxelles, 1894; SIVÉRY, p. 158 *sq.*, 206 *sq.*

69. A.D.B.N., B 322; F. BENOÎT, *Recueil...*, t. II, p. 383 *sq.*, n° 292 A.

70. La. II, n° 2719.

71. F. BENOÎT, t. I et II; R. BARATIER, p. 169 *sq.*; *Grandes Chroniques* (éd. Viard), p. 114 *sq.*; LE NAIN, t. II, p. 203 *sq.*, t. III, p. 100; M. BRION, *Frédéric II de Hohenstaufen*; W. KIENAST, *Deutschland und Frankreich in der Kaiserzeit (900-1270)*.

72. JO. I, pp. 402-405; pour Isabelle, *cf.* A. D'HARCOURT, *Vita, Acta Sanctorum*, VI, p. 800; A. GARREAU, *La Bienheureuse Isabelle de France*, Paris, 1955; W.-C. JORDAN, p. 9 *sq.*; LABARGE, p. 208.

73. R.H.F., t. XXI, pp. 347 et 373 (20 livres puis 4 sous en 1256).

74. JO. I, pp. 74-75; M.P.H., t. VI, p. 383 *sq.*

75. G. DE SAINT-PATHUS, p. 40 *sq.*; *Grandes chroniques*, p. 117 *sq.*; *Chronique de Saint-Denis*, R.H.F., t. XXIII, p. 144 *sq.*; M.P.H., t. V, p. 118.

76. F. SALIMBENE, éd. Lautreilhe, p. 174; RICHARD, p. 206 *sq.*, JO. II, p. 254.

77. JO. I, p. 7, 153 et *supra* n. 76; R. PERNOUD, *Les Saints...*, p. 220.

78. JO. I, p. 7 *sq.*, 245 *sq.*, 253 *sq.*; J. RICHARD, « La politique orientale de Saint Louis », 7ᵉ centenaire, pp. 197-207; R. GROUSSET, *Histoire des Croisades*, t. IV; S. BELHOUCINE-LAMLI, ... *Abou-Chama*, D.E.A. dact. Lille, 1986, p. 45.

79. JO. I, p. 263 *sq.*

80. JO. II, p. 283 *sq.*, p. 290 *sq.*

81. JO. I, p. 341 *sq.*; après son retour en France, la reine Marguerite intervient aussi — sans plus de succès — pour que le roi ne fasse pas exécuter une dame noble coupable d'avoir tué son mari. Elle n'obtient même pas qu'elle ne soit pas pendue publiquement à Pontoise, RICHARD, p. 305.

82. R.H.F., t. XXI, p. 414 et 513 *sq.*; H. WALLON, p. 408 *sq.*

83. JO. II, p. 334.

84. JO. I, p. 396 *sq.*

85. G. DE SAINT-PATHUS, ch. XVI, p. 131 *sq.*

86. DUVIVIER, *op. cit.*; SIVÉRY, p. 434 *sq.*

87. JO. I, p. 411 *sq.*

88. *Id.*, p. 27 et 413.

89. *Id.*, p. 421.

90. *Id.*, pp. 422-426 (JO. II, p. 341 « divers »), JORDAN, p. 6, LABARGE, p. 162.

91. JO. I, pp. 429-433.

92. *Id.*, p. 439.

93. *Id.*, pp. 433-435.

94. JO. II, p. 346 *sq.*; SIVÉRY, p. 536 *sq.*; JORDAN, p. 35 *sq.*; LE NAIN, t. IV, p. 42 *sq.*

95. G. DUBY, *Le chevalier...*; P. TOUBERT, *Les Structures du Latium médiéval...*; J. LECLERCQ, *L'Amour vu par les moines du XIIᵉ siècle, La femme et les femmes dans l'œuvre de Saint-Bernard*, Paris, 1982; J. DAUVILLER, *Le Mariage dans le droit classique de l'Eglise*, 1933.

96. Sur la beauté de Béatrice de Savoie, M.P.H., t. V, p. 534; sur la beauté de

ses filles, cf. *supra* n°s 11, 13, 26, 52, 67 ; LE NAIN, t. II, p. 194 *sq.*, 421 *sq.* ; selon J.-L. FLANDRIN, « Les métamorphoses de la beauté féminine », *L'Histoire*, 1981, n° 68, pp. 98-101, les canons de la beauté féminine sont plus précis au xve siècle qui préfère les formes graciles et au xvie où les formes épanouies attirent davantage les regards.

97. JO. II, pp. 348-349 (Hyères) ; sur le désir de Louis IX de rester outre-mer, *Anonyme de Saint-Denis*, R.H.F., t. XX, p. 7 ; sur son désir de devenir moine, G. DE BEAULIEU, R.H.F., t. XX, p. 7, SAINT-PATHUS, p. 129 (LE NAIN, t. IV, p. 82, signale seulement que le roi veut devenir prêtre) ; JORDAN, p. 130 (pour d'autres aspects de la vie du roi, p. 80 *sq.*) ; LEVIS-MIREPOIX, p. 78 ; BÉNOUVILLE, p. 73 *sq.* ; SIVÉRY, p. 405 *sq.*, 498 *sq.* ; JO. II, p. 355 *sq.* ; O'CONNEL, p. 62 (tous les hommes sont ses frères).

98. P. GUTH, *Saint Louis*, p. 41 et D. ROPS, *L'Eglise de la cathédrale*, p. 370, ont vu une crise grave dans le couple ; JORDAN, p. 188, précise que l'absence d'enfants au début du mariage a pu faire croire à une mésentente ; pour d'autres aspects, R. PERNOUD, *La Reine Blanche*, p. 345 *sq.* ; MAUGER, *Saint Louis*, p. 127 ; cf. *Anonyme*, R.H.F., t. XX, p. 81.

99. SAINT-PATHUS, p. 13 *sq.* ; JO. I, pp. 16-19 ; BEAULIEU, R.H.F., t. XX, p. 64 ; Guillaume de CHARTRES, *De vita et actibus... regis Ludovici*, R.H.F., t. XX, p. 33 ; O'CONNEL, p. 193 ; SAINT-PATHUS, R.H.F., t. XX, p. 111, révèle que Louis IX n'avait pas de conversation privée ni d'attitude familière avec une autre femme que son épouse.

100. SAINT-PATHUS, éd. Delaborde, p. 34 ; JO. II, p. 212.

101. B.N., ms. lat. 15034 fol. 108 (Robert de SORBON), éd. Haureau, *Mém. de l'Ac. des Inscriptions...*, t. XX, 2e partie ; A. LECOY DE LA MARCHE, « Saint Louis... » ; R. FARAL, *La vie quotidienne...*, p. 179 ; BEAULIEU, R.H.F., t. XX, p. 33.

102. JO. I, p. 448-450 ; SAINT-PATHUS, p. 111.

103. SAINT-PATHUS, p. 129 ; pour la liste des enfants, cf. B. GUIDO, *Chronique*, R.H.F., t. XXI, p. 695 et cf. *supra* n. 96.

104. G. DE NANGIS, R.H.F., t. XX, p. 403 ; pour LE NAIN, *supra* n. 14.

105. NANGIS, R.H.F., t. XX, pp. 404-405.

106. G. DE CHARTRES, R.H.F., t. XX, p. 33 ; SAINT-PATHUS, R.H.F., t. XX, p. 111 ; cf. *supra* n. 99.

107. JO. II, p. 212.

108. SAINT-PATHUS, p. 34 ; M.P.H., t. VII et fin de sa chronique par un autre moine (t. IX, p. 157) : Henri III assistait à davantage de messes que Louis IX.

109. O'CONNEL, p. 95 ; SAINT-PATHUS, R.H.F., t. XX, p. 70 ; la reine Marguerite a donc eu recours à des nourrices, ce qui ne semble pas d'un usage courant au xiiie s. (P. BOULAN, Thèse doct. médecine, éd. Jouve, Paris, 1911, pp. 33-35 ; A. SIVÉRY-TROUILLET, *L'Allaitement maternel*, thèse doct. médec., (dact.), Lille, 1985, p. 11 *sq.*

110. M. SALVAT, « L'accouchement dans la littérature scientifique médiévale »,

L'Enfant au Moyen Age, Aix-en-Provence, 1980, pp. 87-106 ; Ch. LICHTEN-THELER, *Histoire de la médecine,* Paris, 1978, p. 257 *sq. ;* D. LORHMAN, « Pierre Lombard, médecin de Saint Louis », *7ᵉ centenaire,* pp. 165-181 ; E. BOUTARIC, *Saint Louis et Alphonse de Poitiers.*

111. JO. I, pp. 406-407.

112. *Chronique rémoise,* R.H.F., t. XXII, p. 325 *sq.*

113. JO. I, p. 13 ; BUISARD, « L'infanticide à la fin du Moyen Age », *Rev. dr. fr. étr.,* 1972, p. 173 *sq. ;* Ph. ARIÈS, *L'Enfant et la vie familiale sous l'Ancien Régime,* Paris, 1960 ; H. PLATELLE, « L'enfant au Moyen Age », *Mélanges de sciences religieuses,* 1982, pp. 67-85.

114. A.N., J 683, nᵒ 619 ; La. III, pp. 232-233, 287, IV, p. 117, V, p. 217 *sq.*

115. La. III, p. 536, nᵒ 4617 ; BORELLI, t. III ; G. FOURQUIN, *Le Domaine...,* p. 9.

116. JO. I, pp. 446-449.

117. La. III, p. 233.

118. *Ibid.,* p. 358 ; M.P.H., p. 553 *sq.*

119. La. IV, p. 360 (1269), L. MIROT, *Manuel de géographie historique de la France,* t. I, p. 148 ; J. RICHARD, *Saint Louis,* p. 440.

120. JO. II, p. 208.

121. R.H.F., t. XXI, pp. 284-382 (tablettes), p. 261 *sq.* (1248), *cf.* p. 263 (tailleur), t. XXII, p. 566 *sq.* (1234) ; G. SIVÉRY, « La rémunération des agents des rois de France au XIIIᵉ s. », *R. h. dr. Fr. ét.,* 1980, pp. 587-607 ; LOT et FAWTIER, *Histoire des institutions,* t. I, 1958, p. 66 *sq. ;* BORELLI, t. I, p. 141 *sq. ;* G. SIVÉRY, *Saint Louis...,* p. 516 *sq.*

122. R.H.F., t. XXII, p. 745 *sq.* (1261), p. 751 (1269) et *supra* n. 121 ; R.H.F., t. XXI, p. 241 (1234) ; *Le Régime du corps de maître Aldebrandin de Sienne* (publ. par Landouzy et Pépin, Paris, 1911, M.-T. LORCIN, *Société...,* p. 61 *sq. ;* P. FARAL, *La vie...* p. 154 *sq.,* p. 177 *sq.,* 210 *sq.* (*cf.* p. 133, Robert de Blois), *Le Chastoiement des dames ;* L. SAULNIER, *Le mariage ;* J. GARRISON, « D'où viennent les manières de manger à table », *L'Histoire,* 1984, nᵒ 71, pp. 54-59 ; Ch.-V. LANGLOIS, *La vie... ;* pour la méthode de recherche sur la fonction protocolaire des costumes, P. PIPONNIER, *Costume... : la cour d'Anjou (XIVᵉ-XVᵉ s.),* Paris, 1970 ; DOUET d'ARCQ, *Comptes de l'Argenterie des rois de France au XIVᵉ siècle,* Paris, 1851 ; SIVÉRY, p. 80 *sq.*

123. JO. II, p. 221 *sq.* (festin de 1241) ; M.P.H., t. VIII, pp. 84-86 (festin de 1254) ; E. BOURRASSIN, *La cour...*

124. JO. I., pp. 23-25 ; G. LAFEUILLE, *Le Siècle...,* pp. 199-200 ; L. CLADAT, *Rutebœuf,* Paris, 1895, p. 30 ; A. JUBENAL, *Œuvres complètes de Rutebœuf,* t. I., pp. 2, 4, 198, 238 ; E. B. HAM, *Rutebœuf and Louis IX,* Chapel Hill 1962 ; P. ROUSSET, « Rutebœuf, poète de la croisade », *Rev. d'Hist. ecclésiastique suisse,* 1966.

125. E. POWER, *Les Femmes au Moyen Age,* Paris, p. 13 *sq. ;* R. PERNOUD, *La Femme au temps des cathédrales,* Paris, 1985, *La Reine Blanche ; La Femme dans les civilisations des Xᵉ-XIIIᵉ s.,* Poitiers, 1977 (avec LEJEUNE

D'Alverny, Fossier, Verdon etc.), G. Duby, *Le Chevalier...* ; R. Faral, *La vie...*, p. 128 *sq.* ; M.P.H., t. IV, p. 131 *sq.*, 140 *sq.* : mesures prises au XIIIe siècle en Angleterre pour la protection des veuves.

126. G. Duby, *op. cit.* ; E. Power, *op. cit.* ; R. Pernoud, *op. cit.* ; H. Marrou, *Les Troubadours*, Paris, 1971 ; M. Rouche, « La femme au Moyen Age : histoire ou hagiographie ? in *Revue du Nord*, 1981, pp. 581-584 ; M.P. II, p. 131 *sq.* ; *N.B.E.* ; P. Lombard, *Sententiarum libri quatuor, Opera omnia*, t. II (Migne, *Patrologia latina*, sér. 2, t. CXCVII, Paris, 1885), *liber* II, dist. XVIII, « De formatione mulieris », p. 1046 *sq.* (*cf.* 687-689).

127. M.P.L., t. V, p. 42, M.P.H., t. VIII, pp. 77-91 (pour les cadeaux, pp. 97-98).

128. La. IV, pp. 360, 464, 519 (n° 3638, testament de Louis IX).

129. *Ibid.*, p. 464 (acte de juin 1270) ; Le Nain, t. II, p. 329 *sq.* (1239 *sq*).

130. Rymer, *Foedera*, t. I, p. 421 ; Le Nain, t. II, pp. 496-498, H. Koch, *Richard von Cornwall*, t. I, J.-P. von Gundling, *Geschichte und Thaten Kaiser Richard's*, Berlin, 1719 : N.B.E. (Richard von Cornwall).

131. E. Boutaric, « Marguerite... », JO. II, p. 353 *sq.* ; M.P.H., t. IV, p. 208, t. VIII, p. 327 *sq.*, t. IX, p. 24 *sq.* ; pour la famine sur le continent, Sivéry, *L'économie...*, p. 67.

132. Ch. Petit-Dutaillis, *La Monarchie féodale en France et en Angleterre*, p. 333 *sq.* ; Ch.-V. Langlois, *Saint Louis...*, t. III, 2e partie *Histoire de France* (Lavisse) ; Sivéry, *Saint Louis...*, p. 603 *sq.* ; Wallon, t. II, p. 347 *sq.*

133. Shirley, *Royal and Historical Letters, t. II*, 14 mars 1261, p. 166 *sq.*, Saint Louis confie l'arbitrage à sa femme, etc., p. 173 ; Rymer, *Foedera*, t. I, p. 407 (acceptation des arbitres par Henri III).

134. Rymer, t. I, p. 411 (affaires de Sicile) ; Champollion-Figeac, p. 316.

135. Rymer, t. I, p. 41 ; en 1272, les bijoux sont rendus au roi d'Angleterre qui envoie un reçu à la cour de France et signale que Gilles d'Audenarde lui a apporté ces joyaux de la part de la reine de France Marguerite (A.N., J 1044, n° 7, 29 octobre 1272).

136. Rymer, t. I, p. 236 ; Champollion-Figeac, p. 148 (texte traduit du latin).

137. A.N., J 307, n° 55, fol. 6 ; Boutaric, « Marguerite... », pp. 430-431 ; elle ne signa que le jour et le mois (dans une correspondance privée, l'année est souvent omise, au XIIIe comme au XXe siècle) ; Boutaric, qui en a republié un certain nombre dans *Saint Louis et Alphonse de Poitiers,* pp. 98-112, a modifié plusieurs dates indiquées par Rymer et ce travail en rectifie aussi quelques-unes avancées par Boutaric, en particulier parce que ce dernier a placé en 1264 la bataille d'Eversham alors que 1265 est l'année exacte (texte traduit du latin).

138. Sur l'affaire de Béarn, d'autres lettres dans le Cartulaire d'Alphonse de Poitiers, B.N., ms. lat. 10918, fol. 18, lettre de Marguerite à Alphonse, fol. 22, lettre d'Alphonse à Marguerite publ. par Boutaric, « Marguerite... », pp. 431-433, *cf. infra* n°s 144, 145.

139. RYMER, t. I, p. 236; BOUTARIC, p. 429; le pape soutient la reine (RAYNALDI, *Annales eccl.*, an. 1263, n° 83).

140. B.N., B 10918, fol. 19ro; BOUTARIC, pp. 433-434.

141. B.N., B 10918, fol. 19ro et vo, *id.*, p. 434, autre édit. BOUTARIC, *Saint Louis et Alphonse de Poitiers*, p. 105.

142. B.N., 10918, fol. 18, 20; BOUTARIC, « Marguerite... », pp. 434-435; (texte traduit du latin).

143. *Ibid.*, fol. 18, 20, 22; *id.*, pp. 435-436.

144. *Ibid.*, fol. 18ro; *id.*, pp. 431-432.

145. *Ibid.*, fol. 22; *id.*, pp. 423-433.

146. *Ibid.*, fol. 18vo, 19ro; *id.*, pp. 436-437.

147. *Ibid.*, fol. 24ro (lettre de Louis IX), fol. 19ro (lettre de Marguerite à Alphonse de Poitiers); BOUTARIC, « Marguerite... », pp. 438-439; *ibid.*, fol. 19vo (réponse d'Alphonse), *id.*, p. 439.

148. E. BOUTARIC, *Saint Louis et Alphonse de Poitiers*, p. 111.

149. La. IV, p. 92a, n° 4917 (1264); RYMER, t. I, p. 472, signale l'acte qui clôt l'affaire en 1267.

150. R.H.F., t. XXI, p. 579.

151. A.N., J 291, La. III, a. 1258.

152. La. III, p. 426; F. BENOÎT, *Actes...*, t. I, p. LXX et t. II, p. 465, n° 382, tient pour faux le codicille du testament de Roger Bérenger, mais l'acte du 17 juillet 1265 montre que la cour de France le considère comme valable; Rome s'efforce de réconcilier Charles d'Anjou et sa belle-mère (RAINALDI, nos 46, 47, 50, 51).

153. L. BLANCARD, *Documents inédits sur le commerce de Marseille au Moyen Age*, Marseille, 1854, p. 3 *sq.*; R. PERNOUD, *Le commerce de Marseille...*, Paris, 1949; BARATIER, *Histoire de Provence*, p. 143 *sq.*; autre rivale de Marseille, Narbonne *cf.* J. CAILLE, « Succès et soucis de la fortune narbonnaise (XIe-XIVe s. », *Histoire de Narbonne*, p. 141 *sq.*; SIVÉRY, *L'Economie...*, p. 200 *sq.*

154. P. FOURNIER, *Le Royaume d'Arles* et « Le royaume... », *Rev. ques. Hist.*, 1886, p. 452 *sq.* (*cf.* pp. 489-498 pour le rôle de la reine Marguerite); J. RICHARD, p. 130 *sq.*; E. BARATIER, *Enquêtes...*, p. 191 *sq.*; E.-G. LÉONARD, *Angevins de Naples*, Paris, 1954; E. JORDAN, *op. cit.*

155. G. SIVÉRY, *Saint Louis...*, p. 503 *sq.*

156. A.N., J 711 n° 301; La. IV, p. 68; BOUTARIC, « Marguerite... », pp. 522-523; RICHARD, *Saint Louis*, p. 440.

157. LANGLOIS, *Le Règne de Philippe III*; SIVÉRY, p. 506 *sq.*; La. III, a. 1255 *sq.*, IV a. 1264 *sq.*

158. La. IV, an. 1270; O'CONNEL, p. 188.

159. CHAMPOLLION-FIGEAC, p. 154; BOUTARIC, pp. 442-443.

160. A.N., J 408 n° 2 (confirmation du douaire); La. IV, n° 4617; testament de Saint Louis, La. IV, p. 419 *sq.*, n° 3638; pour Asti, *ibid.*, p. 464.

161. B. Guido, *Chroniques*, R.H.F., t. XXI, p. 701, n° 2 : le roi aurait prononcé ces paroles lors de son embarquement à Aigues-Mortes.

162. Primat, R.H.F., t. XXIII, p. 40 ; *Grandes Chroniques*, éd. Viard, CXIV ; R. Stenrfeld, *Ludwigs des Helingen Kreuzug nach Tunis und die Politik Karls I von Sizilien*, Berlin, 1896 ; points de vue sur la croisade de Tunis, Léonard, *Les Angevins...*, p. 43 *sq.*, Richard, p. 513 *sq.* ; Sivéry, p. 606 *sq.* ; *cf. supra*, n. 129.

163. L. Carolus-Barre, « Le testament d'Isabelle d'Aragon, reine de France, épouse de Philippe III », *Annuaire-Bulletin de la société d'Histoire de France*, 1986, pp. 131-137 ; J. Le Goff, « Saint Louis et les corps royaux » ; Langlois, *Le Règne de Philippe III*, p. 46 *sq.*

164. J.-P. von Gundling, *op. cit.*, N.B.E. et *supra*, n. 67.

165. A.N., J 408, n° 2 A ; Boutaric, pp. 443-444 (texte modernisé).

166. *Histoire littéraire*, XVIII ; R.H.F., t. XX, p. 467.

167. A.N., J 727 n° 8 A ; R.H.F., t. XXI, p. 147 ; Langlois, p. 14 *sq.*

168. G. de Nangis, R.H.F., t. XX, p. 467 *sq.* ; Langlois, *op. cit.*

169. Langlois, p. 24 ; Saint-Pathus, R.H.F., t. XX, p. 70.

170. *Id.*, p. 20 *sq.* ; Langlois, p. 63 *sq.*

171. A.N., JJ 38, fol. 22vo *sq.*

172. L. Delisle, *Cartulaire normand*, n° 1049 ; Langlois, p. 418 ; G. Fourquin, *Le Domaine royal...*, p. 297.

173. Champollion-Figeac, pp. 251, 276-278, 280 ; Boutaric, p. 444 *sq.*

174. Champollion-Figeac, p. 280 ; Boutaric, p. 285.

175. P. Fournier, *Le Royaume d'Arles* et *supra*, n. 130.

176. Nangis, R.H.F., t. XX, p. 491 ; *Continuatio Chronic. rothomagensis, ibid.*, t. XXIII, p. 345 ; Langlois, p. 35 *sq.*

177. Langlois, p. 34 *sq.*

178. Boutaric, pp. 446-447.

179. *Id.*, p. 446-447 ; Fournier, *Le Royaume* et *Rev. Quest. hist.*, 1886.

180. Fournier, *Le Royaume...*, p. 489 ; Langlois, p. 126 *sq.*

181. Boutaric, pp. 448-449 ; Langlois, p. 117 *sq.*

182. Champollion-Figeac, p. 282 ; Boutaric, p 449 (texte modernisé).

183. Boutaric, pp. 449-452 ; Rymer, I, pp. 599-600 ; Fournier, *op. cit.* ; Langlois, p. 37 *sq.*, p. 126 *sq.*

184. Champollion-Figeac, p. 299 ; Boutaric, p. 454 (texte modernisé).

185. A.N., J 511 n° 2 ; Boutaric, p. 455 ; Léonard, *Les Angevins...*

186. Boutaric, p. 455 *sq.* ; Fournier, *op. cit.* ; Langlois, p. 134 *sq.*

187. A.N., J 164 n° 5 ; Boutaric, p. 456 ; J. Favier, *Philippe le Bel*, p. 290 *sq.*

188. Cf. *supra*, chap. IX et X.

189. La. IV, n° 5639.

190. L. Mirot, *Manuel de géo. hist.*, t. I, p. 148 *sq.*

191. *Art de vérifier les dates*, t. VI ; J. Favier, p. 307 *sq.* ; R.H.F., t. XX, p. 561 (Nangis), t. XX, p. 94 (anonyme).

192. J. Vauchez, *La Sainteté en Occident aux derniers siècles du Moyen Age*, Pàris, 1981, p. 74 *sq.*

193. Saint-Pathus, *Les Miracles...*, éd. Fay et *Vie*, éd. de Laborde; Nangis, *Vie...*, R.H.F., t. XX, p. 312 *sq.*, *Chronique (Chronicon)*, éd. Géraud, Paris, 1843-44, 2 vol. *cf.* R.H.F., t. XX, pp. 544-586 et XXI, pp. 103-123, *Chronique abrégée*, R.H.F., t. XX, p. 649 *sq.*; Y. de Saint-Denis, *Gesta s. Ludovici*, t. XX, pp. 4-47; Primat, *Chronique*, R.H.F., t. XXIII, pp. 1-106 (trad. J. de Vignay.)

194. Beaulieu, *Vita...*, R.H.F., t. XX, pp. 3-27; G. de Chartres, *De vita et actibus...*, *ibid.*, t. XX, pp. 27-44; O'Connel, p. 32 *sq.*; J. Le Goff, p. 255 *sq.*

195. Saint-Pathus, *Vie*, éd. de Laborde, intr. et p. 1 *sq.*; M.-A. Dolfuss, « Miracles », *Soc. hist. des hôpitaux*, 1970, pp. 3-9; M. Bloch, *Les Rois thaumaturges*, Strasbourg, 1924; L. Carolus-Barre, « Les enquêtes... » et « consultation... », M. Riant, « Déposition de Charles d'Anjou... », *Soc. hist. France*, 1884, pp. 175-178; A. Vauchez, p. 74 *sq.*, 316 *sq.*, 662 *sq.*; H. de Laborde, « Fragments de l'enquête », *Mém. Soc. hist. Paris et Ile-de-France*, 1896; A. Duchesne, *Hist. Francorum script.*, t. V, p. 481 *sq.*

196. L. Carolus-Barre, « Les enquêtes... ».

197. JO. I, *supra*, ch. VI.

198. B. Guenée, « La fierté d'être capétien », A.E.S.C., 1978, pp. 450-477.

199. Doublet, *Antiquités de l'abbaye de Saint-Denis*, p. 938; Boutaric, p. 487; pour Eléonore, *cf.* M. P. et *Ann. of Tewkesbury and of Waverley*, p. 155 *sq.*

200. Fleureau, *Antiquités d'Etampes*, p. 139; Boutaric, *op. cit.*

201. Girard de Frachet, R.H.F., t. XXI, p. 13; *Annales S. Wandrille*, *ibid.*, t. XXIII, p. 465.

202. J. Favier, p. 214 *sq.*

203. Rymer, t. I, p. 836; Boutaric, p. 457.

204. J. Le Goff, *op. cit.*

205. G. de Frachet, *op. cit.*, p. 13.

206. R.H.F., t. XXIII, p. 465.

207. A.N., KK 38 n° 31; Tardif, *Cartons des rois*, n°s 1086-1087.

208. Peut-on espérer que cette étude sera faite, ne serait-ce que pour mieux connaître dans quelle mesure le sang royal peut se diluer dans une population... On connaît les souches roturières qui s'infiltrent dans les lignages royaux, mais pas le mouvement inverse.

Sources

A. SOURCES MANUSCRITES

— Archives Nationales :
J 301, 403, 511, 610 n° 1, 683, 711 n° 1, 1044 n° 7.
JJ 7, 8, 23, 26, 30, 38.
KK 38, n° 31.

— Bibliothèque nationale :
ms. lat. 9017, 9418, 10918, 15034, 15970, 16481.
Collection Moreau : 636, 689 *sq.*

— Archives départementales des Bouches-du-Rhône :
B 322, B 325.
Fonds de l'archevêché d'Aix-en-Provence, G 1.

— Public Record Office :
La correspondance entre Marguerite de Provence et la famille royale anglaise est dispersée entre divers fonds *(Vascon Rolls, Royal Letters Chancery miscellaneous Portfolios et Queen's Remembrancer (Realms of France))* ; BREQUIGNY *(cf.* B.N., col. Moreau, 636, 689 *sq.)* en avait copié un certain nombre au XVIIIᵉ siècle ; RYMER, W.-W. SHIRLEY et CHAMPOLLION-FIGEAC ont publié la correspondance *(cf. infra.).*

B. SOURCES IMPRIMÉES

BARATIER (E.), *Enquêtes sur les droits et les revenus de Charles Iᵉʳ d'Anjou en Provence (1252 et 1278)*, Paris, 1969.

BEAULIEU (Geoffroy de), *Vita et sancta conversatio piae memoriae Ludovici*, R.H.F., t. XX, pp. 3-27.

BENOÎT (F.), *Recueil des actes des comtes de Provence... Alphonse II et Raimond Bérenger V (1196-1245)*, Paris, 1925, 2 vol.

BOURBON (Etienne de), *Anecdotes historiques, légendes et apologues,* publ. par Lecoy de La Marche.

CHAMPOLLION-FIGEAC, *Lettres des rois, reines et autres personnages des cours de France et d'Angleterre,* Paris, 1839, t. I (d'après les copies de Brequigny, B.N., col. Moreau, 636, 689 *sq.*).

DUCHESNE (A.), *Historiae Francorum scriptores caoetanei,* Paris, 1636-1649, 5 vol.

GIRARD DE FRACHET, *Chronique,* R.H.F., t. XXI, p. 4 *sq.*

Grandes Chroniques de France (Les), éd. J. Viard, Paris, 1932.

JOINVILLE, *Histoire de Saint Louis,* éd. N. de Wailly, Paris, 1867 ; éd. La Pléiade, *Historiens et chroniqueurs du Moyen Age,* Paris, 1963, pp. 195-366.

Layettes du Trésor des Chartes, 6 vol., Paris, 1866-1922.

Mathieu PARIS, *Chronica majora,* éd. R.-H. Luard, Londres, 1872-73, 7 vol. ; éd. A. Huillard-Breholles, Paris, 1890, 8 vol.

MOUSKET, *Chronique rimée,* R.H.F., T. XX, p. 34 *sq.* ; éd. de Reiffenberg, 1836 et 1838.

NANGIS (Guillaume de), *Gesta sancti Ludovici,* R.H.F., t. XX, pp. 312-463.

— *Gesta Philippe III,* R.H.F., t. XX, p. 464 *sq.*

O'CONNEL, *Les propos de Saint Louis* (préface de J. LE GOFF), Paris, 1974.

RUTEBŒUF, *Œuvres complètes* (publ. par A. Jubenal), Paris, 1939, 2 vol.

RAYNALDI (O.), *Annales ecclesiastici,* t. XIV, Cologne, 1692.

RYMER (Th.), *Foedera, conventiones, litterae,* t. I, Londres, 1816.

SAINT-PATHUS (Guillaume de), *Les Miracles de Saint Louis,* éd. B. Fay, Paris, 1931 et éd. R.H.F., t. XX.

— *Vie de Monseigneur Saint Louis,* éd. H.-F. de Laborde, Paris, 1899 ; éd. R.H.F., t. XX, pp. 58-121.

SHIRLEY (W.W.), *Royal and other historical letters illustrative of reign of Henri III,* Londres, 1862-1866, 2 vol.

Remarque : d'autres sources sont signalées dans les notes et cette remarque vaut pour la bibliographie.

BIBLIOGRAPHIE

ALEXANDRE (D.), CLOSSON (M.), *L'enfant à l'ombre des cathédrales,* 1986.

ARDISSON (C.), *Etude sur l'entourage des comtes de Provence appartenant à la maison de Provence,* D.E.S. dact., Aix, 1967.

BARATIER (E.), *Histoire de la Provence,* Privat, Toulouse, 1869.

BÉNOUVILLE (G. de), *Saint Louis,* Paris, 1970.

BERGER (E.), *Histoire de Blanche de Castille, reine de France,* 1895.

BORELLI DE SERRES, *Recherches sur divers services publics du XIIIe au XVIIIe siècle,* Paris, 1895-1909, 3 vol.

BOURASSIN (E.), *La Cour du roi de France à l'époque féodale,* Perrin, Paris, 1983.

BOUTARIC (E.), « Marguerite de Provence, son caractère, son rôle politique », *Revue des questions historiques*, t. III, 1867, pp. 417-458.
— *Saint Louis et Alphonse de Poitiers*, Paris, 1870.

BREMOND (C.), LE GOFF (J.), SCHMITT (J.-Cl.), *L'exemplum*, Turnhout, 1983.

CAROLUS-BARRE (L.), « Les enquêtes pour la canonisation de Saint Louis », *Rev. hist. Eglise de France*, 1971.
— « Consultation du cardinal P. Colonna... », *Bibl. Ec. Chartes*, 1954, pp. 57-72.

CASTRIES (duc de), *Rois et reines de France*, Paris, 1983.

DUBY (G.), *Le Chevalier, la femme et le prêtre*, Paris, 1981.

ERLANDE-BRANDENBOURG (A.), *Le Roi est mort. Etudes sur les funérailles, les sépultures et les tombeaux des rois de France jusqu'à la fin du XVIIIᵉ siècle*, Genève-Paris, 1975.

FARAL (E.), *La Vie quotidienne au temps de Saint Louis*, Hachette, Paris, 1938.

FAVIER (J.), *Philippe le Bel*, Fayard, Paris, 1978.
— *Histoire de France*, t. II, Fayard, Paris, 1984.

FOURNIER (P.), *Le Royaume d'Arles et de Vienne (1138-1378)*, Paris, 1891.
— « Le royaume d'Arles et de Vienne », *Rev. des questions hist.*, t. XXXIX, 1886, pp. 452 *sq.* (pour la reine Marguerite, *cf.* pp. 489-498).

FOURQUIN (G.), *Le Domaine royal en Gâtinais d'après la prisée de 1332*, Paris, 1963.

GUENÉE (B.), « La fierté d'être capétien », *Annales E.S.C.*, 1978, pp. 450-477.

GUTH (P.), *Saint Louis, roi de France*, Paris, 1961.

HEERS (J.), *Le Clan familial au Moyen Age*, Paris, 1978.

JORDAN (E.), *Les Origines de la domination angevine en Italie*, Paris, 1909.

JORDAN (W.C.), *Louis IX and the Challenge of Crusaders*, Princeton, 1979.

LABARGE (M.), *Saint Louis*, Boston, 1968.

LANGLOIS (Ch.-V.), *Le Règne de Philippe III le Hardi*, Hachette, Paris, 1887.
— *La Vie en France au Moyen Age*, Paris, 1926-1928, 3 vol.

LECLERCQ (J.), *Le Mariage vu par les moines au XIIᵉ siècle*, Paris, 1983.

LECOY DE LA MARCHE (A.), « Saint Louis, sa famille et sa cour d'après les anecdotes contemporaines », *Rev. quest. hist.*, t. XXII, 1877, pp. 465-484.

LE GOFF (J.), « Saint Louis et les corps royaux », *Le Temps de la réflexion*, Gallimard, Paris, 1982, pp. 255-284.

LEGUAY (J.-P.), *La Rue médiévale au Moyen Age*, Rennes, 1984.

LEJEUNE (R.), « La courtoisie et la littérature au temps de Blanche de Castille et de Louis IX », *Le Siècle de Saint Louis*, 1970, pp. 181-183.

LE NAIN DE TILLEMONT, *Vie de Saint Louis* (éd. J. de Gaulle), 1847-51, 6 vol.

LÉVIS-MIREPOIX (duc de), *Saint Louis, roi de France*, Paris, 1970.

LEVRON (J.), *Saint Louis ou l'apogée du Moyen Age*, Paris, 1960.

LORCIN (M.-T.), *Société et cadre de vie en France, Angleterre et Bourgogne (1050-1250)*, Paris, 1985.

LOT (F.) et FAWTIER (R.), *Histoire des institutions françaises au Moyen Age*, t. II, Paris, 1958.

MAUGER (G.), *Saint Louis*, Paris, 1960.

PERNOUD (R.), *Un chef d'Etat, Saint Louis, roi de France*, Paris, 1960.
— *La Femme au temps des cathédrales*, rééd. Paris, 1983.
— *La Reine Blanche*, Albin Michel, Paris, 1972.
— *Les Saints au Moyen Age*, Paris, 1984.

RICHARD (J.), *Saint Louis*, Fayard, Paris, 1983.

ROUCHE (M.), *Histoire de l'enseignement*, Paris, 1980.

SALVAT (M.), « L'accouchement dans la littérature scientifique médiévale », *L'Enfant au Moyen Age*, Aix, 1980, pp. 87-106.

SAULNIER (L.), MAURICE (B.), etc., *Le Mariage de Saint Louis à Sens, en 1234*, Sens, 1984.

SIVÉRY (G.), *Saint Louis et son siècle*, Tallandier, Paris, 1983.
— *L'Economie du royaume de France au siècle de Saint Louis*, P.U.L., Lille, 1984.
— *Des mirages méditerranéens aux réalités atlantiques*, P.U.F., Paris, 1976.

TOUBERT (P.), *Les Structures du Latium médiéval. Le Latium méridional et la Sabine du IXe à la fin du XIIe siècle*, Rome, 1973, 2 vol.

WALLON (H.), *Saint Louis et son temps*, Paris, 1876, 2 vol.

WITT (Me de), *Les Femmes dans l'histoire*, Paris, 1889 (pour Marguerite de Provence, *cf.* pp. 61-77).

ZINK (M.), *La Subjectivité littéraire. Autour du siècle de Saint Louis*, Paris, P.U.F., 1985.

Les ancêtres de Marguerite de Provence

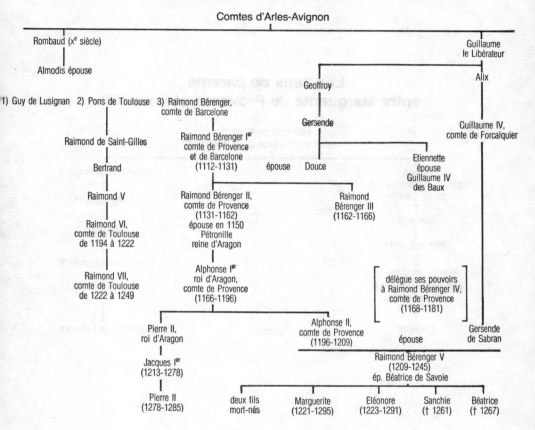

Comtes d'Arles-Avignon

Rombaud (xᵉ siècle)

Almodis épouse

1) Guy de Lusignan 2) Pons de Toulouse 3) Raimond Bérenger, comte de Barcelone

Raimond de Saint-Gilles

Bertrand

Raimond V

Raimond VI, comte de Toulouse de 1194 à 1222

Raimond VII, comte de Toulouse de 1222 à 1249

Raimond Bérenger Iᵉʳ comte de Provence et de Barcelone (1112-1131) épouse Douce

Raimond Bérenger II, comte de Provence (1131-1162) épouse en 1150 Pétronille reine d'Aragon

Alphonse Iᵉʳ roi d'Aragon, comte de Provence (1166-1196)

Raimond Bérenger III (1162-1166)

Geoffroy

Gersende

Guillaume le Libérateur

Alix

Guillaume IV, comte de Forcalquier

Etiennette épouse Guillaume IV des Baux

délègue ses pouvoirs à Raimond Bérenger IV, comte de Provence (1168-1181)

Gersende de Sabran

Pierre II, roi d'Aragon

Jacques Iᵉʳ (1213-1278)

Pierre II (1278-1285)

Alphonse II, comte de Provence (1196-1209) épouse

Raimond Bérenger V (1209-1245) ép. Béatrice de Savoie

deux fils mort-nés

Marguerite (1221-1295)

Eléonore (1223-1291)

Sanchie († 1261)

Béatrice († 1267)

(Remarque : La numérotation des Raimond Bérenger est celle qui leur revient comme comtes de Provence. Cette remarque vaut pour le tableau suivant.)

Les liens de parenté
entre Marguerite de Provence et Louis IX

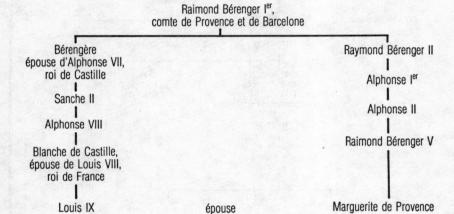

Raimond Bérenger Ier,
comte de Provence et de Barcelone

Bérengère
épouse d'Alphonse VII,
roi de Castille

Sanche II

Alphonse VIII

Blanche de Castille,
épouse de Louis VIII,
roi de France

Louis IX

épouse

Raymond Bérenger II

Alphonse Ier

Alphonse II

Raimond Bérenger V

Marguerite de Provence

Le lignage de Marguerite de Provence et de Saint Louis

Saint Louis (1214-1270) et Marguerite de Provence (1221-1295).

Blanche
1240-1243

Louis
1244-1270

Jean
1248

Blanche
1253-1323
ép. en 1269
Ferdinand
de Castille

Isabelle
1242-1271
ép. en 1255
Thibaud V
comte de Champagne
et roi de Navarre

Jean-Tristan
1250-1270
ép. en 1266
Yolande de Nevers

Alphonse   Juana
Ferdinand

Pierre
1251-1284
comte d'Alençon
ép. en 1277
Jeanne d'Alençon

Marguerite
1254-1271
ép. en 1269
Jean de Brabant

Philippe III le Hardi
1245-1285
roi de 1270 à 1285
ép. en 1262
Isabelle d'Aragon

Robert
comte de Clermont
1256-1318
ép. en 1277
Béatrice
de Bourbon

Louis
1266-1276

Charles de Valois
1270-1325
ép. Marguerite d'Anjou

Louis
d'Evreux
1276-1319

Philippe IV le Bel
1268-1314
roi de 1285 à 1314
ép. Jeanne de Champagne
reine de Navarre

Philippe VI
de Valois
1293-1350
roi de 1328
à 1350

Philippe d'Evreux

Six enfants
dont l'aîné,
Louis,
né en 1279,
ép. Marie d'Avesnes

Louis X
le Hutin
1289-1316
roi de 1314
à 1316
ép. Marguerite
de Bourgogne

Philippe V le Long
1292-1322
roi de 1316 à 1322
ép. Jeanne d'Artois

Isabelle
ép. Edouard II
roi d'Angleterre
de 1307 à 1327

Agnès
1260-1327
ép. en 1279
Robert de
Bourgogne

Charles IV le Bel
1295-1328
roi de 1322 à 1328
ép. Blanche d'Artois

Huit enfants
dont Marguerite,
mariée
à Louis le Hutin
et Jeanne
ép. de Philippe VI
de Valois

Index

Table des matières

Achevé d'imprimer en août 1987
sur presse CAMERON
dans les ateliers de la S.E.P.C.
à Saint-Amand-Montrond (Cher)
pour le compte de la librairie Arthème Fayard
75, rue des Saints-Pères - 75006 Paris

ISBN 2-213-02017-5

35-61-7789-01

Dépôt légal : septembre 1987.
N° d'Édition : 6032. N° d'Impression : 1744-1290.
Imprimé en France

35-7789-7